pbp

karen horney

la psychologie de la femme

préface de harold kelman

332

petite bibliothèque payot

106, boulevard saint-germain, 75006 paris

TABLE DES MATIÈRES

INTRODUCTION

par Harold KELMAN

Freud déclarait en 1935 qu'il avait atteint l'apogée de son œuvre psychanalytique en 1912 (¹). Il ajoutait : « Depuis que j'ai émis l'hypothèse de l'existence de deux sortes d'instincts (Éros et l'instinct de mort) et depuis que j'ai proposé une division de la personnalité mentale en un moi, un surmoi et un ça (1923), je n'ai plus apporté de contribution décisive à la psychanalyse. »

Karen Horney avait, en 1913, reçu son diplôme de médecin à Berlin et y avait complété sa formation psychiatrique et psychanalytique. Elle écrivait en 1917 son premier article de psychanalyse (²) et était devenue en 1920 un membre éminent du professorat de l'Institut de Psychanalyse de Berlin nouvellement créé. En 1923 elle publiait le premier d'une série d'articles sur la psychologie de la femme — « On the Genesis of the Castration Complex in Women » (« De la Genèse du Complexe de Castration chez la Femme ») — que l'on trouvera dans le présent volume.

(¹) Sigmund Freud, « An autobiographical Study », in *Collected Papers*, Vol. XX, Londres, The Hogarth Press, 1936.
(²) Karen Horney, « Die Technik der psychoanalytischen Therapie », *Zeitchr. F. Sexualwissenschaft*, IV (1917). Les articles de Horney sur la psychologie de la femme dont la liste suit ne sont pas inclus dans ce volume : « Le Complexe de Masculinité chez les Femmes » (« Der Männlichkeitskomplex der Frau »), *Arch. f. Frauenkunde*, XII (1927), pp. 141-54 ; « L'Aptitude et l'Inaptitude psychiques au Mariage » (« Psychische Eignung und Nichteignung zur Ehe ») ; « Des Conditions Psychiques du Choix d'un Partenaire dans le Mariage » (« Über die psychischen Bestimmungen der Gattenwahl ») ; « De l'Origine Psychique de certains Conflits typiques dans le Mariage » (« Über die psychischen Wurzeln einiger typischer Ehekonflikte »), in *Ein biologische Ehebuch*, par Max Marcuse (Berlin & Köln, A. Marcus & E. Weber, 1927) ; « La Défiance entre les Sexes » (« Das Misstrauen zwischen den Geschlechtern »), *Psychoanal. Bewegung*, II (1930), pp. 521-37.

Freud était l'aîné de K. Horney de près de trente ans. A l'époque où elle acquit sa formation pour la période la plus productive de sa vie, Freud avait passé le cap de sa plus grande puissance créatrice. Le jugement que Freud avait porté sur lui-même en 1935 était dû en partie aux douleurs d'une « maladie maligne » qui le gênait dans sa vie et dans son travail. Après 1923, la curiosité scientifique de Freud avait atteint sa plénitude, culminant dans son dernier livre, *Moïse et le Monothéisme* (1939) : « Après le détour de toute une vie à travers les sciences naturelles, la médecine et la psychothérapie, ma curiosité est revenue aux problèmes culturels qui m'avaient fasciné longtemps auparavant, lorsque j'étais un garçon à peine assez âgé pour penser. » (¹)

Les théories scientifiques et culturelles, comme les êtres humains, ont leur rythme. Leurs cycles et leurs intérêts fluctuants se reflètent dans les générations successives qui y contribuent. De même, en considérant l'historique du mouvement psychanalytique, nous voyons naître différentes manières d'expliquer le comportement (²). Dans cette introduction, nous accorderons une importance particulière à la naissance des idées de Freud et de K. Horney sur la psychologie de la femme.

Il y a des limites jusqu'où un génie peut transcender la *Weltanschauung* (conception du monde) dans laquelle il a été élevé. Il faut une autre génération pour faire le bond essentiel vers un nouveau modèle scientifique (³), vers une nouvelle vue universelle unitaire du cosmos.

Freud était un produit du XIXe siècle. L'Age des Lumières avait développé la dignité de l'individu et la primauté de la raison. Des progrès importants dans le domaine des sciences naturelles étaient nés de la méthodologie des perspectives scientifiques. Alors que l'homme occidental avait encore des difficultés à accepter l'idée d'un univers héliocentrique, il devait faire face à la théorie de l'évolution de Darwin. Bientôt il serait confronté avec les idées de Freud sur l'inconscient.

Naturellement, certains aspects de son milieu environnant affectaient aussi les perspectives de Freud. Il était né à Freiberg, en Moravie, province autrichienne, dans une minorité frappée d'ostracisme et élevé dans une famille juive traditionnelle où l'homme est le seigneur et maître et la femme un être inférieur. L'importance de ce patriarcat devait, de plus, être confirmée par le favoritisme manifeste que lui témoignait sa mère. L'Empire Austro-Hongrois

---

(¹) Freud, *op. cit.*
(²) Harold Kelman & J. W. Vollmerhausen, « On Horney's Psychoanalytic Techniques Developments and Perspectives », in *Psychoanalytic Techniques*, ed. B. B. Wolman (New York, Basic Books, 1967).
(³) Th. S. Kuhn, *The Structure of Scientific Revolutions* (Chicago, The University of Chicago Press, First Phoenix Edition 1964), p. 159.

décadent et la Vienne catholique laissèrent leur emprise sur lui comme l'ont fait les mœurs sexuelles prudes, puritaines et hypocrites de l'époque victorienne dans laquelle il fut élevé. En tant que génie viril, Freud développa une psychologie d'orientation virile basée sur les immuables anatomiques — « L'anatomie est la destinée » — étayée par les canons et méthodologies de la science du xixe siècle.

« La Psychanalyse », disait Freud, « est une branche de la science et peut souscrire à une *Weltanschauung* scientifique » (¹) ; les faits étaient considérés comme la donnée significative de l'expérimentation scientifique. Les faits pouvaient être observés, mesurés et objectivés. Ils pouvaient être contrôlés par des expériences répétées avec des résultats prévisibles. Ces expériences éprouveraient des hypothèses qui, lorsqu'elles seraient publiquement vérifiées, pourraient être considérées comme des lois.

La science du xixe siècle se cantonnait dans des systèmes clos isolés, basés sur la notion de strict déterminisme. Dans la situation du traitement psychanalytique influencée par ce système de pensée, le psychanalyste et le milieu dans lequel vivait le patient étaient considérés comme des coordonnées fixes. Le patient était ainsi considéré comme le seul variable dans la structure investigatrice expérimentale de Freud et était traité comme un sujet isolé, conformément aux méthodologies des sciences naturelles.

Au xxe siècle, les sciences naturelles devinrent moins étroitement structurées et tinrent compte de quelques variations du déterminisme. Parallèlement, dans la situation psychanalytique le milieu aussi bien que le patient devinrent de plus en plus importants en tant que facteurs interdépendants. De même les valeurs esthétiques, morales et spirituelles, qui n'étaient pas considérées au xixe siècle comme faisant partie du domaine scientifique et qui, de ce fait, ne participaient pas aux méthodologies d'investigation psychanalytique, s'attribuaient une place de choix dans la science du xxe siècle.

Karen Horney naquit à Hambourg dans une famille protestante de la haute bourgeoisie. Son père était un lecteur fervent de la Bible et sa mère était libre-penseur. Dans sa première jeunesse, Karen Horney traversa une période d'enthousiasme religieux qui, à cette époque, était monnaie courante parmi les adolescentes. Sa famille était socialement et financièrement assise. Son père (Berndt Henrik Wackels Danielsen) était un officier de marine norvégien qui devint citoyen allemand et, plus tard, devait devenir Président de la compagnie maritime Lloyd de l'Allemagne du Nord. K. Horney, dans sa jeunesse, fit de longs voyages en mer avec son père et ainsi naquit sa passion de toute une vie pour les voyages et sa curiosité pour des lieux étranges et lointains. Sa mère (Clotilde Marie van Rozelen) était hollandaise.

(¹) S. Freud, *New Introductory Lectures* (New York, N. W. Norton & Cᵒ, Inc., 1965), p. 181.

Les contrastes entre les milieux où naquirent Freud et Horney sont frappants. Les parents de Freud vivaient à sa naissance dans des conditions difficiles et leur situation sociale s'aggrava du fait du nationalisme tchèque naissant opposé à l'autorité autrichienne et de l'hostilité tchèque à l'égard de la minorité juive de langue allemande. Lorsque Freud eut trois ans, le déclin de l'industrie textile dont son père dépendait en tant que marchand de laines obligea la famille à s'établir à Vienne. Agé seulement de douze ans, Freud fit l'expérience de « la résignation triste et du manque de courage » de son père, humilié par un Gentil. Cette situation perturba Freud et il avait atteint l'âge mûr avant d'avoir perdu le besoin de remplacer l'idéal paternel détruit.

Quoique K. Horney ait passé beaucoup de temps avec son père en de longs voyages en mer, c'est sa mère qui eut le plus d'influence sur elle. En raison des absences longues et fréquentes de son père, elle passait beaucoup de temps avec sa mère, femme dynamique, intelligente et belle, qui lui préférait son frère aîné Berndt. Karen admirait son frère et lui était très attachée, quoique après son adolescence il n'ait plus joué qu'un rôle limité dans sa vie.

A la fin du XIXᵉ siècle, il était encore inhabituel pour une femme de devenir médecin. C'est ce que fit Karen Horney avec l'assentiment de sa mère. Elle partit à Berlin pour sa formation médicale, psychiatrique et psychanalytique. Les raisons du choix d'une carrière de psychanalyste n'ont jamais été établies dans ses écrits. Elle était une excellente étudiante et était en général première de sa promotion. Sa compétence et sa personnalité lui gagnèrent l'estime de ses professeurs aussi bien que de ses collègues masculins.

En 1919, à l'âge de vingt-quatre ans, elle épousa un avocat berlinois, Oscar Horney, dont elle eut trois filles. Elle divorça en 1937 en raison d'intérêts divergents et de l'importance croissante de son rôle dans le mouvement psychanalytique. Les problèmes de la maternité, les problèmes d'une carrière et la dissolution d'un mariage dont elle sentait qu'il n'avait plus de sens ont pu contribuer à son intérêt croissant pour la psychologie de la femme. Je pense cependant que cet intérêt était davantage déterminé par l'emprise de la psychanalyse, par son enthousiasme pour la recherche et par l'acuité de ses observations cliniques. En tant que thérapeute elle était aussi poussée par les désaccords trouvés entre les théories de la psychanalyse freudienne et les résultats thérapeutiques fournis par l'application de ces théories.

K. Horney passa la plus grande partie de sa vie à Berlin. C'était l'époque de la naissance et de la chute du Deuxième Reich et de la domination du Kaiser. Quoiqu'elle ait été certainement influencée par ces événements, l'intérêt qu'elle portait à la politique était limité. Et quoiqu'elle ait été certainement consciente de la condition inférieure des femmes, je ne crois pas que l'intérêt qu'elle portait à la psychologie de la femme ait été grandement affecté par ses observations sur la position sociale de la femme. Ni que l'avènement d'Hitler ait été un facteur déterminant pour son départ aux États-Unis en 1932. Bien que Karen Horney ne fût pas portée à l'action sociale, elle était au courant des questions sociales et de la situation mondiale et soutenait généreusement les organismes d'entraide et les causes libérales. En 1941, elle exprima clairement son anti-fascisme et sa croyance « que les principes démocratiques contrastant avec l'idéologie fasciste, soutiennent l'indépendance et la force de l'individu et font valoir son droit au bonheur » ([1]).

K. Horney fut d'abord analysée par Karl Abraham, que Freud considérait comme son élève le plus éminent, puis par Hanns Sachs, dont l'attitude envers Freud était celle de la vénération. L'analyse faite par des disciples aussi loyaux aurait dû la porter à adhérer aux vues de Freud plutôt qu'à s'en écarter.

Cependant, les origines de Karen Horney et ses expériences de jeunesse la préparaient à des vues beaucoup plus étendues. Elle était très intéressés par la naissance de la science du xxe siècle et cet intérêt contribua certainement au choix de sa carrière de médecin et de psychanalyste. Elle était stimulée aussi par l'atmosphère cosmopolite de Berlin pendant la période où elle était étudiante — en particulier par la vitalité du théâtre et du travail de Max Reinhardt.

Elle devint étudiante en psychanalyse après que les fondements de celle-ci aient été établis et qu'elle ait été admise sur des bases universelles. Jeunesse et compétence régnaient parmi les hommes et les femmes réunis à Berlin après la première guerre mondiale et une période importante s'ouvrait pour la psychanalyse avec la création de l'Institut de Psychanalyse de Berlin. La plupart de ceux qui y enseignaient et y étaient formés posaient les principes de base que la psychanalyse devait suivre pendant les cinquante années à venir.

Dès 1923, « l'approche psychanalytique classique » avait été esquissée — une psychologie « caractérisée par cinq points de vue distincts ». Le point de vue topographique affirme que « la psychanalyse est une psychologie en profondeur et qu'elle donne une signification particulière aux activités psychiques préconscientes et inconscientes ». Deuxièmement, « le comportement présent ne peut être compris que par rapport au passé ». Cette orientation génétique signifie que les phénomènes psychiques sont le résultat des effets combinés « des expériences du milieu et du développement biologique » de la structure psycho-sexuelle. Le point de vue dynamique (le troisième) se rapporte au fait que le « comportement humain peut être compris comme le résultat d'une interaction des pulsions instinctuelles et des forces contre-instinctuelles. » Le quatrième, le point de vue économique, est basé sur l'hypothèse que « l'organisme a à sa disposition une quantité donnée d'énergie »...

Le point de vue structurel, le cinquième, « est une hypothèse

([1]) K. Horney, Biography, in *Current Biography*, vol. 11, n° 8 (New York, H. W. Wilson & C°, août 1941), pp. 27-29.

d'élaboration qui divise l'appareil mental en trois structures séparées... Le ça est le réservoir instinctuel de l'homme et a son fondement dans l'anatomie et la physiologie... Le ça est sous la domination des processus primaires, ce qui signifie qu'il agit suivant le principe de plaisir... Le moi contrôle la structure psychique... Il organise et fait la synthèse... Les fonctions conscientes du moi aussi bien que les fonctions préconscientes sont sous l'influence du processus secondaire... Le surmoi est la dernière structure de l'appareil psychique à se développer. Il résulte de la résolution du complexe d'Œdipe. Comme conséquence, une nouvelle action s'institue dans le moi contenant les qualités et valeurs de récompense et de punition des parents. Le moi idéal et la conscience sont des aspects différents du surmoi...

« Tous les phénomènes névrotiques sont le résultat d'une insuffisance de la fonction normale de contrôle du moi, conduisant soit à la formation de symptômes, soit à une modification caractérielle, soit aux deux... Un conflit névrotique peut être le mieux expliqué structuralement par un conflit entre les forces du moi d'une part et du ça d'autre part... Les conflits névrotiques décisifs se produisent dans les premières années de l'enfance... Le... but ultime... de la thérapeutique psychanalytique... est de résoudre la névrose infantile qui est le nœud de la névrose adulte et par conséquent de se débarrasser des conflits névrotiques [1]. »

En 1917, six ans avant que Freud ait formulé les principes de la technique psychanalytique et avant la publication de son ouvrage *Le Moi et le Ça*, Karen Horney affirmait dans son article sur la technique psychanalytique : « La psychanalyse peut libérer un individu pieds et poings liés. Elle ne peut lui donner de nouveaux bras ou jambes. La psychanalyse cependant nous a montré que beaucoup de ce que nous avons considéré comme constitutionnel représente purement et simplement un blocage du développement, blocage qui peut être levé [2]. » Sa philosophie orientée sur le développement, sur l'affirmation de la vie, sur la recherche de la liberté, était déjà manifeste. Pour elle, le tempérament n'était pas une chose fixée à la naissance et immuable tout au long de la vie, mais une chose qui offrait des possibilités plastiques modelables par des interactions de l'organisme et du milieu environnant. Ainsi, en 1917, Karen Horney avait défini son concept holistique du blocage [3] en opposition à la notion mécanique de la résistance chez Freud.

Ce qu'elle formulait dans ces premières années devait amener une confrontation avec les psychanalystes qui soutenaient l'approche

---

[1] R. R. Greenson, « The classic Psychoanalytic Approach », in *the American Handbook of Psychiatry*, ed. S. Arieti (New York, Basic Books, 1959). Cet article contient une présentation concise de la psychanalyse freudienne et qui fait autorité.

[2] Horney, « The Technique of Psychoanalytic Therapy », *op. cit.*

[3] Kelman & Vollmerhausen, *op. cit.*

freudienne dans le traitement des psychonévroses. Quoique K. Horney admette l'importance des forces inconscientes, elle était convaincue que leur dimension et leur importance étaient tout à fait différentes. Par exemple, elle ne considérait pas le terme « dynamique » comme signifiant l'interaction de l'instinct et du contre-instinct, mais y voyait plutôt le conflit entre les forces spontanées du développement et les perversions de ces saines énergies comme une maladie. Le concept économique selon lequel il y a dans l'organisme une quantité fixe d'énergie utilisable était une affirmation de la science du xixe siècle que Freud considérait applicable à la théorie psychanalytique. Cette notion se rapportait à des systèmes clos isolés dans un univers newtonien de concepts mécaniques. La pensée de K. Horney était un système ouvert semblable à celui du champ des théories physiques du xxe siècle. En dépit de ses assertions, l'orientation de Freud n'était pas biologique mais basée sur une philosophie matérialiste. Celle de K. Horney avait ses racines dans une philosophie holistique et organique exprimée dans un langage de rapports définissant le milieu et l'organisme comme un processus unitaire, chacun influant sur l'autre.

La position de Horney en 1917 se heurtait violemment à un appareil mental tripartite. Son affirmation d'une spontanéité humaine enracinée dans l'anatomie et la physiologie mettait en question la primauté du ça et des instincts de destruction. Sa philosophie de recherche de la liberté jetait le doute sur le principe plaisir-douleur basé sur la notion de déterminisme absolu. K. Horney affirmait que l'homme devient destructif en raison d'un blocage du développement. Freud considérait la sublimation comme un processus secondaire, alors que K. Horney la considérait comme une manifestation primitive, non entravée, du développement. Les fonctions que Freud donnait au moi et au surmoi prenaient en conséquence un nouveau sens dans la structure théorique de K. Horney.

Le point de vue génétique, qui affirmait qu'un comportement donné ne peut être compris que d'après le passé, était mis en question par le concept de K. Horney de « la situation réelle » ([1], [2], [3]), qui englobe « les conflits réellement existants et les tentatives du névrosé pour les résoudre », et « ses angoisses réellement existantes et les défenses qu'il a édifiées contre elles » ([4]). La situation réelle donne place et espace aux influences d'exagération et de modération du présent continu, qui est négligé dans le point de vue génétique.

Les premières opinions de K. Horney présentaient de nombreuses divergences avec les théories fondamentales de Freud. Le degré

([1]) Kelman & Vollmerhausen, *op. cit.*
([2]) Karen Horney, *The Neurotic Personality of our Time* (New York, W. W. Norton & Cᵒ, Inc., 1937), chap. VII.
([3]) K. Horney, *New Ways in Psychoanalysis* (New York, W. W. Norton & Cᵒ, Inc. 1939), Chap. X.
([4]) *Ibid.*, Chap. VII.

de divergence n'apparut dans toute son ampleur que dans ses formulations ultérieures. K. Horney s'intéressa d'abord à la théorie
de la libido de Freud et à ses théories du développement psycho-
sexuel. Les articles réunis dans le présent volume contiennent le
détail de sa confrontation avec ces théories. De même que nous ne
pouvons que spéculer à propos des facteurs qui, dans le propre
développement de K. Horney, ont contribué à l'orientation de sa
pensée en 1917, nous ne pouvons que résumer les événements qui
l'ont conduite à commencer l'examen des théories de Freud — et
en particulier son point de vue génétique reflété dans sa théorie
de la libido.

Après la publication de son article en 1917, le Dr Horney a pu
décider d'attendre pour développer les idées exprimées dans cet
article, tant elles différaient de la philosophie de Freud. Elle était
encore nouvelle venue dans le domaine de la psychanalyse et ses
idées demandaient quelques années de maturation. La théorie de
la libido de Freud était à cette époque l'objet de nombreuses études
critiques de la part des psychanalystes ; et en 1923, Freud l'a encore
développée en y adjoignant sa théorie des deux instincts.

« Dans certains de ses derniers ouvrages, Freud a attiré l'attention avec une insistance croissante sur un aspect unilatéral de nos
recherches analytiques. » K. Horney ajoute : « Je me rapporte au fait
que jusqu'à une époque très récente seul l'esprit des garçons et des
hommes était pris comme objet d'investigations. La raison en est
manifeste. La psychanalyse est la création d'un esprit viril et presque
tous ceux qui ont développé ses idées ont été des hommes. Il est
donc juste et raisonnable qu'ils développent plus aisément une
psychologie de l'homme et qu'ils comprennent mieux le développement des hommes que celui des femmes (¹). »

L'intérêt précoce du Dr Horney pour la psychologie de la femme
a été stimulé aussi par des observations cliniques qui semblaient
contredire la théorie de la libido. Son intérêt pour les ouvrages du
philosophe et sociologue Georg Simmel, pour les ouvrages d'anthropologie, a pu contribuer à son intérêt pour la psychologie de
la femme. Ces psychologies dites masculine et féminine devaient
être formulées pour préparer la voie à sa philosophie personnelle
tout entière.

Quelles étaient les théories freudiennes de la sexualité que Horney
avait apprises et d'après lesquelles elle travailla pendant et après
sa formation analytique ? La toute première théorie de Freud (1895)
était la prémisse que la frustration sexuelle était la cause directe
des névroses. Il affirmait que l'instinct sexuel qui se manifeste
dans l'enfance a pour but la libération d'une tension et pour
objet la personne ou le substitut qui gratifie cette libération. Selon
Freud, le névrosé fait en fantasmes ce que le pervers fait en réalité

(¹) **Flight from Womanhood** (« La Fuite devant la Féminité »),
dans le présent volume.

et l'enfant est un pervers-polymorphe. Freud développe le concept de sexualité en y incluant tous les plaisirs du corps, sentiments de tendresse et d'affection aussi bien que désir de gratification génitale.

D'après Freud, la vie sexuelle de l'homme est divisée en trois périodes. La première est la sexualité infantile (¹), qui se divise ultérieurement en phases orale, anale et phallique pour culminer dans le complexe d'Œdipe. La seconde, qui s'étend entre sept et douze ans, est la période de latence. Elle débute avec la résolution du complexe d'Œdipe et l'établissement du surmoi. La puberté est la troisième période ; elle s'établit approximativement entre douze et quatorze ans, aboutissant à la maturité génitale, au choix de l'objet hétérosexuel et aux rapports sexuels.

Freud affirma ultérieurement que la libido est la source principale de l'énergie psychique, non seulement pour la sexualité mais pour la pulsion d'agressivité (1923) — et de plus qu'il y a un processus évolutif consistant en diverses étapes libidinales. Il postula également que le choix de l'objet résulte des transformations de la libido, que les pulsions libidinales peuvent être gratifiées, refoulées et contenues par formation réactionnelle, ou sublimées. La structure caractérielle est déterminée par la façon dont sont manœuvrés les instincts biologiquement déterminés. Il affirmait encore que la névrose est une fixation ou une régression à un stade quelconque de la sexualité infantile.

Freud n'avait pas complètement formulé « la phase de *la primauté du phallus* » jusqu'en 1923 (²). Puisque c'est un point de départ tellement important pour les articles du Dr Horney sur la psychologie de la femme, je citerai cette notion essentielle de la phase phallique telle qu'elle est donnée par Greenson dans *The American Kandbook of Psychiatry.*

La phase phallique s'étend de la troisième à la septième année. Ici, le développement des garçons et des filles se différencie. Chez les garçons, la découverte de la sensibilité du pénis conduit à la masturbation. Habituellement, des fantasmes sexuels concernant la mère interviennent dans l'acte de la masturbation. Simultanément, le garçon ressent rivalité et hostilité envers son père. La coexistence de l'amour sexuel pour la mère et de la rivalité hostile à l'égard du père fut nommée par Freud le complexe d'Œdipe. La découverte par le garçon de l'absence de pénis chez la fille, à cette période, est habituellement interprétée par lui comme signifiant qu'elle a perdu ce précieux organe. La culpabilité ressentie pour ses fantasmes sexuels envers sa mère et les désirs de mort envers son père continuent d'entretenir en lui l'angoisse de la castration. Par voie de conséquence il renonce habituellement à la masturbation et

---

(¹) Reuben Fine, *Freud : A Critical Re-evaluation of his theories* (New York, David McKay C° Inc., 1962).

(²) S. Freud, « The Infantile Genital Organization of the Libido » (1923), in *Collected Papers*, Vol. II (London, The Hogarth Press, 1933).

en fin de compte entre ainsi dans la période de latence. Chez la fille, la découverte que le garçon a un pénis et elle pas, la conduit à envier le garçon et à blâmer sa mère pour ce manque. Par voie de conséquence, elle renonce à sa mère comme objet d'amour primaire et se tourne vers son père. Le clitoris est sa principale zone de masturbation ; le vagin n'est pas découvert. La fille fantasme d'obtenir un pénis ou un bébé de son père et éprouve des sentiments hostiles pour sa mère. En règle générale, elle renonce lentement à ses désirs œdipiens et entre dans la période de latence en raison de sa phobie de perdre l'amour de ses parents (¹).

Quoique les observations cliniques de Freud aient toujours été hautement considérées et rarement mises en question, les constructions théoriques fondées sur elles sont devenues le centre de nombreuses controverses. Il a souvent affirmé que son intérêt primaire était l'investigation et que ce n'était que secondairement qu'il s'était intéressé à la thérapeutique. L'intérêt primaire de K. Horney était la thérapeutique et pour cette raison elle était très estimée à la fois comme professeur (²) et comme analyste de contrôle. Ses aptitudes pour l'enseignement théorique et pratique exprimaient son aptitude pour la recherche clinique.

Dans sa critique de l'article de K. Horney, « Maternal Conflicts », Gregory Zilboorg établit que l'un de ses caractères « requiert une importance plus grande », à savoir que c'est « une analyse clinique... Elle neutralise, je l'espère, la tendance inhabituellement forte et injustement populaire pour les problèmes techniques et les considérations théoriques, qui trop fréquemment obscurcissent au lieu d'éclairer le comportement humain ». Il insiste sur le besoin « d'observations cliniques, de phénomènes cliniques, dans des circonstances cliniques ». De ce fait, « nous revenons à la vérité clinique durable d'après laquelle l'étude de l'individu normal ou peu névrosé n'est rendue possible qu'à la lumière de nos connaissances acquises par l'analyse plus profonde d'individus pathologiques, non seulement à la limite mais franchement psychotiques ».

Tous ces articles révèlent l'intérêt de Karen Horney pour l'observation clinique, son accumulation soigneuse d'éléments et le contrôle rigoureux des hypothèses formulées par Freud et par elle-même. Dans son premier article, écrit en 1917, elle disait : « Les théories analytiques sont nées d'observations et d'expériences faites en application de cette méthode. Les théories à leur tour ont plus tard influé sur la pratique (³). » Il y eut d'abord l'observation clinique puis l'hypothèse basée sur des données. Ces hypothèses, alors qu'elles étaient contrôlées dans la situation thérapeutique, influençaient le

(¹) Greenson, *op. cit.*
(²) C. P. Oberndorf, « Obituary, Karen Horney », *Int. J. Psycho-Anal.*, Part. II 1953. La critique de Zilboorg se trouve dans *The American Journal of Orthopsychiatry*, vol. III (1933), pp. 461-63.
(³) Horney, « The Technique of Psychoanalytic Therapy », *op. cit.*

processus lui-même. L'intérêt de K. Horney pour l'investigation approfondie et la recherche clinique n'a jamais dévié. Elle n'a jamais perdu cet esprit de recherche, de contrôle, de révision, de modification, de renoncement et d'addition de nouvelles hypothèses.

Partant toujours des données cliniques, elle pouvait commencer par une construction clinique, avancer une hypothèse molaire puis une autre d'une abstraction plus élevée. Des hypothèses mineures sans liaison étaient réunies en une seule plus générale. Des données qui n'étayaient pas une formulation particulière étaient contrôlées davantage et expliquées par de nouvelles théories. Dans « The problem of Feminine Masochism » (« Le problème du Masochisme chez la Femme »), article minutieusement raisonné, Horney commente les données fournies par Freud sur l'hypothèse de l'envie du pénis. Elle dit : « Les observations ci-dessus sont suffisantes pour construire une hypothèse de travail... Il faut cependant prendre conscience que cette hypothèse est une hypothèse, non un fait ; et qu'elle n'est pas même incontestablement utile en tant qu'hypothèse »

Tous les aspects de l'approche positive de la psychanalyse par le Dr Horney étaient présents et agissants alors qu'elle développait ses théories sur la psychologie de la femme. Dans « La Fuite devant la Féminité », elle se référait déjà à : « ma théorie de l'évolution féminine ». Dans « La Négation du Vagin » elle emploie l'expression « psychologie de la femme comme un tout » et prend nettement à partie Freud et Hélène Deutsch. Dans cet article, elle se réfère à maintes reprises à « ma théorie » et l'étaye de données cliniques. Quoique son propos dans « Le problème du Masochisme chez la Femme » soit une étude critique de l'interprétation classique du masochisme, elle développe ses idées par une vaste description clinique de ce terme. Elle spécule également sur l'effet des conditions culturelles dans le problème du masochisme. Avec ces nouvelles perspectives, qui englobaient sa propre approche psychodynamique, phénoménologique et culturelle, elle travaillait déjà en vue du thème développé dans *The Neurotic Personality of our Time* [1] (« La Personnalité Névrotique de notre Temps ») — les conséquences de l'impact de la culture sur les individus, sans se préoccuper de leur sexe.

Dans le premier chapitre du présent volume : « On the Genesis of the Castration Complex in Women » (« De la Genèse du Complexe de Castration chez la Femme »), K. Horney met en question l'idée de Freud que l'envie du pénis seule est responsable des fantasmes de castration chez la femme. Utilisant comme donnée la preuve clinique, le Dr Horney explique que les hommes comme les femmes, dans leurs tentatives pour maîtriser le complexe d'Œdipe, développent souvent un complexe de castration ou tendent à l'homosexualité.

Dans « The flight from Womanhood » (« La Fuite devant la Féminité »), K. Horney commente l'extension du concept de l'envie du

[1] Horney, *The Neurotic Personality of our Time, op. cit.*

pénis en une phase phallique posée comme postulat. Ce concept, qui ne considère qu'un organe génital, le mâle, conçoit le clitoris comme un phallus. Horney, citant le philosophe et sociologue Georg Simmel sur l'orientation de « l'essentiel masculin » de notre société, établit qu'ayant admis une envie du pénis primitive par un raisonnement « a posteriori », la logique de « son énorme puissance dynamique » est atteinte.

La théorie freudienne, d'orientation virile, conduit Horney « en tant que femme » à demander avec stupeur : et la maternité ? et la conscience bienheureuse de porter en soi une nouvelle vie ? le bonheur ineffable et l'espoir du nouvel être ? et la joie quand enfin il naît ? Le concept de l'envie du pénis tente de nier et de diminuer tout cela, peut-être à cause de la phobie et de l'envie de l'homme. Horney considère l'envie du pénis non comme un phénomène anormal, mais comme l'expression de l'attraction et du désir mutuels des sexes. L'envie du pénis devient un phénomène pathologique dans un développement ultérieur du fait des problèmes en rapport avec la résolution du complexe d'Œdipe.

Le Dr Horney, dans « The Dread of Women » (« La phobie de la Femme »), parle des phobies que les hommes ont des femmes, ce qui aurait pu contribuer à l'orientation virile de l'envie du pénis. Tout au long de l'histoire, l'homme a considéré la femme comme un être menaçant et mystérieux, particulièrement dangereux pendant la menstruation. L'homme tente de maîtriser sa phobie par le refus et la défense. Il y a si bien réussi que les femmes elles-mêmes ont pu l'oublier. Les hommes nient leur phobie par l'amour et l'adoration et s'en défendent en conquérant, en dépréciant et en rabaissant la dignité personnelle de la femme.

Dans le même article, le Dr Horney accentue le fait qu'il n'y a pas de raisons d'affirmer que le désir phallique du petit garçon de pénétrer sexuellement sa mère soit naturellement sadique. Il est donc inadmissible, en l'absence de preuve spécifique dans chaque cas, de mettre en équation « viril » avec « sadique » et parallèlement « féminin » avec « masochique ». K. Horney accentue encore la nécessité « d'une preuve spécifique » et elle expose également les ravages que des théories vagues peuvent perpétrer. Même parmi les analystes expérimentés il y a une tendance à accepter la théorie selon laquelle les femmes sont passives et masochiques et les hommes actifs et sadiques. De telles notions, basées sur des théories sans consistance, sont devenues monnaie courante.

Le Dr Horney considère également que la notion de l'envie du pénis peut avoir ses racines dans l'envie du mâle pour la femelle. Horney commença d'analyser des hommes après des années passées à travailler avec des femmes; elle fut frappée par l'intensité de « l'envie de l'homme pour la grossesse, la naissance et la maternité, aussi bien que de l'envie des seins et de l'acte de téter » [1].

---

[1] « La Fuite devant la Féminité », dans ce volume.

Gregory Zilboorg, psychanalyste contemporain de Karen Horney, parle « de l'envie de la femme de la part de l'homme, envie psychogénétiquement plus ancienne et par conséquent plus fondamentale » que l'envie du pénis. Il ajoute : « il n'y a pas de doute que des études nouvelles et plus approfondies de la psyché de l'homme fourniront des données aussitôt que l'on aura appris à faire peu de cas du voile androcentrique qui a jusqu'ici recouvert un nombre important de données psychologiques » [1].

Le Dr Bose, psychanalyste de Calcutta et fondateur de la Société Psychanalytique de l'Inde (1922), écrivait à Freud : « Mes patients hindous ne présentent pas de symptômes de castration à un degré tel que mes patients européens. Le désir d'être femme est plus aisément décelé chez mes patients hindous que chez les européens... La mère œdipienne est souvent une image parentale combinée [2]. » Des exemples tirés de la philosophie, de l'histoire et de la culture hindoues témoignent d'attitudes différentes envers la femme, comme un reflet moderne des temps anciens (vers 5 000 av. J.-C.), quand la culture hindoue était matriarcale, lorsque les femmes pratiquaient la polyandrie et étaient capables d'établir leurs droits dans de nombreux domaines de la vie quotidienne.

Margaret Mead pense que de nombreux rites d'initiation des groupes primitifs sont des tentatives pour assumer les fonctions féminines. Dans de telles cultures le rite compliqué de la couvade, par lequel l'homme acquiert la situation de la femme post partum sans son cortège d'inconforts, est presque universel [3].

Il y a eu, dans l'histoire, des périodes d'harmonie ou de soumission à la fois sous des matriarcats et des patriarcats. Des études culturelles comparées révèlent des exemples de l'envie saine ou pathologique que chaque sexe a ressentie pour les fonctions et les attributs anatomiques de l'autre. Bruno Bettelheim, en travaillant sur des enfants sains et schizophréniques et en étudiant les rites de la puberté dans des groupes primitifs, a trouvé qu'ils fonctionnent « pour intégrer plutôt que pour libérer des tendances instinctuelles asociales ». Sa prémisse est : « *qu'un sexe désire les organes sexuels et les fonctions de l'autre* ». En addition à sa critique sur l'emphase négative de l'orientation virile de la peur de castration, dans l'interprétation des rites de la puberté, il met en question le concept de Freud de « la prédisposition de l'enfant à être pervers-polymorphe ». Il préfère la notion polyvalente de Jung, qui est neutre et multipotentielle [4].

[1] G. Zilboorg, « Male and Female », *Psychiatry*, VII (1944).
[2] G. Bose, « Bose-Freud Correspondance », lettre du 11 avril 1929, *Samiksa*, 10 (1935). Cf. également Bose Special Number, *Samiksa* (1955).
[3] M. Mead, *Male and Female*, New York, William Morrow & Cº, Inc., 1949. Trad. fanç. *L'un et l'autre sexe*, Gonthier, 1966.
[4] Bruno Bettelheim, *Symbolic Wounds, Puberty Rites and the Envious Male*, New York, Collier Books, 1962, p. 10.

« La Féminité Inhibée » contient les raisons qu'a le Dr Horney de considérer « la frigidité comme une maladie » et non pas comme « l'attitude sexuelle normale de la femme civilisée ». Elle pensait que sa fréquence était due plutôt à « des facteurs culturels, supra-individuels » — notre culture d'orientation virile « n'est pas favorable au développement de la femme et à son individualité ».

Dans « Le Problème de l'Idéal Monogame », K. Horney examine « la confabulation tendancieuse en faveur des hommes » que les hommes sont naturellement « plus polygames », ce qu'elle pense être une assertion sans fondement. Il n'y a pas de données sur l'importance psychologique d'une possibilité de gestation à la suite du coït ; de même qu'il n'existe pas de preuve suffisante pour étayer la théorie selon laquelle l'incitation de la femme à avoir des rapports sexuels soit déterminée « par un instinct de reproduction possible », cette incitation diminuant dès qu'elle est enceinte.

Dans les « Tensions Prémenstruelles », le Dr Horney fournit l'hypothèse selon laquelle les différentes variétés de tensions ressenties par la femme sont immédiatement soulagées par les processus physiologiques de préparation à la grossesse. Chaque fois que de telles tensions sont présentes, elle estime trouver « des conflits impliquant le désir d'un enfant ». Le Dr Horney établit de plus que la présence d'une tension prémenstruelle n'est pas une manifestation de la faiblesse constitutionnelle de la femme, mais une manifestation des conflits naissant de son désir d'avoir un enfant à ce moment-là. K. Horney affirme que le désir d'un enfant est primaire et que « la maternité représente un problème plus vital que ne le pense Freud ».

Dans « La Défiance entre les Sexes », K. Horney centre l'attention sur l'attitude de défiance plutôt que sur le concept plus habituel de haine et d'hostilité et elle distingue entre les origines de la phobie de l'homme à l'égard de la femme, et sa défiance et son ressentiment. Elle cite des exemples pris dans la culture de différentes civilisations, à divers moments de l'histoire et de la littérature, montrant un penchant d'orientation virile envers les femmes et comment ce penchant stimule la défiance.

Dans cet article également, Horney déplace l'importance donnée aux psychologies dites masculine et féminine sur la formulation de sa théorie d'une structure caractérielle névrotique et des tendances à la domination et à la soumission. Dans *Neurosis and Human Growth* [1], elle expliqua et illustra cette théorie comme étant des solutions « expansive » et « self-effacing ».

Dans « Les Problèmes du Mariage », elle fait usage des théories de Freud sur le complexe d'Œdipe, sur les processus de l'inconscient et sur les conflits névrotiques et elle met en lumière certains conflits inévitables qu'une psychologie d'orientation masculine apporte dans le mariage. L'homme apporte dans le mariage de nombreuses

[1] K. Horney, *Neurosis and Human Growth*, New York, W. W. Norton & C° Inc., 1950.

attitudes résiduelles envers sa mère en tant que femme sainte et qui interdit, qu'il n'a jamais été capable de satisfaire. La femme apporte dans le mariage sa frigidité, son refus de l'homme, son angoisse d'être une femme, une épouse et une mère et « sa fuite dans un rôle viril désiré ou fantasmé »...

« Les problèmes du mariage ne sont pas résolus par des admonestations relatives au devoir et à la renonciation, ni par la recommandation d'une liberté illimitée des instincts. » Ce qui est requis, c'est « un équilibre émotionnel » acquis par les deux partenaires avant le mariage. La littérature passée et traditionnelle sur le mariage est pleine du besoin de donner et de prendre. Le Dr Horney insiste sur le besoin « d'une renonciation intérieure aux revendications sur le partenaire... Je dis revendications dans le sens d'exigences et non de souhaits ». C'est une définition exacte des « revendications névrotiques » qu'elle a définies plus minutieusement dans son dernier livre, *Neurosis and Human Growth*.

Quoique, dans son article sur « La Phobie de la Femme », le Dr Horney parle de la phobie du vagin éprouvée par l'homme, elle commence sa critique de la littérature sur le « vagin dit méconnu » dans « La Négation du Vagin ». Freud pensait que la petite fille était ignorante de son vagin et que ses premières sensations génitales étaient d'abord centrées sur le clitoris et plus tard seulement sur le vagin. Avec les données fournies par ses propres observations et celles d'autres cliniciens, le Dr Horney prouve que la petite fille connaît des sensations vaginales spontanées et que la masturbation vaginale est courante. La masturbation clitoridienne est une évolution plus tardive. En raison des angoisses engendrées chez la petite fille, son vagin, antérieurement découvert, est dénié.

Dans son article « Some Psychological Consequences of the Anatomical Distinction Between the Sexes » (1925), Freud établit que les femmes ne sont pas ce qu'elles sont — des femmes — mais des hommes auxquels il manque un pénis. Elles « refusent d'accepter le fait d'être châtrées » et « espèrent un jour obtenir un pénis en dépit de tout... Je ne puis échapper à l'idée (quoique j'hésite à la formuler) que pour les femmes le niveau de ce qui est éthiquement normal est différent de ce qu'il est pour les hommes... Nous ne pouvons pas nous laisser détourner de telles conclusions par le refus des féministes qui sont anxieux de nous obliger à considérer les deux sexes comme complètement égaux en position et en valeur » [1].

Freud concluait cet article en disant : « Dans les observations de valeur et de grande portée faites par Abraham (1921), Horney (1923) et Hélène Deutsch (1925), sur la masculinité et le complexe de castration chez les femmes, beaucoup de choses touchent de très près ce que j'ai écrit, mais rien ne coïncide complètement, de telle sorte

[1] S. Freud, « Some Psychological Consequences of the Anatomical Distinction Between the Sexes » (1925), in *Collected Papers*, Vol. V (London, The Hogarth Press 1956), pp. 186-97.

que je me sens justifié à publier cet article. » Que Freud réponde et
se révèle critique — quoique indirectement — était inhabituel. Cela
signifiait que le point de vue de Horney était pris en considération.

Dans « La Sexualité Féminine » (1931), se référant à la phase pré-
œdipienne du développement de la petite fille, Freud disait : « Tout ce
qui était relié à ce premier attachement à la mère m'a paru en
analyse tellement évasif... Il apparaîtrait que des femmes-analystes
— comme par exemple Jeanne Lampl de Groot et Hélène Deutsch —
ont été plus aptes à saisir les faits avec plus d'aisance et de clarté
parce qu'elles avaient l'avantage d'être des substituts appropriés
à la mère dans le transfert chez les patientes qu'elles analysaient. »
Mais ce que Karen Horney trouva (1923) comme substitut de la
mère « dans le transfert » ne coïncidait pas tout à fait, dit Freud,
avec ses vues. « Certains auteurs sont enclins à discréditer l'importance des premières pulsions les plus primitivement libidinales de
l'enfant, perturbant les processus plus tardifs du développement,
de telle sorte que — poussant cette vue à l'extrême — tout ce que
le premier peut dire ou faire est d'indiquer certaines tendances
alors que les quantités d'énergie (*Intensitäten*) avec lesquelles ces
tendances sont poursuivies sont tirées de régressions et de formations
réactionnelles. C'est ainsi que, par exemple, K. Horney (1926) est
d'avis que nous surestimons beaucoup l'envie du pénis primaire de
la petite fille et que la force de son effort ultérieur vers la masculinité
doit être attribuée à une envie du pénis *secondaire*, employée pour
détourner ses pulsions féminines, en particulier celles en relation
avec son attachement au père. Ceci ne concorde pas avec l'impression que j'ai eue moi-même ([1]). »

Une réponse aussi longue et aussi critique prouve l'importance que
Freud accordait aux vues de K. Horney. Même avec son qualificatif
de désaveu — « en poussant ce point de vue à l'extrême » — je pense
que deux affirmations de Freud peuvent être mises en question.
K. Horney n'a pas « discrédité l'importance des premières pulsions
les plus primitives de l'enfant », et deuxièmement elle n'a ni inféré
ni établi que tout ce qui pouvait être dit d'elles était qu'elles indi-
quaient « certaines tendances » et « que des régressions et formations
réactionnelles » étaient plus puissantes.

Après la publication de « La Sexualité Féminine » et jusqu'à sa
mort en 1939, Freud écrivit peu sur ce sujet. Dans « Analyse Ter-
minée et Interminable » (1937), il donne quelques-unes de ses
dernières vues sur les névroses et la thérapeutique. Il discute de
« l'envie du pénis chez la femme et chez l'homme, de la lutte contre
la passivité ». Il dit : « Ferenczi exigeait énormément » quand « en
1927 il stipulait comme un principe que ces deux complexes devaient
être résolus dans chaque analyse réussie... Quand nous avons atteint
l'envie du pénis et la protestation virile, nous avons pénétré toutes

([1]) S. Freud, « Female Sexuality » (1931), in *Collected Papers*,
vol. V (London, The Hogarth Press, 1956), pp. 252-72.

les couches psychologiques et atteint « le soubassement » et notre tâche est accomplie... La négation de la féminité doit être sûrement un fait biologique, une part de la grande énigme du sexe [1]. » L'affaire en resta là pour Freud, ainsi que pour presque tous ses successeurs.

Dans l'introduction de son livre inachevé, *Abrégé de Psychanalyse*, Freud disait : « Le but de ce court ouvrage est de réunir les doctrines de la psychanalyse et de les fixer si possible dogmatiquement... Celui qui n'a pas répété ces observations sur lui-même et sur les autres n'est pas en état de parvenir à un jugement indépendant [2]. » Karen Horney remplit toutes ces conditions, parvenant à un « jugement indépendant », en désaccord avec celui de Freud sur la psychologie de la femme et sur un nombre croissant d'aspects de la théorie et de la pratique analytiques.

Dans sa discussion sur le développement des fonctions sexuelles dans l'*Abrégé*, Freud dit : « La troisième phase est la phase appelée phallique... Ce qui est en cause à ce stade, ce ne sont pas les organes génitaux des deux sexes, mais seulement celui de l'homme (le phallus). Les organes génitaux féminins restent longtemps ignorés. » Dans une note de bas de page il ajoute : « Le fait qu'il y a des excitations vaginales précises est souvent affirmé. Mais il est plus probable que ce soit une question d'excitation du clitoris, c'est-à-dire d'un organe analogue au pénis, ce qui ne nous empêche pas de décrire cette phase comme phallique. »

L'assertion de Freud concernant les excitations vaginales précoces pouvait être une réponse directe à l'article de K.Horney, « La Négation du Vagin », dans lequel elle était en désaccord avec la notion de l'ignorance du vagin, la primauté des sensations clitoridiennes, la notion de phase phallique et le concept tout entier de l'envie du pénis. Un autre commentaire de Freud pouvait être plus spécifiquement dirigé contre elle lorsqu'il discutait « du manque de concordance régnant parmi les analystes... Nous ne serons pas très surpris si une femme analyste qui n'a pas été suffisamment convaincue de sa propre envie du pénis, ne parvient pas à accorder l'importance adéquate à ce facteur chez ses patients » [2]. L'avertissement de Freud dans une note de bas de page de « La Sexualité Féminine » [3] semble ici pertinente : « L'emploi de l'analyse comme arme de controverse ne conduit évidemment à aucune décision. »

Dans son article « Facteurs Psychogènes dans les Troubles Fonctionnels de la Femme », le Dr Horney cite « la coïncidence d'une vie psychosexuelle perturbée et des troubles fonctionnels de la femme », puis se demande si cette coïncidence existe régulièrement. D'après ses observations, il n'y a pas de coexistence régulière entre ces fac-

---

[1] S. Freud, « An Outline of Psychoanalysis », in *Collected Papers* Vol. XXIII (London, The Hogarth Press, 1956).

[2] *Ibid.*

[3] Freud, « Female Sexuality », *op. cit.*

teurs physiques et des modifications émotionnelles. Elle en arrive alors à une troisième question : existe-t-il une corrélation spécifique entre certaines attitudes de la vie psychosexuelle et certains troubles génitaux ?

Horney continuait d'être guidée par certains concepts freudiens, leur donnant cependant sa propre interprétation. Cela est manifeste dans « Conflits Maternels » (1933), où elle dit : « Une de nos conceptions analytiques fondamentales est que la sexualité ne commence pas à la puberté mais à la naissance ; par conséquent nos premiers sentiments d'amour ont toujours un caractère sexuel. Comme nous le constatons dans tout le règne animal, sexualité signifie attraction entre les sexes... Les facteurs de rivalité et de jalousie à l'égard du parent du même sexe sont responsables des conflits naissant de cette source. » Suivant l'approche holistique de Horney, l'attraction est biologique et naturelle, saine et spontanée.

L'intérêt croissant du Dr Horney pour les facteurs culturels est particulièrement évident dans « Conflits Maternels », écrit en 1933. Arrivant aux États-Unis, elle était consciente des contrastes existant entre ce qu'elle y observait et ses expériences européennes sur les mêmes problèmes. « Les parents [aux États-Unis] ... ont la phobie d'être désapprouvés par leurs enfants... Ou bien ils sont inquiets de savoir s'ils leur donnent l'éducation et la formation appropriées. »

L'investigation scientifique vraie peut être caractérisée par un mouvement d'arrière en avant, à partir des particularités, des données observées jusqu'à l'hypothèse, chacune constamment contrôlée et vérifiée par l'autre. Différentes catégories de données sont isolées les unes des autres par leurs similitudes et leurs différences ; la récurrence de groupes de données similaires sont appelés en médecine syndromes et complexes. Quand une cause particulière peut être définitivement reliée à un groupe particulier de découvertes récurrentes, l'effet est appelé entité maladie. Dans les sciences physiques comme dans les sciences humaines, il y a une catégorie de similitudes récurrentes à laquelle on se réfère comme à un type. La méthodologie des typologies est très développée.

Dans son article « La Survalorisation de l'amour : étude d'un type de femme d'aujourd'hui », K. Horney fait un usage précis de méthodologies anthropologiques et sociologiques aussi bien que de typologies. Elle considère l'individu et le milieu s'influençant mutuellement comme un seul champ mouvant. En bref, « le type féminin » de femme qu'elle décrit dans cet article est autant modelé par des facteurs culturels que par certaines exigences instinctuelles. De plus, K. Horney affirme que « l'idéal patriarcal de la femme » est déterminé culturellement, qu'il n'est pas un donné immuable.

Dans « Le Problème du Masochisme chez la Femme », le Dr K. Horney confronte des hypothèses sans fondement, dérivées des théories de Freud — à savoir que « les phénomènes masochiques sont plus fréquents chez la femme que chez l'homme » parce qu'« ils sont inhérents ou apparentés à l'essence de la nature féminine », et que le masochisme

chez la femme est « une conséquence psychique des différences anatomiques des sexes ». Cet article révèle les connaissances détaillées
qu'a K. Horney de la littérature existant sur ce sujet, la rigueur et
la précision de son raisonnement, aussi bien que sa compréhension
de la recherche clinique et de l'investigation anthropologique. Après
avoir commenté certaines raisons expliquant pourquoi la psychanalyse ne parvient pas à répondre à de nombreuses questions concernant la psychologie de la femme, elle propose aux anthropologues
des directives à suivre pour la recherche de données sur les tendances
masochiques chez l'homme et chez la femme.

A nouveau elle met en question l'hypothèse de Freud selon laquelle
il n'y a pas de différences fondamentales entre les phénomènes pathologiques et les phénomènes « normaux » et que « les phénomènes
pathologiques montrent à peine plus distinctement, comme au
travers d'une loupe, les processus existant chez tous les êtres
humains ». Selon les prémisses freudiennes des instincts (destructeurs)
du ça comme fondamentaux, naturels et normaux, il s'ensuit que
les phénomènes pathologiques sont simplement quantitativement
différents de la normale. Mais pour K. Horney, la pathologie n'est pas
une exagération de la normale ; c'est une transformation en une
chose radicalement différente par nature — à savoir la maladie.
Freud considérait sa théorie de la nature humaine comme étant
universelle et la seule explication du comportement — ce qui s'avé-
rait vrai pour les spécimens de la classe moyenne viennoise devait
être vrai pour toute l'humanité à travers le temps et l'espace. La
même erreur méthodologique se trouverait dans l'affirmation de
Freud que le complexe d'Œdipe était un phénomène humain omniprésent, alors que des études anthropologiques montraient qu' « il
était inexistant dans des conditions culturelles très différentes ».
En réponse à l'hypothèse de Freud que les femmes sont en général
plus jalouses que les hommes, Horney répondait, selon ses prémisses,
que « cette affirmation était probablement exacte en ce qui concerne
les cultures allemande et autrichienne actuelles ».

Dans son article « Modifications de la Personnalité chez les Adolescentes », le Dr Horney discute de certaines observations relevées
dans ses analyses de femmes adultes. Elle dit : « Quoique dans tous
les cas les conflits déterminants aient surgi dans la première enfance,
les premières modifications de la personnalité se sont produites
pendant l'adolescence », et « l'apparition de ces modifications coïncidait approximativement avec le début de la menstruation ». Elle
poursuit en distinguant quatre types de femmes et en expliquant
les psychodynamiques impliquées dans les similitudes et les différences observées.

Dans « Le Besoin Névrotique d'Amour », le Dr Horney distingue
entre l'amour normal, l'amour névrotique et l'amour spontané ;
elle décrit la nature de la compulsivité comme différenciée de la
spontanéité. Quoique le besoin névrotique d'amour puisse être
considéré comme « l'expression d'une fixation à la mère », le Dr Hor-

ney sentait que le concept freudien ne clarifiait pas la question fondamentale concernant les facteurs dynamiques qui maintiennent ultérieurement une attitude acquise dans l'enfance ou qui rendent impossible la disparition d'une attitude infantile. Déjà dans « Les Problèmes du Masochisme chez la Femme », le Dr Horney avait écrit : « C'est un des grands mérites de Freud d'avoir insisté sur la ténacité des impressions de l'enfance ; cependant l'expérience psychanalytique montre qu'une réaction émotionnelle qui s'est produite une fois dans l'enfance est maintenue tout au long de la vie, si elle continue d'être étayée par diverses pulsions dynamiquement importantes. » Cette description claire et rigoureuse de sa position concernant les influences du passé et du présent est bien entendu différente des affirmations de Freud dans « La Sexualité Féminine ».

Une fois encore, dans « Le Besoin Névrotique d'Amour », elle met en question la théorie freudienne de la libido, lorsqu'elle considère « le besoin croissant d'amour » comme « un phénomène libidinal ». Horney sentait que ce concept n'était pas prouvé. Elle ajoute : « Le besoin névrotique d'amour peut représenter... l'expression d'une fixation orale ou d'une « régression ». Ce concept présuppose une complaisance à réduire des phénomènes psychologiques complexes à des facteurs physiologiques. Je crois que cette présomption n'est pas seulement insoutenable mais qu'elle rend aussi la compréhension de phénomènes psychologiques encore plus difficile. »

En mettant en question la théorie de la libido de Freud et ses notions de la fixation et de la régression, en postulant l'importance de la vie et de la spontanéité humaine comme étant thérapeutiques, le Dr Horney discutait la théorie de Freud sur la compulsion de répétition. La notion même de « blocage du développement » au lieu de « résistance », « fixation » et « régression », est en opposition directe avec la notion de compulsion de répétition et de strict déterminisme.

Dans ses premiers articles, le Dr Horney se montre phénoménologiste et existentialiste. La différenciation ontologique entre *étant*, *ayant* et *agissant* est faite dans « La Phobie de la Femme » : « Une des exigences des différences biologiques entre les sexes est celle-ci, que l'homme est réellement obligé de continuer à prouver sa virilité à la femme. Il n'y a aucune obligation analogue pour elle ; même si elle est frigide, elle peut avoir des rapports sexuels, concevoir et porter un enfant. Elle joue son rôle simplement en *étant*, sans aucune *action* — fait qui a toujours rempli les hommes d'admiration et de ressentiment. L'homme, d'autre part, doit *faire* quelque chose pour s'accomplir. L'idéal d' « efficience » est un idéal typiquement masculin » dans le monde occidental à domination virile, orienté vers le matérialisme, le machinisme, vers l'action basée sur un univers divisé en sujets et objets en opposition mutuelle.

Existentiellement, il y a une rencontre (*Begegnung*), une confrontation dans un rapport Moi-Toi. Il y a rencontre dans toutes les formes de rapports, y compris les rapports sexuels, la primauté de l'individu dans la rencontre étant contraire à notre point de vue

occidental. Dans ce livre et dans les publications ultérieures de
K. Horney, le point de vue existentialiste est de plus en plus développé et explicité.

Les notions existentielles de l'être ont des racines profondes. Dans
la philosophie Yin-Yang de la Chine ancienne, les principes mâle et
femelle sont considérés comme naturels et complémentaires, ne
s'opposant pas l'un et l'autre et la vie ne peut être harmonieuse que
s'ils sont en équilibre. La différenciation comme expression d'un état
naturel était acceptée et considérée comme essentielle à la réunion,
l'union et l'enrichissement à travers la similitude et la différence.
Cette orientation est en opposition avec l'orientation virile occidentale de Freud, qui considérait l'envie du pénis et la résistance
virile aux sentiments passifs comme biologiquement déterminées.

Dans « Le Besoin Névrotique d'Amour », l'angoisse de la créature
(*Angst der Kreatur*), phénomène humain général et notion existen-
tielle précise, constitue le cœur du concept d'angoisse fondamental
chez le Dr Horney, angoisse faite de sentiments d'impuissance et
d'isolement dans un monde considéré comme potentiellement hostile.
La différence entre un être normal et un être névrosé est que chez
ce dernier la quantité d'angoisse fondamentale est augmentée. Le
névrosé peut être inconscient de son angoisse, mais elle se manifestera de bien des façons et il tentera de se soustraire à ses sentiments.

Ce volume nous montre l'évolution des idées du Dr Horney sur
la psychologie de la femme, aussi bien que ses désaccords avec
Freud. Après avoir confronté sa propre psychologie dite féminine
avec la psychologie d'orientation virile de Freud, elle ouvrait la
voie à une philosophie, une psychologie et une psychanalyse
d'êtres vivants, influant sur leurs milieux mouvants, dont ils
subissent à leur tour l'influence.

En lisant ces premiers articles du Dr Horney nous voyons une
femme de bon sens et d'expérience travaillant à rechercher les meil-
leurs moyens de soulager la souffrance humaine. Les phrases qui
terminent son livre *Neurosis and Human Growth* traduisent fort
bien l'esprit, la méthode et les efforts déployés non seulement dans
les articles de ce volume mais dans l'œuvre de toute sa vie : « Albert
Schweitzer emploie les termes « optimiste » et « pessimiste » dans le
sens de « affirmation du monde et de la vie » et « négation du monde
et de la vie ». Dans ce sens profond, la philosophie de Freud est une
philosophie pessimiste. La nôtre, avec toute la connaissance de
l'élément tragique de la névrose, est une philosophie optimiste. »

HAROLD KELMAN.

New York, 1966.

REMERCIEMENTS

Ce livre est parrainé par l'Association pour le Progrès de la Psychanalyse. Reconnaissance et remerciements reviennent aux filles du Dr Horney, Brigitte Swarzenski, Dr Marianne Eckardt, Renate Mintz. Elles autorisèrent la publication de ce livre et renoncèrent à leurs droits.

Des remerciements particuliers vont aux membres du comité responsable de la production de ce volume, les Drs Edward R. Clemmens, John M. Meth, Edward Schattner et Gerda F. Willner. Les articles ont été choisis avec leur accord et traduits conjointement de l'allemand. L'esprit de coopération et de responsabilité dans lequel chacun a rempli les nombreuses tâches nécessaires a permis une expérience enrichissante et profitable.

Nous sommes profondément redevables à notre rédacteur littéraire, Miss Lee Metcalfe. Elle suggéra l'idée de ce livre et contribua à en faire une réalité.

I

DE LA GENÈSE DU COMPLEXE DE CASTRATION
CHEZ LA FEMME (¹)

Alors que notre connaissance des formes que peut prendre
le complexe de castration chez la femme s'étend de plus en
plus (²), notre pénétration de la nature de ce complexe en tant
que formant un tout ne progresse pas autant. La très grande
abondance du matériel réuni et qui nous est devenu familier
apporte plus que jamais à notre esprit le caractère remarquable du phénomène tout entier, de telle sorte que le phénomène devient en lui-même un problème. Une étude des formes
que prend le complexe de castration, observées jusqu'ici, et
des interférences tirées tacitement de ces formes montre que,
jusqu'à présent, la conception dominante est basée sur une
certaine notion fondamentale qui peut être brièvement formulée comme suit (je cite en partie d'après les travaux d'Abraham sur ce sujet) : de nombreux enfants et adultes féminins
souffrent, soit temporairement, soit de façon permanente,
du fait de leur sexe. Les manifestations dans la vie psychique
des femmes naissant de l'objection d'être femmes peuvent
être retracées jusqu'à l'époque où, petites filles, elles convoi-
taient un pénis. La représentation pénible de ce manque

(¹) Article publié pour le 7ᵉ Congrès International de Psychanalyse
de Berlin, sept. 1922, « Zur Genese des Weiblichen Kastrationskom-
plexes ». *Intern. Zeitschr. f. Psychoanal.*, IX (1923), pp. 12-26 ; *Int.
J. Psycho-Anal.*, V, Part 1 (p 1924), pp. 50-65. Réimprimé avec l'autorisation de *The International Journal of Psycho-Analysis*.
(²) Cf. en particulier Abraham, « Manifestations of the Female
Castration Complex », 1921, *Int. J. Psycho-Anal.*, Vol. III, p. 1.

fondamental fait naître des fantasmes passifs de castration alors que des fantasmes actifs naissent d'une attitude vindicative contre l'homme favorisé. Dans cette formulation nous avons affirmé comme un axiome que les femmes se sentent désavantagées du fait de leurs organes génitaux, sans que cela puisse être considéré comme constituant un problème en soi — probablement parce que cela a semblé trop évident au narcissisme masculin pour nécessiter une explication. Néanmoins, la conclusion tirée jusqu'ici d'investigations — se résumant à l'affirmation que la moitié de la race humaine est insatisfaite du sexe qui lui est attribué et ne peut surmonter cette insatisfaction que dans des circonstances favorables — est décidément insuffisante, non seulement en ce qui concerne le narcissisme féminin mais aussi en ce qui concerne la science biologique. De ce fait, la question se pose : Est-ce que réellement les formes du complexe de castration rencontrées chez les femmes, pleines de conséquences non seulement pour le développement de la névrose mais aussi pour la formation caractérielle et la destinée des femmes normales, sont basées uniquement sur l'insatisfaction due à leur envie du pénis ? Ou n'est-ce peut-être qu'un prétexte (en tout cas pour la plus grande part) mis en avant par d'autres forces dont nous connaissons déjà la puissance dynamique par notre étude de la formation de la névrose ?

Je crois que ce problème peut être abordé sous différents aspects. Dans l'espoir qu'elles pourront contribuer à la solution, je désire seulement mettre en lumière, du point de vue purement ontogénétique, certaines considérations qui se sont progressivement imposées à moi au cours d'expériences s'étendant sur de nombreuses années parmi des patients dont la grande majorité étaient des femmes et chez lesquels dans l'ensemble le complexe de castration était très marqué.

Selon la conception prédominante, le complexe de castration chez les femmes est entièrement centré sur le complexe d'envie du pénis ; en fait, le terme de complexe de masculinité est pratiquement utilisé comme synonyme. La première question qui se pose est : comment se fait-il que nous puissions observer cette envie du pénis comme un phénomène typique presque invariable, même lorsque le sujet n'a pas un genre de vie masculin, quand il n'y a pas de frère favori pour rendre compréhensible une envie de cette sorte et quand nuls « désastres accidentels » [1] dans l'expérience de la femme n'ont fait apparaître le rôle masculin comme plus désirable ?

Le point le plus important ici semble être de soulever la question ; cela fait, les réponses naissent presque spontanément du matériel dont nous sommes suffisamment familiers. Supposons que nous prenions comme point de départ la forme sous laquelle l'envie du pénis se manifeste probablement le plus souvent, c'est-à-dire le désir d'uriner comme un homme ; la critique du matériel montre bientôt que ce désir est fait de trois composantes, dont quelquefois l'une, quelquefois l'autre est la plus importante.

Celle dont je veux parler le plus brièvement est l'*érotisme urétral*, car on a déjà suffisamment insisté sur ce facteur du fait qu'il est le plus évident. Si nous voulons évaluer dans toute son intensité le désir naissant de cette origine, nous devons d'abord prendre conscience de la survalorisation narcissique [2] que les enfants accordent aux processus excrétoires. Des fantasmes de toute-puissance, en particulier ceux de caractère sadique, sont en fait plus aisément associés au jet d'urine de l'homme. Comme exemple de cette notion — et ce n'est qu'un exemple parmi beaucoup — je puis citer ce qui m'a été rapporté d'une classe de garçons : Quand deux garçons urinent pour former une croix, la personne à laquelle ils pensent à ce moment-là mourra [3].

Même s'il est certain qu'un profond sentiment d'être désavantagées peut naître chez les petites filles en relation avec

[1] Cf. Freud, « Tabu der Virginität » (« Le Tabou de la Virginité »), *Sammlung kleiner Schriften*, vierte Folge.

[2] Cf. Abraham, « Zur Narzisstischen Überwertung des Exkretionsvorgänge in Traum und Neurose », *Intern. Zeitschr. f. Psychoanal.*, 1920.

[3] *Note du rédacteur américain* : de jeunes adolescents et pré-adolescents de parents européens jouaient souvent à ce jeu au début du siècle. Se tenant à angles droits, ils formaient une croix sur le sol avec leur urine respective, tout en concentrant leurs pensées sur une personne donnée et en souhaitant ardemment qu'elle meure. L'atmosphère de cette expérience était chargée de beaucoup de magie et de puissance dérivée de la magie de la pensée et de la puissance du phallus, et rehaussée par l'extension du pénis due au jet d'urine. L'importance de la croix était accrue par sa connotation religieuse et par l'importance de la notion selon laquelle la croix marque le lieu.

l'érotisme urétral, c'est cependant exagérer le rôle joué par ce facteur si, comme on l'a fait jusqu'ici dans bien des domaines, nous lui attribuons aussitôt chaque symptôme et chaque fantasme dont la matière est le désir d'uriner comme un homme. Au contraire, la force pulsionnelle qui fait naître et maintient ce désir peut être souvent trouvée dans des composantes instinctuelles tout à fait différentes — et par-dessus tout la scoptophilie active et passive. La relation est due au fait que c'est précisément dans l'acte d'uriner qu'un garçon peut exposer son organe génital et se contempler et qu'il lui est même permis de le faire et qu'il peut ainsi dans une certaine mesure satisfaire sa curiosité sexuelle, tout au moins en ce qui concerne son propre corps, chaque fois qu'il urine.

Ce facteur, profondément enraciné dans l'instinct scoptophilique, était particulièrement évident chez une de mes patientes, chez qui le désir d'uriner comme un homme domina pendant un temps tout le tableau clinique. Durant cette période, elle venait rarement en analyse sans déclarer qu'elle avait vu un homme uriner dans la rue, et une fois elle déclara spontanément : « Si je devais faire un vœu, ce serait d'être capable juste une fois d'uriner comme un homme. » Ses associations complétèrent sa pensée au-delà de toute hésitation possible : « Car je saurais exactement comment je suis faite. » Le fait que les hommes puissent se regarder en train d'uriner, alors que les femmes ne le peuvent pas, était, chez cette patiente — dont le développement s'était dans une large mesure arrêté au stade prégénital — une des principales racines de sa très grande envie du pénis.

Si, du fait que ses organes génitaux sont cachés, la femme est de tout temps la grande énigme pour l'homme, de même l'homme est un objet de jalousie profonde pour la femme, du fait précisément de la visibilité facile de son organe gé-nital.

L'étroite relation entre l'érotisme urétral et l'instinct scop-tophilique était évidente chez une autre patiente, que je nom-merai Y. Elle se masturbait d'une façon particulière qui signifiait uriner comme son père. Dans la névrose obsession-nelle dont souffrait cette patiente, l'agent principal était l'instinct scoptophilique ; elle éprouvait un sentiment aigu d'angoisse à la pensée d'être vue pendant qu'elle se masturbait. Elle exprimait ainsi le désir lointain de la petite fille : j'aimerais aussi avoir un pénis que je pourrais montrer comme mon père chaque fois que j'urine.

Je pense en outre que ce facteur joue un rôle prépondérant dans la gêne et la pruderie exagérées des fillettes et je suppose que la différence vestimentaire entre les hommes et les femmes, du moins dans nos races civilisées, peut être rapportée à ce motif même que la fille ne peut exhiber ses organes génitaux et que, de ce fait, eu égard à ses tendances exhibitionnistes, elle régresse à un stade où son désir de se montrer affectait tout son corps. Cela nous met sur la piste de la raison pour laquelle une femme s'habille en décolleté alors que l'homme porte un frac. Je crois aussi que cette relation explique jusqu'à un certain point le critère qui est toujours mentionné en premier lieu quand les différences entre hommes et femmes sont discutées — à savoir la plus grande subjectivité des femmes par rapport à la plus grande objectivité des hommes. L'explication en serait que l'impulsion de l'homme à l'investigation trouverait satisfaction dans l'examen de son propre corps et pourrait, ou devrait, en conséquence s'orienter vers les objets extérieurs ; alors que la femme ne peut arriver à aucune connaissance de sa propre personne et de ce fait trouve plus difficile de se libérer d'elle-même.

Finalement, le souhait que j'ai affirmé être le prototype de l'envie du pénis possède un troisième élément, à savoir des désirs onanistes refoulés, en général profondément enfouis mais néanmoins importants dans ce cas. Cet élément peut être ramené à une association d'idées (la plupart inconscientes) d'après lesquelles le fait que les garçons ont la permission de tenir leur pénis quand ils urinent est élaborée comme une permission de se masturber.

Ainsi une patiente qui avait été témoin des reproches adressés par un père à sa petite fille qui touchait cette partie de son corps avec ses petites mains, me dit avec indignation : « Il lui interdit de le faire et cependant il le fait lui-même cinq ou six fois par jour. » Vous reconnaîtrez aisément la même association d'idées dans le cas de la patiente Y, chez qui la façon d'uriner de l'homme devint le facteur décisif de la forme de masturbation qu'elle pratiquait. De plus, dans ce cas, il devenait évident qu'elle ne pourrait se libérer complètement de la compulsion de masturbation, aussi longtemps qu'elle maintiendrait inconsciemment sa revendication qu'elle devait être un homme. La conclusion que je tirai de mon étude de ce cas est, je crois, tout à fait typique : les filles ont une difficulté particulière à triompher de la masturbation, car elles sentent qu'on leur défend injustement quelque chose qui est permis aux garçons du fait de leurs différences physiques. Ou, dans les termes du problème auquel nous sommes confrontés, nous pouvons dire que la différence physique peut faire naître un amer sentiment de blessure, de telle sorte que la raison donnée plus tard pour expliquer le refus de la féminité (c'est-à-dire que les hommes jouissent d'une plus grande liberté dans leur vie sexuelle) est vraiment fondée sur des expériences réelles de la première enfance. Van Ophuijsen, dans la conclusion de son travail sur le complexe de masculinité chez les femmes, insiste sur l'impression profonde qu'il a reçue en analyse de la relation étroite entre le complexe de masculinité, la masturbation infantile du clitoris et l'érotisme urétral. Le motif de cette relation serait probablement trouvé dans les considérations que je viens d'exposer.

Ces considérations, qui constituent la réponse à notre question initiale à propos des raisons qui font que l'envie du pénis est d'une fréquence si typique, peuvent être brièvement résumées comme suit : le sentiment d'infériorité de la petite fille (ainsi que l'a démontré Abraham) n'est en aucune manière primitif. Mais il lui paraît qu'en comparaison avec les garçons elle est soumise à des restrictions concernant la possibilité de gratifier certains éléments instinctuels qui sont de la plus grande importance au stade prégénital. En fait, je pense que je puis exprimer les choses avec plus de précision si je dis *qu'en tant que fait réel*, du point de vue de l'enfant à ce stade du développement, les petites filles, comparées aux garçons, *sont* désavantagées en ce qui concerne certaines possibilités de gratification. Car, à moins d'être tout à fait au clair sur la *réalité* de ce désavantage, nous ne pourrons comprendre que l'envie du pénis soit un phénomène presque inévitable dans la vie d'enfants du sexe féminin et qu'il ne peut que compliquer le développement féminin. Le fait que plus tard, lorsqu'elle atteint la maturité sexuelle, une grande partie de la vie sexuelle (en ce qui concerne le pouvoir créateur : une part peut-être plus grande que celle des hommes) incombe à la femme — je veux dire quand elle devient mère — ne peut être d'aucune compensation à la petite fille à ce stade précoce, car il réside en dehors de ses potentialités de gratification.

J'interromps ici ce développement de ma pensée car j'en viens au second problème, d'une plus grande portée : le complexe dont nous discutons repose-t-il vraiment sur l'envie du pénis et cette dernière doit-elle être considérée comme la force ultime qui se trouve derrière ?

Prenant cette question comme point de départ, nous devons considérer quels facteurs déterminent la manière dont le complexe de l'envie du pénis est surmonté avec plus ou moins de succès ou dont il se trouve régressivement renforcé au point de se fixer. L'étude de ces possibilités nous conduit à examiner plus attentivement dans de tels cas *la forme de la libido d'objet*. Nous trouvons alors que les jeunes filles et les femmes, dont le désir d'être des hommes est souvent d'une évidence aveuglante, ont tout au début de la vie passé par une phase de fixation au père extrêmement forte. En d'autres termes, elles ont tenté tout d'abord de résoudre le complexe d'Œdipe normalement, en conservant leur identification primitive avec la mère et, comme la mère, en prenant le père comme objet d'amour.

Nous savons qu'à ce stade il y a deux possibilités pour la fille de surmonter le complexe de l'envie du pénis, sans détriment pour elle-même. Elle peut passer de l'envie du pénis narcissique auto-érotique, au désir de la femme pour l'homme (ou le père), précisément en raison de son identification avec sa mère ; ou le désir profond d'un enfant (par le père). En considérant la vie amoureuse ultérieure des femmes normales comme des femmes anormales, on peut voir clairement que (même dans les cas les plus favorables) l'origine, ou tout au moins l'une des origines de chaque attitude, était narcissique dans son rôle et dans son essence un désir de possession.

Dans les cas que nous considérons, il est évident que ce développement féminin et maternel s'était fait à un degré très important. Ainsi, chez la patiente Y dont la névrose, comme toutes celles que je citerai ici, portait de bout en bout la marque du complexe de castration, on trouvait de nombreux

fantasmes de viol caractéristiques de ce stade. Les hommes
dont elle pensait qu'ils la violaient étaient tous immanqua-
blement des images du père ; d'où les fantasmes devaient
nécessairement être élaborés comme la compulsion de répétition d'un fantasme primitif dans lequel la patiente, qui
jusque tard dans la vie se sentait ne faire qu'un avec sa mère,
avait expérimenté avec elle l'acte de complète possession
sexuelle. Il est remarquable que cette patiente qui, par ailleurs, était parfaitement lucide, était au début de l'analyse
fortement encline à considérer ces fantasmes de viol comme
un fait réel.

D'autres cas présentent — sous une autre forme — une
adhésion similaire à la fiction que ce fantasme féminin primitif
est vrai. D'une autre patiente (que j'appellerai X) j'ai entendu
d'innombrables remarques constituant une preuve de la
réalité qu'avait pour elle cette relation d'amour avec son
père. Une fois, par exemple, elle se souvint comment son père
lui avait chanté une chanson d'amour et à ce souvenir elle
laissa échapper un cri de déception et de désespoir : « Et cependant tout cela était un mensonge! » La même pensée s'exprimait dans un de ses symptômes que je voudrais citer comme
étant typique d'un groupe similaire tout entier : elle était par
moment la proie d'une compulsion à absorber de grandes
quantités de sel. Sa mère avait été obligée d'absorber du sel
en raison d'hémoptysies — événement qui s'était produit
dans la première enfance de la patiente ; elle avait inconsciemment transféré ces hémoptysies comme le résultat des
rapports sexuels de ses parents. Donc, ce symptôme signifiait
sa revendication inconsciente d'avoir souffert du fait de son
père la même expérience qu'avait subie sa mère. C'était la
même revendication qui la faisait se considérer comme une
prostituée (elle était bel et bien vierge) et lui faisait ressentir
un besoin irrésistible de se confesser à un nouvel objet
d'amour.

Les nombreuses observations sans équivoque de cette sorte
nous montrent combien il est important de réaliser qu'à ce
stade précoce — comme une répétition ontogénétique d'une
expérience phylogénétique — l'enfant édifie sur la base d'une
identification (hostile ou amoureuse) avec sa mère le fantasme
qu'elle a subi une possession sexuelle totale de la part de son

père ; et de plus, que dans le fantasme cette expérience se présente comme ayant été réellement vécue — fait qui a pu se produire lorsque toutes les femmes étaient primitivement la propriété du père.

Nous savons que le sort naturel de ce fantasme d'amour en est une négation par la réalité. Dans les cas qui sont dominés par le complexe de castration, cette frustration se modifie en une *déception* profonde dont les traces demeurent dans la névrose. De ce fait, des troubles plus ou moins considérables se produisent dans l'évolution du sens de la réalité. On a souvent l'impression que l'intensité émotionnelle de l'attachement pour le père est trop forte pour pouvoir admettre l'irréalité essentielle de la relation ; dans d'autres cas encore il semble que dès le départ il y ait eu un pouvoir fantasmatique excessif rendant difficile de saisir correctement la réalité ; en fin de compte, les rapports vrais avec les parents sont souvent assez malheureux pour justifier un attachement au fantasme.

Ces patientes éprouvent l'impression que leur père a été une fois leur amant, puis qu'il les a trompées ou abandonnées. C'est parfois l'origine d'un doute : ai-je seulement imaginé toute l'affaire ou était-elle vraie ? Chez une patiente que j'appellerai Z et dont je parlerai dans un instant, cette attitude de doute se trahissait dans une compulsion de répétition qui se manifestait par l'angoisse chaque fois qu'un homme se sentait attiré vers elle, de crainte d'imaginer seulement cet attrait. Même fiancée, elle devait constamment se réassurer elle-même que tout n'était pas simplement imaginé. Dans un rêve diurne elle se voyait assaillie par un homme qu'elle renversait d'un coup sur le nez et dont elle piétinait le pénis. Poursuivant son fantasme, elle souhaitait le faire condamner mais s'en retenait de peur qu'il ne déclare qu'elle avait imaginé toute la scène. Lorsque je parlais de la patiente Y, je mentionnais son doute quant à la réalité de ses fantasmes de viol et que ce doute se rapportait à l'expérience primitive avec son père. Il était possible chez elle de retracer la manière dont ce doute s'était étendu de cette origine à chaque événement de sa vie et était ainsi devenu le fondement de sa névrose obsessionnelle. Dans son cas, comme dans beaucoup d'autres, le cours de l'analyse révéla que l'origine de ce doute avait probablement des racines plus profondes que l'incertitude, qui nous est familière, quant au sexe même du sujet (¹).

Chez la patiente X, qui se complaisait habituellement dans de nombreux souvenirs de cette période précoce de sa vie, qu'elle appelait son paradis infantile, cette déception était étroitement liée dans sa mémoire à une punition injuste infligée par son père lorsqu'elle avait cinq ou six ans. Il apparut qu'à cette époque une sœur était née et qu'elle s'était sentie supplantée par cette sœur dans l'affection de son père. A mesure que des couches plus profondes venaient à la lumière, il devint évident que derrière la jalousie envers sa sœur se cachait une jalousie furieuse envers sa mère — en rapport, dans le premier exemple, avec les nombreuses grossesses de sa mère. Elle dit une fois avec indignation : « Ma mère avait *toujours* des bébés. » Deux autres causes, d'importance inégale, au sentiment que son père lui était infidèle étaient profondément refoulées. L'une était la jalousie sexuelle envers sa mère, remontant au fait qu'elle avait été témoin du coït de ses parents ; à ce moment-là, son sens de la réalité lui rendait impossible d'incorporer ce qu'elle voyait dans son fantasme d'elle-même en tant que maîtresse de son père. C'est un malentendu de sa part qui me mit sur la piste de son sentiment. Alors que je parlais du moment « *nach der Enttäuschung* » (après la déception), elle comprit que je disais « *Nacht der Enttäuschung* » (la nuit de sa déception) et donna l'association de Brangaine faisant le guet pendant la nuit d'amour de Tristan et Isolde.

Une compulsion de répétition chez cette patiente parlait non moins clairement. L'expérience typique de sa vie amoureuse était qu'elle était tombée amoureuse pour la première fois d'un substitut du père, puis qu'elle le trouva infidèle. En relation avec des événements de cette sorte, la cause finale du complexe apparut évidente ; je veux dire : ses sentiments de culpabilité. Une grande part de ces sentiments devaient certainement être élaborés comme des reproches primitivement dirigés contre son père, puis retournés contre elle-même. Mais il était possible de retracer clairement la manière dont

(¹) Cf. l'explication que donne Freud du doute en tant que doute de la capacité d'amour du sujet (haine).

ces sentiments de culpabilité, en particulier ceux émanant de ses pulsions coercitives de tuer sa mère (pour cette patiente cette identification signifiait en particulier « la tuer » et « la remplacer »), avaient développé en elle une attente de catastrophes qui, bien entendu, se rapportait avant tout à la relation avec son père.

Je désire insister particulièrement sur la forte impression que j'ai ressentie dans ce cas de l'importance du *désir d'avoir un enfant* (du père) [1]. Ma raison d'y insister est que je pense que nous avons tendance à sous-estimer le pouvoir inconscient de ce désir et en particulier son caractère libidinal, car c'est un désir que le moi peut plus tard admettre plus facilement que beaucoup d'autres pulsions sexuelles. Sa relation avec le complexe d'envie du pénis est double. Il est bien connu, d'une part, que l'instinct maternel reçoit « un renforcement libidinal inconscient » [2] de l'envie du pénis, envie plus précoce dans le temps car elle appartient au stade autoérotique. Puis, lorsque la petite fille expérimente la déception décrite en relation avec son père, elle renonce non seulement à sa revendication sur lui mais aussi à son désir d'un enfant. A cela succèdent régressivement (conformément à l'équation familière) des représentations appartenant au stade anal et l'ancienne revendication d'un pénis. A ce moment-là, cette revendication n'est pas seulement réveillée, mais renforcée avec toute la force du désir de la fillette d'avoir un enfant.

Je voyais cette relation de façon particulièrement claire dans le cas de la patiente Z qui, après la disparition de plusieurs symptômes de sa névrose obsessionnelle, gardait comme symptôme final le plus opiniâtre une phobie intense de la grossesse et de l'accouchement. L'événement qui avait provoqué ses symptômes se révéla être la grossesse de sa mère et la naissance d'un frère quand la patiente avait deux ans, alors que le fait de continuer d'observer le coït des parents bien après qu'elle soit sortie de l'enfance contribua au même résultat. Il sembla pendant longtemps que ce cas soit singu-

[1] Cf. l'article de O. Rank, « Perversion and Neurosis ». *Intern. J. Psycho-Anal.*, vol. IV, Part 3.

[2] Cf. Freud, « Über Triebumsetzungen insbesondere der Analerotik », *Sammlung kleiner Schriften*, Vierte Folge.

lièrement approprié pour illustrer l'importance primordiale du complexe de l'envie du pénis. Son envie du pénis (celui de son frère) et sa violente colère contre lui en tant qu'intrus qui l'avait évincée de sa position d'enfant unique, une fois révélées par l'analyse, pénétrèrent la conscience lourdement chargée d'affects. De plus, le désir était accompagné de toutes les manifestations que nous avons accoutumé de lui rapporter : en premier lieu et avant tout l'attitude de vengeance contre les hommes, avec des fantasmes très intenses de castration ; la négation des tâches et fonctions féminines, en particulier la grossesse ; et enfin une forte tendance homosexuelle incons-ciente. Ce ne fut que lorsque l'analyse pénétra dans les couches les plus profondes, malgré une résistance inimaginable, qu'il devint manifeste que l'origine de l'envie du pénis était son désir de l'enfant que sa mère avait eu (et non elle-même) de son père ; sur quoi, par un processus de déplacement, le pénis était devenu l'objet du désir au lieu de l'enfant. De la même manière, sa colère véhémente contre son frère se référait en réalité à son père qui, lui semblait-il, l'avait déçue et à sa mère qui avait eu l'enfant au lieu de la patiente elle-même. Ce ne fut qu'après que ce déplacement ait été annulé qu'elle se libéra de son envie du pénis et de son désir d'être un homme, qu'elle fut capable d'être une vraie femme et même de désirer avoir elle-même des enfants.

Quel était le processus ? Il peut être brièvement décrit comme suit : 1º le désir relatif à l'enfant était déplacé sur le frère et son pénis ; 2º puis entrée en jeu du mécanisme décou-vert par Freud et d'après lequel le père en tant qu'objet d'amour est abandonné et la relation-objet avec lui régres-sivement remplacée par une identification avec lui.

Le dernier processus se manifestait dans ses prétentions à la masculinité, dont j'ai déjà parlé. Il était aisé de prouver que son désir d'être un homme ne devait en aucune manière être pris dans un sens général, mais que le vrai sens de ses revendications était de jouer le rôle de son père. Elle choisit donc la même profession que son père et après sa mort son comportement vis-à-vis de sa mère fut celui d'un mari qui exige de sa femme et lui donne des ordres. Une fois qu'elle eut une éructation bruyante, elle ne put s'empêcher de penser avec satisfaction : « Exactement comme papa ! » Mais elle ne put parvenir au choix d'objet homosexuel complet ; le développement de la libido d'objet semblait plutôt perturbé et le résultat en était une régression évidente à un stade narcissique auto-érotique. Pour nous résumer : déplacement du désir d'un enfant sur le frère et son pénis, identification avec son père et régression à un stade pré-génital, opérant tous dans la même direction — exciter une puissante envie du pénis qui demeura alors au premier plan et sembla dominer tout le tableau.

A mon avis, ce genre de développement du complexe d'Œdipe est typique de ces cas où le complexe de castration est prédominant. Une phase d'identification avec la mère fait place dans une large mesure à une phase d'identification avec le père et en même temps il se produit une régression à un stade pré-génital. Ce processus d'identification avec le père est à mon avis une des racines du complexe de castration chez les femmes.

Parvenue à ce point, je voudrais répondre immédiatement à deux objections possibles. L'une d'elles peut être exprimée ainsi : une telle oscillation entre père et mère n'a certainement rien de particulier. Au contraire, elle est visible chez chaque enfant et nous savons, d'après Freud, que la libido de chacun de nous oscille toute la vie entre des objets mâles et femelles. La seconde objection se rapporte à la relation avec l'homosexualité et peut être exprimée ainsi : dans son article sur la psychogenèse d'un cas d'homosexualité chez la femme, Freud nous a convaincus qu'un tel développement orienté sur l'identification avec le père est l'un des fondements manifestes de l'homosexualité ; cependant, je décris le même processus comme aboutissant au complexe de castration. En réponse, j'insisterai sur le fait que c'est justement cet article de Freud qui m'a aidée à comprendre le complexe de castration chez la femme. C'est exactement dans ces cas que, d'une part, le point jusqu'où la libido oscille normalement est considérablement dépassé d'un point de vue quantitatif, alors que, d'autre part, le refoulement du comportement amoureux envers le père et l'identification avec lui ne réussissent pas aussi complètement que dans les cas d'homosexualité. Alors, la similitude dans le cours des deux développements n'est pas un argument contre son importance dans le complexe de castration chez la femme ; au contraire, ce point de vue fait de l'homosexualité un phénomène moins isolé.

Nous savons que dans chaque cas où prédomine le complexe de castration il y a sans exception une tendance plus ou moins marquée à l'homosexualité. Vouloir jouer le rôle du père se ramène toujours à désirer la mère dans un certain sens. Il peut y avoir tous les degrés possibles d'intimité dans la relation entre la régression narcissique et l'investissement d'objet homosexuel, de sorte que nous avons une série ininterrompue culminant dans une homosexualité manifeste.

Une troisième critique surgit, se rapportant à la relation temporelle et causale de l'envie du pénis et s'exprime comme suit : la relation du complexe de l'envie du pénis avec le processus d'identification au père n'est-elle pas en opposition avec ce qui a été décrit ? N'est-ce pas dans le but d'établir cette sorte d'identification permanente avec le père qu'il doit y avoir d'abord une envie du pénis d'une force inaccoutumée ? Je pense que nous ne pouvons manquer de reconnaître qu'une envie du pénis particulièrement intense (qu'elle soit constitutionnelle ou qu'elle résulte d'une expérience personnelle) aide à préparer la voie par où la patiente s'identifie avec le père ; néanmoins, l'historique des cas décrits, aussi bien que celui d'autres cas, montre que malgré l'envie du pénis, une relation d'amour féminin fort et total pour le père s'est formée et que ce n'est qu'après que cet amour ait été déçu que le rôle féminin a été abandonné. Cet abandon et l'identification subséquente avec le père raniment alors l'envie du pénis et ce n'est que quand il se nourrit à des sources aussi puissantes que celles-là, que le sentiment opère dans toute sa force.

Pour que ce revirement à une identification avec le père puisse se produire, il est essentiel que le sens de la réalité soit éveillé, au moins jusqu'à un certain point ; d'où il est inévitable que la fillette ne soit pas plus longtemps capable de se contenter uniquement (comme jusqu'alors) de l'accomplissement fantasmatique de son envie du pénis, mais qu'elle commence à ruminer sur le manque de cet organe ou qu'elle réfléchisse à son existence possible. L'orientation de ces spéculations est déterminée par la disposition affective tout entière de la petite fille ; elle est caractérisée par les attitudes typiques suivantes : un attachement amoureux féminin, pas encore tout à fait dompté, pour son père, des sentiments de colère et de vengeance véhéments, dirigés contre lui en raison de la déception subie à travers lui et enfin, et non les moindres, des sentiments de culpabilité (en rapport avec des fantasmes incestueux le concernant), jaillissant violemment sous la pression de la frustration. C'est ainsi que toutes les ruminations se rapportent au père.

J'ai constaté cela très clairement chez la patiente Y, que j'ai déjà mentionnée plus d'une fois. J'ai dit que cette patiente avait des fantasmes de viol — fantasmes considérés comme réels — et qu'en fin de compte ceux-ci se rapportaient à son père. Elle aussi était parvenue dans une large mesure à s'identifier avec lui ; par exemple, son comportement à l'égard de sa mère était exactement celui d'un fils. Elle avait des rêves dans lesquels son père était attaqué par un serpent ou des animaux sauvages ; sur quoi elle le sauvait.

Ses fantasmes de castration prenaient la forme familière d'être anormalement constituée du côté génital — et de plus elle avait le sentiment d'avoir été blessée dans ses organes génitaux. Elle avait développé de nombreuses représentations sur ces deux points, surtout parce que ces singularités résultaient d'actes de viol. Il était en effet manifeste que son insistance obstinée à propos de ces sentiments et ces idées en rapport avec ses organes génitaux, devait réellement prouver la réalité des actes de violence — et ainsi, en dernier lieu, la réalité de la relation amoureuse avec son père. L'importance de ce fantasme et la force de la compulsion de répétition dont elle souffrait sont mises en lumière du fait qu'avant l'analyse elle avait insisté pour subir six laparotomies, dont plusieurs avaient été faites simplement sous le prétexte de ses douleurs. Chez une autre patiente, dont l'envie du pénis prenait un aspect absolument grotesque, ce sentiment d'avoir été blessée était déplacé de telle sorte qu'une fois ses symptômes obsessionnels guéris, le tableau clinique était hypocondriaque. Sa résistance à ce stade prit l'aspect suivant : « Il est manifestement absurde pour moi de me faire analyser, mon cœur, mes poumons, mon estomac et mes intestins étant de toute évidence organiquement malades. » Ici encore l'insistance sur la réalité de ses fantasmes était si grande qu'en une occasion

elle avait presque obtenu de subir une opération intestinale.
Ses associations ramenaient constamment l'idée qu'elle avait
été terrassée (*geschlagen*) par la maladie du fait de son père. En
fait, quand ces symptômes hypocondriaques furent dissipés,
des fantasmes d'être frappée (*Schlagephantasien*) devinrent
le trait dominant de sa névrose. Il me semble impossible de
justifier d'une façon satisfaisante ces manifestations uniquement par le complexe de l'envie du pénis. Mais leur trait principal devient parfaitement clair si nous considérons comme
un effet de la pulsion d'expérimenter à nouveau de manière
compulsive la souffrance subie du fait du père et de se prouver
à elle-même la réalité de l'expérience douloureuse.

Cet exposé du matériel peut être multiplié à l'infini, mais
ce ne serait que répéter que nous rencontrons sous des aspects
totalement différents le fantasme fondamental d'avoir été
châtrée par la relation d'amour avec le père. Mes observations
m'ont conduites à croire que ce fantasme, dont l'existence
nous a été de tout temps familière dans des cas individuels,
est d'une importance si typique et si fondamentale, que je
suis portée à le considérer comme la seconde racine de tout
le complexe de castration chez la femme.

La signification importante de cette combinaison est qu'une
très grande part de féminité refoulée est étroitement liée aux
fantasmes de castration. Ou bien — pour le considérer du point
de vue de la succession dans le temps — que c'est la féminité
blessée qui fait naître le complexe de castration et que c'est
ce complexe qui nuit (quoique pas *primitivement*) au développement de la femme.

Ici, nous trouvons probablement la base la plus fondamentale de l'attitude de vengeance envers les hommes, qui est si
souvent le trait dominant chez les femmes dont le complexe
de castration est très marqué ; des tentatives pour expliquer
cette attitude comme résultant de l'envie du pénis et de la
déception de la petite fille qui espérait que son père lui ferait
don du pénis, ne justifient pas de façon satisfaisante la masse
de faits mis en lumière par une analyse des couches plus profondes de l'esprit. Bien entendu, en psychanalyse l'envie du
pénis est plus aisément mise en lumière que le fantasme beaucoup plus profondément refoulé qui impute la perte de l'organe
mâle à un acte sexuel avec le père comme partenaire. Qu'il

en soit ainsi ressort du fait qu'aucun sentiment de culpabilité n'est rattaché à l'envie du pénis.

Il est particulièrement fréquent que cette attitude de vengeance contre les hommes soit dirigée avec une véhémence particulière contre l'homme qui a accompli l'acte de défloration. Cette explication est naturelle — à savoir que c'est précisément le père avec qui, dans le fantasme, la patiente s'est unie pour la première fois. D'où, dans la vie amoureuse : le premier partenaire remplace le père d'une façon particulière. Cette idée est exprimée dans les coutumes que Freud a décrites dans son essai sur le tabou de la virginité ; d'après ces coutumes, l'acte de défloration est positivement confié à un substitut du père. Dans l'inconscient, la défloration est la répétition de l'acte sexuel fantasmé accompli avec le père ; et ainsi, quand la défloration a lieu, tous ces affects appartenant à l'acte fantasmé sont reproduits — des sentiments très forts d'attachement combinés à l'horreur de l'inceste et finalement l'attitude décrite plus haut de vengeance en raison de l'amour déçu et de la castration soi-disant subie au cours de cet acte.

Ceci m'amène à la fin de mes observations. Mon problème était de savoir si l'insatisfaction du rôle sexuel féminin résultant de l'envie du pénis était vraiment l'alpha et l'oméga du complexe de castration chez la femme. Nous avons vu que la structure anatomique des organes génitaux féminins est en effet d'une grande signification dans le développement psychique de la femme. De plus, il est indiscutable que l'envie du pénis conditionne essentiellement les *formes* dans lesquelles se manifeste chez elle le complexe de castration. Mais déduire que la négation de la féminité est basée sur cette envie paraît inadmissible. Au contraire, nous voyons que l'envie du pénis n'empêche en aucune façon l'attachement féminin profond et total au père et que c'est seulement quand cette relation en arrive à mal tourner sur le complexe d'Œdipe (tout comme la névrose masculine correspondante) que l'envie conduit à un brusque revirement du rôle sexuel du sujet.

Le névrosé masculin qui s'identifie à la mère et la femme qui s'identifie au père refusent tous deux de la même manière leurs rôles sexuels respectifs. Et en partant de ce point de vue, l'angoisse de castration du névrosé (derrière laquelle se cache un désir de castration sur lequel, d'après moi, on n'a jamais assez insisté) correspond exactement à l'envie névrotique du pénis chez la femme. Cette symétrie serait beaucoup plus frappante si l'attitude intérieure de l'homme à l'égard de l'identification à la mère n'était pas diamétralement opposée à celle de la femme à l'égard de l'identification au père. Et ceci à deux égards : chez l'homme, ce désir d'être une femme n'est pas seulement en désaccord avec son narcissisme conscient, mais est rejeté pour la raison que la notion d'être une femme implique en même temps la réalisation de toutes ses angoisses de châtiment centrées sur la zone génitale. D'autre part, chez la femme l'identification au père est confirmée par d'anciens désirs s'orientant dans la même direction et ne comportant pas de sentiments de culpabilité mais plutôt un sens d'acquittement. Car il résulte de la relation que j'ai décrite entre les représentations de castration et les fantasmes d'inceste en rapport avec le père, la notion fatale, contraire à celle des hommes, qu'être une femme est en soi ressenti comme une culpabilité.

Dans ses articles intitulés « Trauer und Melancholie » (¹) et « The Psychogenesis of a Case of Female Homosexuality » (²), et dans *Psychologie collective et Analyse du Moi*, Freud a montré de plus en plus complètement comment se dessine le processus d'identification dans la mentalité humaine. C'est précisément cette identification avec le parent du sexe opposé qui me paraît être le point de départ du développement dans chaque sexe et du complexe de castration et de l'homosexualité.

(¹) *Sammlung kleiner Schriften*, Vierte Folge.
(²) *Int. J. Psycho-Anal.*, Vol. I, p. 125.

II

LA FUITE DEVANT LA FÉMINITÉ

Le Complexe de Masculinité chez la Femme
vu par l'Homme et par la Femme (¹)

Dans certains de ses derniers travaux, Freud a attiré l'attention avec une insistance croissante sur une certaine partialité de nos recherches analytiques. Je me rapporte au fait que jusqu'à une époque très récente, seul l'esprit des garçons et des hommes était pris comme objet d'investigations.

La raison en est évidente. La psychanalyse est la création d'un génie masculin et presque tous ceux qui ont développé ses idées ont été des hommes. Il est donc juste et raisonnable qu'ils dégagent plus aisément une psychologie masculine et qu'ils comprennent mieux le développement des hommes que celui des femmes.

Un pas important vers la compréhension de ce qui est spécifiquement féminin a été accompli par Freud lui-même lorsqu'il découvrit l'existence de l'envie du pénis — et peu après les travaux de Van Ophuijsen et Abraham ont montré la grande part que jouait ce facteur dans le développement des femmes et la formation de leurs névroses. La portée de l'envie du pénis s'est étendue récemment avec l'hypothèse du stade phallique. Nous voulons dire par là que dans l'organisation génitale infantile des deux sexes, seul l'organe génital viril joue un rôle et que c'est justement cela qui distingue l'organisation génitale infantile de l'organisation génitale

(¹) « Flucht aus der Weiblichkeit ». *Intern. Zeitschr. f. Psychoanal.*, XII (1926), pp. 360-74 ; *Int. J. Psycho-Anal.*, VII (1926), pp. 324-39. Réimprimé avec l'autorisation de *The International Journal of Psycho-Analysis*.

définitive de l'adulte (¹). D'après cette théorie, le clitoris est
conçu comme un phallus et nous affirmons que les petites
filles aussi bien que le petits garçons accordent tout d'abord
la même valeur au clitoris et au pénis (²).

L'effet de ce stade est en partie d'inhiber et en partie de
provoquer le développement ultérieur. Hélène Deutsch a
décrit principalement les effets inhibitoires. Elle est d'avis
qu'au début de chaque nouvelle fonction sexuelle, c'est-à-
dire au début de la puberté, au début des rapports sexuels, au
début de la grossesse et de l'accouchement, ce stade est réactivé et doit être chaque fois surmonté avant qu'une nouvelle
attitude féminine puisse être atteinte. Freud a édifié sa théorie
du point de vue positif, car il est convaincu que c'est seulement
l'envie du pénis et le fait de la surmonter qui donnent naissance au désir d'un enfant et forment ainsi le lien amoureux
avec le père (³).

La question se pose maintenant de savoir si ces hypothèses
ont aidé à rendre plus satisfaisante et plus claire notre compréhension du développement de la femme (compréhension
que Freud lui-même considère comme insatisfaisante et
incomplète).

La science a souvent trouvé qu'il était fécond de considérer
avec un regard neuf des faits longtemps familiers. Sinon, il
y a danger qu'involontairement nous continuions à classer
toutes les nouvelles observations dans les mêmes groupes
d'idées nettement définis.

Personnellement, je suis parvenue à un nouveau point de
vue grâce à la philosophie — certains essais de Georg Simmel (⁴). L'argument de Simmel — interprété depuis de bien des
manières, particulièrement du point de vue de la femme (⁵) —
est celui-ci : notre civilisation tout entière est une civilisation

(¹) Freud, « The Infantile Genital Organization of the Libido »,
Collected Papers, Vol. VII, n° XX (les références de K. Horney à Freud
sont habituellement faites aux éditions antérieures à l'édition Standard et aux *Collected Papers* publiés par the Hogarth Press, London).

(²) H. Deutsch, *Psychoanalyse der weiblichen Sexual-Funktionen*
(1925).

(³) Freud, « Einige psychische Folgen der Anatomischen Geschlechtsunterschiede ». *Intern. Zeitschr. f. Psychoanal.*, XI (1925).

(⁴) Georg Simmel, *Philosophische Kultur.*

(⁵) Cf. en particulier Vaerting, *Männliche Eigenart im Frauenstaat
und weibliche Eigenart im Männerstaat.*

de l'homme. L'État, les lois, la moralité, la religion et les sciences sont des créations de l'homme. Simmel ne déduit pas de ces faits une infériorité de la femme, mais il donne d'abord une ampleur et une profondeur considérables à sa conception d'une civilisation de l'homme : « Les conditions requises pour l'art, le patriotisme, la moralité en général et les idées sociales en particulier, la précision d'un jugement pratique et l'objectivité dans la connaissance théorique, l'énergie et la profondeur de la vie — tout cela constitue des catégories qui paraissent appartenir dans leurs formes et leurs revendications à l'humanité en général, mais par leur contexte historique réel, elles sont d'un bout à l'autre viriles. Supposons que nous décrivions ces choses considérées comme des idées absolues, par le seul mot « objectivité » ; nous trouverions alors dans l'histoire de notre race que l'équation objectivité = virilité est une équation valable. »

Simmel pense que la difficulté d'admettre ces faits historiques réside en ce que les modèles mêmes d'après lesquels l'humanité a évalué les valeurs de la nature masculine et féminine ne « sont pas neutres, naissant de la différence des sexes, mais en eux-mêmes essentiellement virils... Nous ne croyons pas en une civilisation purement « humaine » dans laquelle la notion de sexe n'entre pas, pour la raison même qui empêche une telle civilisation d'exister, à savoir [façon de parler] l'identification naïve entre le concept « être humain » (¹) et le concept « homme » (²), qui dans beaucoup de langues oblige à employer le même mot pour les deux concepts. Pour l'instant, je laisserai indéterminé de savoir si le caractère viril des fondements de notre civilisation tire son origine de la nature essentielle des sexes ou d'une prépondérance de la force de l'homme — qui n'est pas vraiment rattachée à la question de civilisation. De toute manière, c'est la raison, dans les domaines les plus variés, pour laquelle les œuvres imparfaites sont appelées avec mépris « féminines », alors que les œuvres remarquables de femmes sont appelées « viriles », comme l'expression d'une louange ».

Comme toutes les sciences et toutes les estimations, la

(¹) En allemand : *Mensch*.
(²) En allemand : *Mann*.

psychologie de la femme a jusqu'ici été considérée seulement du point de vue de l'homme. Il est inévitable que la position avantageuse de l'homme détermine une validité objective qui doit être attribuée à ses relations subjectives et affectives avec la femme et, d'après Delius (¹), la psychologie de la femme a représenté réellement jusqu'ici le dépôt des désirs et des déceptions de l'homme.

Un autre fait très important de la situation est que les femmes se sont adaptées aux désirs des hommes et pensent que leur adaptation est leur vraie nature. C'est-à-dire qu'elles se voient ou se sont vues comme les hommes désiraient qu'elles soient ; inconsciemment elles se soumettaient à la suggestion de la pensée virile.

Si nous saisissons pleinement à quel point tout notre être, notre pensée et nos actions se conforment aux standards masculins, nous pouvons nous rendre compte combien il est difficile pour l'homme comme pour la femme de rejeter ce mode de pensée.

La question est alors de savoir jusqu'où la psychologie analytique, quand ses recherches ont la femme pour objet, est sous l'influence de ce mode de pensée du fait qu'elle n'a pas encore abandonné le stade où ouvertement et positivement seul le développement viril était considéré. En d'autres termes : jusqu'où l'évolution de la femme, comme elle nous est révélée aujourd'hui par l'analyse, a-t-elle été mesurée par rapport aux standards masculins — et de ce fait jusqu'à quel point le tableau échoue à nous montrer fidèlement la vraie nature de la femme ?

Si nous considérons le sujet sous cet angle, notre impression est faite d'étonnement. Le tableau analytique actuel du développement féminin (que ce tableau soit exact ou non) ne diffère en aucun cas des idées typiques que le garçon a de la fille.

Les représentations que le garçon nourrit nous sont familières. Par conséquent, je vais simplement les esquisser en quelques phrases brèves et, pour établir une comparaison, indiquer sur une colonne parallèle nos idées sur le développement de la femme.

(¹) Delius, *Vom Erwachen der Frau.*

Les idées du garçon :	Nos idées sur le développement de la femme :
L'affirmation naïve que les filles comme les garçons possèdent un pénis.	*Pour les deux sexes, seul l'organe génital mâle joue un rôle.*
Prise de conscience de l'absence de pénis.	*Pénible découverte de l'absence de pénis.*
Idée que la fille est un garçon châtré, mutilé.	*Croyance chez la fille qu'elle a eu une fois un pénis et qu'elle l'a perdu par castration.*
Croyance que la fille a subi une punition qui menace le garçon lui-même.	*La castration est conçue comme un châtiment.*
La fille est considérée comme un être inférieur.	*La fille se considère comme inférieure. Envie du pénis.*
Le garçon est incapable d'imaginer comment la fille pourra surmonter cette perte ou ce désir.	*La fille ne surmonte jamais le sentiment du manque et de l'infériorité et doit toujours à nouveau maîtriser son désir d'être un homme.*
Le garçon a peur du désir de la fille.	*Pendant toute sa vie, la fille désire se venger de l'homme qui possède quelque chose qui lui manque.*

L'existence de cette concordance trop précise n'est certainement pas un critère de son exactitude objective. Il est très possible que l'organisation génitale infantile de la petite fille puisse ressembler de façon frappante à celle du garçon, comme on l'a jusqu'à présent affirmé.

Mais elle est certainement calculée pour nous faire penser à d'autres possibilités et à nous les faire prendre en considération. Nous pouvons par exemple suivre la pensée de Georg Simmel et réfléchir à la possibilité que l'adaptation féminine à la structure mâle se situe à une période aussi précoce et à un degré tel que la nature spécifique de la petite fille soit écrasée par elle. Je reviendrai plus tard et pour un instant sur le point où il me paraît réellement probable que cette contamination par un point de vue viril apparaisse dans l'enfance. Mais comment tout ce qui est octroyé par la nature peut-il être ainsi absorbé sans laisser aucune trace ? Nous devons donc revenir à la question que j'ai déjà soulevée — à savoir si l'extraordinaire parallélisme que j'ai indiqué peut ne pas être l'expression d'une partialité dans nos observations, du fait qu'elles sont établies du point de vue de l'homme.

Une telle suggestion rencontre immédiatement une protestation intérieure, car nous nous souvenons du terrain expérimental solide sur lequel la recherche analytique a toujours été basée. Mais en même temps, notre connaissance scientifique théorique nous dit que ce terrain n'est pas tout à fait sûr et que toute expérience contient par nature un facteur subjectif. Ainsi, notre expérience analytique dérive de l'observation directe du matériel que nos patients apportent en analyse par des associations libres, rêves et symptômes, de l'interprétation que nous donnons à ce matériel ou des conclusions que nous en tirons. C'est pourquoi, même lorsque la technique est correctement appliquée, il y a théoriquement dans cette expérience une possibilité de variations.

Si nous tentons de libérer nos esprits de ce mode de pensée viril, presque tous les problèmes de la psychologie de la femme apparaissent différemment.

La première chose qui nous frappe est que c'est toujours — ou principalement — la différence génitale entre les sexes qui apparaît comme le point cardinal de la conception analytique et que nous avons omis de considérer l'autre grande différence biologique, c'est-à-dire les rôles différents joués par l'homme et la femme dans la fonction de reproduction.

L'influence du point de vue viril sur la conception de la maternité est très clairement exposée par la théorie génitale très brillante de Ferenczi ([1]). Son point de vue est que l'incitation réelle au coït, sa signification véritable, ultime pour les deux sexes, doivent être recherchées dans le désir de retourner dans le ventre de la mère. Pendant une période de conflit l'homme a acquis le privilège de pénétrer vraiment une fois de plus un utérus au moyen de son organe génital. La femme, autrefois dans une situation inférieure, fut obligée d'adapter son organisation à cette situation organique et fut dotée de certaines compensations. Elle devait « se contenter » de substituts dans l'ordre des fantasmes et par-dessus tout de protéger l'enfant dont elle partage la félicité. Au surplus, ce n'est que par la naissance qu'elle a peut-être des potentialités de plaisir refusées à l'homme ([2]).

([1]) Ferenczi, *Versuch einer Genitaltheorie* (1924). Traduc. franç. *Thalassa. Psychanalyse des origines de la vie sexuelle.* Payot, Paris.
([2]) Cf. également Hélène Deutsch, *Psychoanalyse der weiblichen Sexualfunktionen* ; et Groddeck, *Das Buch vom Es.*

Selon ce point de vue, la situation psychique d'une femme ne serait certainement pas agréable. Elle manque de toute véritable pulsion fondamentale au coït ; ou tout au moins toute satisfaction — même partielle — lui est interdite. S'il en est ainsi, la pulsion au coït et au plaisir dans le coït doit indubitablement être moindre pour elle que pour l'homme. Car c'est seulement indirectement, par des chemins détournés, qu'elle parvient à un certain accomplissement du désir primitif, c'est-à-dire en partie par le détour d'une transformation masochique et en partie par identification avec l'enfant qu'elle pourrait concevoir. Cela ne constitue cependant que « des expédients compensatoires ». La seule chose dont elle tire un ultime avantage sur l'homme est le plaisir — certainement très discutable — de l'action d'accoucher.

Arrivée là, moi-même — en tant que femme — je demande avec stupeur : et la maternité ? Et la conscience psychologique bienheureuse de porter en soi une nouvelle vie ? Et le bonheur ineffable de l'espoir de la naissance du nouvel être ? Et la joie quand il naît et qu'on le tient pour la première fois dans les bras ? Et le profond sentiment de plaisir et de satisfaction de le nourrir et le bonheur de toute la période durant laquelle le bébé a besoin de soins ?

Au cours d'une conversation, Ferenczi a émis l'avis que dans la période primitive de conflit se terminant si douloureusement pour la femme, l'homme victorieux lui impose la charge de la maternité et de tout ce qui y est impliqué.

Considérée du point de vue de la lutte sociale, la maternité *peut* certainement être un handicap. Il en est certainement ainsi à l'heure actuelle, mais cela est beaucoup moins certain que cela ne l'était à l'époque où les êtres humains vivaient plus près de la nature.

De plus, nous expliquons l'envie du pénis par ses rapports biologiques et non par ses facteurs sociaux ; au contraire, nous sommes habitués sans plus de difficulté à interpréter le sentiment de la femme d'être socialement désavantagée, comme la rationalisation de son envie du pénis.

Mais du point de vue biologique, la femme a, dans la maternité ou dans l'aptitude à la maternité, une supériorité psychologique indiscutable et non des moindres. Cela est clairement reflété dans l'inconscient de la psyché masculine, par l'envie intense de maternité qu'éprouve le garçon. Nous sommes familiarisés avec cette envie en tant que telle, mais on ne lui accorde guère la considération qui lui est due en tant que facteur dynamique.

Quand on commence (comme je l'ai fait) à analyser des hommes après une assez longue expérience d'analyses de femmes, on éprouve une étonnante impression devant l'intensité de cette envie de grossesse, d'accouchement et de maternité, aussi bien que devant l'envie des seins et de l'acte d'allaiter.

A la lumière de cette impression tirée de l'analyse, on doit naturellement rechercher si cette tendance masculine inconsciente à la dévalorisation ne s'exprime pas intellectuellement dans l'interprétation précitée de la maternité. Cette dévalorisation s'exprimerait ainsi : en réalité les femmes ont simplement le désir du pénis ; quand tout est dit et fait, la maternité n'est qu'une charge qui rend la lutte pour la vie plus âpre et les hommes peuvent être satisfaits de ne pas avoir à la supporter.

Quand Hélène Deutsch écrit que le complexe de masculinité chez la femme joue un bien plus grand rôle que le complexe de féminité chez l'homme, elle semble perdre de vue que l'envie de la masculinité est capable d'une sublimation plus heureuse que l'envie du pénis chez la fillette et qu'elle est certainement utile en tant que force pulsionnelle — sinon comme force pulsionnelle essentielle — du développement des valeurs culturelles.

Le langage même désigne cette origine de la productivité culturelle. Dans les périodes connues de l'histoire cette productivité a été indiscutablement et incomparablement plus grande chez les hommes que chez les femmes. La force de la pulsion créatrice des hommes dans chaque domaine n'était-elle pas due à leur sentiment de jouer un rôle relativement peu important dans la création d'êtres vivants, ce qui les a contraints constamment à une sur-rémunération dans la réussite ?

Si nous avons raison d'établir cette relation, nous sommes confrontés avec le problème de savoir pourquoi aucune pulsion correspondante de compensation à son envie du pénis n'est trouvée chez la femme. Il y a deux possibilités : ou bien l'envie de la femme est bien moindre que celle de l'homme ; ou bien elle s'en débarrasse avec moins de succès par une autre voie. Nous pouvons avancer des faits étayant chacune de ces suppositions.

En faveur de la plus grande intensité de l'envie de l'homme, nous pouvons mettre en évidence qu'un réel désavantage anatomique existe pour la femme seulement du point de vue des plans prégénitaux d'organisation (¹). Du point de vue de l'organisation génitale de la femme adulte, il n'y a pas de désavantage car manifestement l'aptitude des femmes au coït n'est pas moindre que celle des hommes, mais simplement différente. D'autre part, le rôle de l'homme dans la reproduction est en fin de compte moindre que celui de la femme.

Nous observons en outre que les hommes éprouvent manifestement un plus grand besoin de déprécier les femmes que l'inverse. La compréhension que le dogme de l'infériorité des femmes avait son origine dans une tendance virile inconsciente ne pouvait naître en nous qu'après qu'un doute se soit élevé : à savoir si en fait ce point de vue était justifié par la réalité. Mais s'il y a réellement chez les hommes, derrière cette conviction de l'infériorité féminine, des tendances à déprécier les femmes, nous devons en inférer que cette pulsion inconsciente à la dépréciation est très puissante.

De plus, d'un point de vue culturel, il y a beaucoup à dire en faveur de l'idée que les femmes se dégagent de leur envie du pénis avec moins de succès que les hommes. Nous savons que dans le meilleur des cas cette envie est transformée en un désir pour un mari et un enfant et probablement, par cette transformation, perd la plus grande partie de sa puissance en tant qu'aiguillon à la sublimation. Dans les cas défavorables, cependant, comme je le montrerai tout à l'heure de façon plus détaillée, elle est chargée d'un sentiment de culpabilité au lieu d'être employée de manière féconde, alors que l'inaptitude de l'homme à la maternité est probablement ressentie comme une infériorité et peut développer toute sa force pulsionnelle sans inhibition.

J'ai déjà abordé dans cette discussion un problème que

(¹) K. Horney, « On the Genesis of the Castration Complex in Women ». *Int. J. Psycho-Anal.*, Vol. V (1924) (dans ce volume).

Freud a récemment mis au premier plan de l'intérêt ([1]) : la question de l'origine et de l'action du désir d'un enfant. Notre attitude envers ce problème s'est modifiée au cours de la dernière décade. Il m'est donc permis de décrire brièvement le début et la fin de l'historique de cette évolution.

L'hypothèse primitive ([2]) était que l'envie du pénis renforçait dans la libido à la fois le désir d'un enfant et le désir d'un homme, mais que ce dernier désir naissait indépendamment du premier. En conséquence, l'importance était de plus en plus déplacée sur l'envie du pénis, jusqu'à ce que, dans son dernier ouvrage sur ce problème, Freud émette l'hypothèse que le désir d'un enfant naissait seulement de l'envie du pénis et de la déception due à l'absence du pénis en général, et que le tendre attachement pour le père naissait seulement par ce chemin détourné — par l'envie du pénis et le désir d'un enfant.

Cette dernière hypothèse naissait manifestement du besoin d'expliquer psychologiquement le principe biologique de l'attraction hétérosexuelle. Cela correspond au problème formulé par Groddeck : il est naturel que le garçon conserve la mère comme objet d'amour, « mais comment se fait-il que la petite fille s'attache au sexe opposé ? » ([3])

Dans le but d'approcher ce problème, nous devons tout d'abord comprendre que notre matériel empirique sur le complexe de masculinité chez la femme dérive de deux sources d'importance distincte. La première est l'observation directe d'enfants chez qui le facteur subjectif joue un rôle relativement insignifiant. Chaque petite fille qui n'a pas été intimidée expose franchement et sans embarras son envie du pénis. Nous constatons que la présence de cette envie est typique et nous comprenons très bien pourquoi il en est ainsi ; nous comprenons comment la mortification narcissique de posséder moins que le garçon est renforcée par une série de désavantages naissant de différents investissements prégénitaux : les

---

([1]) Freud, « Über einiger psychische Folgen der anatomischen Geschlechtsunterschiede ».

([2]) Freud, « On the Transformation of Instincts with Special Reference to Anal Erotism », in *Collected Papers*, vol. II, n° XVI.

([3]) Groddeck, *Das Buch vom Es*.

privilèges évidents du garçon en relation avec l'érotisme urétral, l'instinct scoptophilique et l'onanisme ([1]).

Je suggérerais que nous appliquions le terme *primitif* à l'envie du pénis chez la fillette, qui est manifestement fondé simplement sur la différence anatomique.

La deuxième source tirée de notre expérience doit être trouvée dans le matériel analytique de la femme adulte. Il est naturellement plus difficile d'établir un jugement à ce sujet et il y a donc une plus grande marge pour l'élément subjectif. Nous voyons ici, par exemple, que l'envie du pénis agit comme un facteur d'une énorme puissance dynamique. Nous voyons des patientes refuser leurs fonctions féminines, leur motif inconscient étant le désir d'être un homme. Nous rencontrons des fantasmes dont le contenu est : « J'ai eu une fois un pénis ; je suis un homme qu'on a châtré et mutilé » ; d'où dérivent des sentiments d'infériorité provoquant des représentations hypocondriaques tenaces. Nous constatons une attitude marquée d'hostilité envers les hommes, prenant parfois la forme de dépréciation et quelquefois d'un désir de les châtrer ou de les mutiler — et nous voyons comment la destinée entière de certaines femmes est déterminée par ce facteur.

Il était naturel de conclure — et particulièrement naturel en raison de l'orientation virile de notre pensée — que nous pouvons rattacher ces impressions à l'envie primitive du pénis, et de raisonner *a posteriori* en disant que cette envie devait posséder une intensité énorme, puisque constatant qu'elle provoquait manifestement de tels effets. Ici nous perdons de vue (plus dans une estimation générale de la situation que dans le détail) que ce désir d'être un homme qui nous est si familier par l'analyse des femmes adultes, n'a que très peu à voir avec cette envie précoce, infantile, du pénis, mais que c'est une formation secondaire comprenant tout ce qui a échoué dans le développement vers la maturité féminine.

Toute mon expérience m'a prouvé, avec une clarté immuable, que le complexe d'Œdipe chez les femmes menait (non seulement dans les cas extrêmes où le sujet est parvenu au chagrin, mais *régulièrement*) régressivement à l'envie du pénis,

---

([1]) J'ai abordé ce sujet avec plus de détails dans mon article « De la Genèse du Complexe de Castration chez la Femme ».

à chaque degré et avec chaque nuance possibles. La différence entre la résolution du complexe d'Œdipe chez l'homme et chez la femme me paraît (dans la moyenne des cas) être la suivante. Chez les garçons, la mère, en tant qu'objet sexuel, est abandonnée en raison de l'angoisse de castration, mais le rôle viril lui-même n'est pas seulement affirmé dans le développement ultérieur, mais est réellement suraccentué dans la réaction à l'angoisse de castration. Nous le voyons nettement dans les périodes de latence et de pré-puberté des garçons — et généralement aussi plus tard dans la vie. D'autre part, les filles non seulement renoncent au père en tant qu'objet sexuel, mais simultanément reculent devant le rôle féminin total.

Dans le but de comprendre cette fuite devant la féminité, nous devons considérer les faits se rapportant à l'onanisme précoce infantile, qui est l'expression physique des excitations dues au complexe d'Œdipe.

Ici encore la situation est plus claire chez les garçons — ou peut-être est-ce simplement que nous en savons davantage à ce propos. Ces faits nous paraissent-ils si mystérieux chez les filles parce que nous les avons toujours considérés à travers les hommes ? Cela est possible, puisque nous ne concédons même pas aux petites filles une forme spécifique d'onanisme, mais sans plus décrivons leurs activités érotiques comme viriles ; et quand nous nous faisons une idée de la différence qui doit certainement exister, comme étant celle d'une différence négative à une différence positive (c'est-à-dire dans le cas d'une angoisse d'onanisme), que cette différence est celle existant entre la menace de castration et la castration qui a réellement eu lieu. Mon expérience analytique montre qu'il est certainement possible que les petites filles aient une forme spécifiquement féminine d'onanisme (dont incidemment la technique diffère de celle des garçons), même si nous affirmons que la petite fille pratique une masturbation exclusivement clitoridienne, affirmation qui ne me semble pas certaine. Et je ne vois pas pourquoi, en dépit de son évolution passée, on ne concéderait pas que le clitoris appartienne à bon droit et ne forme pas partie intégrante de l'appareil génital de la femme.

La question de savoir si à un stade précoce de son développement génital la petite fille a des sensations vaginales orga-

niques est très difficile à déterminer à partir du matériel analytique fourni par les adultes. Des séries entières de cas m'ont
amenée à conclure qu'il en est ainsi et je citerai plus tard le
matériel sur lequel j'ai fondé ma conclusion. Que de telles
sensations se produisent me paraît théoriquement très probable pour les raisons suivantes. Sans doute, les fantasmes
familiers selon lesquels un pénis excessivement gros exige une
pénétration de force produisant douleur, hémorragie et
menace de détruire quelque chose, tendent à montrer que la
petite fille fonde ses fantasmes œdipiens de façon très réaliste (conformément à la pensée plastique de l'enfance) sur
la disproportion de taille entre père et enfant. Je pense également que les fantasmes œdipiens, aussi bien que la peur
qui s'ensuit logiquement d'une blessure interne, c'est-à-dire
vaginale, tendent à montrer que le vagin aussi bien que le
clitoris doivent jouer un rôle dans l'organisation génitale
précoce des femmes (¹). On pourrait même déduire du phénomène plus tardif de la frigidité que la zone vaginale a réellement un investissement plus fort (naissant de l'angoisse et
des tentatives de défense) que le clitoris, et cela parce que les
désirs incestueux se rapportent au vagin avec la précision
infaillible de l'inconscient. La frigidité, de ce point de vue,
peut être considérée comme une tentative de détourner les
fantasmes si dangereux pour le moi. Et ceci éclaire d'une
lumière nouvelle les sentiments de plaisir inconscients qui,
comme l'ont affirmé différents auteurs, naissent de la parturition ou alternativement de l'angoisse de l'accouchement.
Car (justement à cause de la disproportion entre le vagin et
le bébé et à cause de la douleur que celui-ci fait naître) la
parturition serait d'une plus grande importance que les rapports sexuels subséquents pour tenir lieu dans l'inconscient
d'une réalisation des fantasmes précoces d'inceste, réalisation à
laquelle aucune culpabilité n'est rattachée. L'angoisse génitale
féminine, comme l'angoisse de castration chez les garçons,
porte invariablement l'empreinte de sentiments de culpabilité
et c'est à ceux-ci qu'elle doit son influence persistante.

(¹) Depuis que je me suis rendu compte de la possibilité d'une telle
relation, j'ai appris à édifier dans ce sens (c'est-à-dire comme représentant l'angoisse d'une blessure vaginale) de nombreux phénomènes
que je me contentais auparavant d'interpréter comme des fantasmes
de castration dans le sens viril.

Il y a dans la situation un autre facteur agissant dans le même sens, et qui est la conséquence certaine de la différence anatomique des sexes. Je veux dire que le garçon peut examiner avec attention son organe mâle pour savoir si les conséquences redoutées de l'onanisme se produisent ; la fille, elle, est littéralement dans la nuit sur ce point et demeure dans une totale incertitude. Évidemment, cette possibilité d'un test de réalité ne joue pas chez les garçons dans les cas où l'angoisse de castration est aiguë ; mais dans les cas plus bénins — pratiquement les plus importants parce que les plus fréquents — je crois que cette différence est très importante. De toute façon, le matériel analytique mis en lumière chez des femmes que j'ai analysées m'a conduite à conclure que ce facteur joue un rôle considérable dans la vie psychique des femmes et qu'il contribue à l'étrange incertitude intérieure si souvent rencontrée chez elles.

Sous la pression de son angoisse, la fille se réfugie alors dans un rôle masculin fantasmé.

Quel est le bénéfice économique de cette fuite ? Là, je voudrais me rapporter à une expérience que tous les analystes ont probablement faite : Ils découvrent que le désir d'être un homme est généralement plus aisément admis et qu'une fois qu'il est accepté, il est maintenu avec ténacité, la raison en étant le désir d'échapper aux désirs et aux fantasmes libidinaux en rapport avec le père. Ainsi, le désir d'être un homme favorise le refoulement de ces désirs féminins ou la résistance contre leur mise en lumière. Cette expérience typique revenant continuellement nous oblige, si nous sommes fidèles aux principes analytiques, à conclure que les fantasmes d'être un homme étaient, à un stade plus précoce, conçus pour le besoin même de tranquilliser le sujet contre les désirs libidinaux en relation avec le père. La masculinité fictive permettait à la fille d'échapper au rôle féminin chargé de culpabilité et d'angoisse. Il est vrai que cette tentative de dévier de son propre rôle vers le rôle masculin apporte inévitablement un sentiment d'infériorité, car la fille commence à se mesurer avec des prétentions et des valeurs étrangères à sa nature biologique spécifique et se sent inapte pour ce à quoi elle se trouve confrontée.

Quoique ce sentiment d'infériorité soit une source de tourments, l'expérience analytique montre formellement que le moi peut plus aisément le tolérer que le sentiment de culpabilité associé à l'attitude féminine — et de ce fait c'est sans aucun doute un bénéfice pour le moi lorsque la fille vole du Scylla du sentiment de culpabilité au Charybde du sentiment d'infériorité.

Pour être tout à fait complète, j'ajouterai une référence à l'autre bénéfice qui, ainsi que nous le savons, échoit aux femmes par le processus d'identification avec le père survenant en même temps. Je n'ai rien à ajouter à ce que j'ai déjà dit antérieurement sur l'importance de ce processus.

Nous avons vu que ce processus d'identification avec le père est une réponse à la question de savoir pourquoi la fuite devant les désirs de la féminité par rapport au père conduit à une attitude masculine. Des réflexions liées à ce qui a été déjà dit montrent un autre point de vue qui éclaire cette question.

Nous savons que chaque fois que la libido rencontre un obstacle à son développement, une phase antérieure d'organisation est régressivement activée. D'après les derniers travaux de Freud, l'envie du pénis constitue le stade préliminaire au véritable amour objectal pour le père. Cette ligne de pensée suggérée par Freud nous aide à comprendre la nécessité intérieure pour la libido de retourner précisément à ce stade préalable chaque fois que l'obstacle incestueux la fait régresser.

Je suis d'accord en principe avec la notion de Freud que la fille exploite l'amour objectal par le moyen de l'envie du pénis, mais je crois que la nature de cette évolution peut aussi être décrite autrement.

Car lorsque nous voyons quelle grande part de la force de l'envie primitive du pénis dérive seulement de la dégénérescence du complexe d'Œdipe, nous devons résister à la tentation d'interpréter à la lumière de l'envie du pénis, les manifestations d'un principe de la nature aussi élémentaire que celui de l'attraction mutuelle des sexes.

Sur quoi, confrontés avec la question de savoir ce que nous devons penser psychologiquement de ce principe biologique primitif, nous devrions encore une fois confesser notre ignorance. En effet, à cet égard, l'hypothèse s'impose à moi de plus en plus fortement que la relation causale pourrait être la réciproque exacte et que c'est l'attraction pour le sexe opposé agissant à partir d'une phase très précoce qui entraîne les intérêts libidinaux de la petite fille vers le pénis. Ainsi que je l'ai déjà décrit, conformément au stade de développement atteint, cet intérêt agit en premier lieu autoérotiquement et narcissiquement. Si nous considérons ainsi ces rapports, de nouveaux problèmes se présentent logiquement en liaison avec l'origine du complexe d'Œdipe mâle, mais je désire les renvoyer à un autre article. Mais si l'envie du pénis était la première expression de ce mystérieux attrait des sexes, il n'y aurait aucune raison de s'étonner quand l'analyse dévoile son existence dans une couche encore plus profonde que celle dans laquelle se trouvent le désir d'un enfant et le tendre attachement au père. La voie vers le tendre attachement au père ne serait pas préparée simplement par la déception quant à l'envie du pénis, mais aussi autrement. Alors nous devrions en contrepartie concevoir l'intérêt libidinal pour le pénis comme « un amour partiel », pour employer l'expression d'Abraham [1]. Un tel amour, dit-il, constitue toujours un stade préliminaire au véritable amour objectal. Nous pourrions aussi expliquer le processus par une analogie tirée de la vie ultérieure : je parle du fait qu'admirer, l'envie est calculé spécialement pour conduire à une attitude d'amour.

Considérant la facilité extraordinaire avec laquelle s'opère la régression, je dois mentionner la découverte analytique [2] selon laquelle, dans les associations de patientes, le désir narcissique de posséder un pénis et le désir de l'objet libidinal sont souvent tellement entremêlés que l'on hésite quant au sens à donner aux mots « désir de posséder » [3].

Un mot encore des fantasmes de castration propres qui ont donné leur nom au complexe tout entier car ils en constituent la part la plus frappante. D'après ma théorie du développement de la femme, je suis obligée de considérer aussi ces fantasmes comme une formation secondaire. Je décrirai leur origine comme suit : quand la femme se réfugie dans un rôle

---

[1] Abraham, *Versuch einer Entwicklungsgeschichte der Libido* (1924). Trad. franç. « Esquisse d'une histoire du développement de la Libido », in *Œuvres Complètes*. Payot, Paris.
[2] Cf. Freud dans « Le Tabou de la Virginité ».
[3] En allemand : *Haben-Wollen*.

masculin fantasmé, son angoisse génitale féminine est jusqu'à un certain point traduite en termes masculins — la phobie de la blessure vaginale devient un fantasme de castration. La fille bénéficie de cette conversion car elle échange l'incertitude de son attente de punition (incertitude conditionnée par sa formation anatomique) pour une idée concrète. En outre, le fantasme de castration est aussi dans l'ombre du vieux sentiment de culpabilité — et le pénis est désiré comme preuve de culpabilité.

Ces motifs typiques de la fuite dans le rôle masculin — motifs dont l'origine est le complexe d'Œdipe — sont renforcés et étayés par le désavantage réel sous lequel la femme peine dans la vie sociale. Nous reconnaissons bien entendu que le désir d'être un homme, lorsqu'il surgit de cette dernière source, est une forme particulièrement adéquate pour la rationalisation de ces motifs inconscients. Mais nous ne devons pas oublier que ce désavantage est vraiment une réalité et qu'il est bien plus grand que la plupart des femmes n'en ont conscience.

Dans ce contexte, Georg Simmel dit que « la très grande importance accordée sociologiquement au mâle est probablement due à sa force supérieure » et qu'historiquement la relation des sexes peut être décrite crûment comme celle de maîtres et esclaves. Ici comme toujours, c'est « un des privilèges que le maître ne doit pas constamment penser qu'il est le maître alors que la position de l'esclave est telle qu'il ne peut jamais l'oublier ».

Nous avons probablement ici aussi l'explication de la sous-estimation de ce facteur dans la littérature analytique. En réalité la fille est, depuis sa naissance, placée devant l'idée de son infériorité — inévitable, qu'elle soit brutalement ou délicatement exprimée — expérience qui stimule constamment son complexe de masculinité.

Ajoutons encore une considération. Du fait de notre civilisation à caractère purement viril, il a été plus ardu pour les femmes d'accomplir toute sublimation qui satisferait pleinement leur nature, car toutes les professions courantes ont été le fait des hommes. Cela a dû encore influer sur le sentiment d'infériorité des femmes, car elles ne pouvaient naturellement pas égaler les hommes dans ces professions viriles et il apparut qu'il y avait un fondement à leur infériorité. Il m'est impossible de juger dans quelle mesure les motifs inconscients de la fuite devant la féminité ont été renforcés par la subordination sociale réelle des femmes. On pourrait considérer la relation comme une interaction des facteurs psychiques et sociaux. Mais je ne puis que mentionner ici ces problèmes, car ils sont si graves et si importants qu'ils nécessitent une étude à part.

Les mêmes facteurs doivent avoir un effet totalement différent sur le développement de l'homme. D'une part ils provoquent un refoulement plus intense de son désir de féminité en ce qu'ils portent la marque de l'infériorité ; d'autre part, il lui est de loin plus facile de les sublimer avec succès.

Dans la discussion ci-dessus, j'ai donné une forme à certains problèmes de la psychologie de la femme qui, en de nombreux points, diffère des vues courantes. Il est possible et même probable que le tableau que j'en ai brossé soit partial d'un point de vue opposé. Mais dans cet article, mon intention première était d'indiquer une source possible d'erreurs, naissant du sexe de l'observateur, et ainsi de faire un pas en avant vers le but que nous nous efforçons tous d'atteindre : parvenir au-delà de la subjectivité du point de vue masculin ou féminin et obtenir un tableau du développement psychique de la femme qui soit plus fidèle à sa nature — avec ses qualités et ses différences spécifiques par rapport à celui de l'homme — que cela n'a été le cas jusqu'à ce jour.

LA FÉMINITÉ INHIBÉE [1]

Contribution Psychanalytique
au Problème de la Frigidité

La très grande prédominance de la frigidité chez la femme a curieusement conduit les médecins et les sexologues à deux points de vue diamétralement opposés.

Étant donnée son importance pour l'individu, les uns ont comparé la frigidité aux troubles de la puissance chez l'homme. Ils proclament que le premier phénomène est une maladie tout autant que le second. Cette position montre l'importance qu'on doit accorder à l'étiologie et à la thérapeutique de la frigidité, particulièrement en raison de sa fréquence.

D'autre part, cette fréquence même a conduit à la notion qu'on ne peut considérer un phénomène aussi courant comme une maladie, que la frigidité à tous ses stades devrait plutôt être considérée comme l'attitude sexuelle normale de la femme civilisée. Quelles qu'aient été les hypothèses scientifiques formulées pour étayer ce concept [2], elles concluent toutes que le médecin n'a ni une raison ni une chance de succès avec sa thérapeutique.

On a l'impression que les arguments généraux, à la fois pour et contre, qu'ils accentuent les facteurs sociaux ou les

[1] « Gehemmte Weiblichkeit : Psychoanalytischer Beitrag zum Problem der Frigidität », Zeitschr. f. Sexualwissenschaft, vol. 13 (126-27), pp. 66-77 ; réédité en traduction avec l'autorisation de la Société Karen Horney.

[2] Cf. Max Marcuse, « Neuropathia Sexualis », in Moll's *Handbook of Sexual Sciences*, 3e édition, Vol. II, 1926.

facteurs constitutionnels, sont fondés sur de profondes convictions subjectives et de ce fait n'aident pas à nous conduire vers une clarification générale et positive du problème posé. Dès son origine la psychanalyse a pris une autre orientation, celle que de par sa nature elle devait suivre. C'est l'observation médico-psychologique de l'individu et de son développement.

Si nous considérons combien cette voie nous rapproche d'une solution des problèmes, il semble qu'en fin de compte nous pourrions espérer des réponses aux deux questions suivantes :

1º Quels sont les processus du développement qui conduisent d'après notre expérience à la constitution du symptôme de la frigidité chez une femme en particulier ?

2º Quelle importance faut-il attribuer à ce phénomène dans l'économie libidinale de la femme ?

Les mêmes questions peuvent être formulées moins théoriquement de la façon suivante : est-ce seulement un symptôme isolé et comme tel sans grande importance ? Ou est-il relié étroitement aux troubles vrais de la santé psychologique ou physique ?

Permettez-moi d'illustrer l'importance ou la valeur possibles de ces questions par une comparaison brutale — et de ce fait pauvre. Si nous devions imaginer que nous ne connaissons rien des processus pathologiques produisant les symptômes de la toux, nous pourrions certainement envisager la possibilité d'une discussion : la toux est-elle dans tous les cas un signe de maladie ou représente-t-elle simplement un ennui subjectif, du fait que manifestement beaucoup de gens toussent sans être réellement malades ? Cependant les divergences d'opinions sur ce point n'existeraient qu'aussi longtemps que nous resterions dans l'ignorance de la relation de tousser avec des troubles positivement plus profonds.

La base de ma comparaison, en dépit de ses points faibles, montre qu'une perspective particulière s'ouvre à nous. Il est possible que la frigidité — comme la toux — ne soit qu'un signe indiquant que quelque chose ne va pas profondément à l'intérieur.

Cependant, un doute naît immédiatement. Nous connaissons beaucoup de femmes frigides qui sont cependant en bonne santé et efficientes. Mais cette objection n'est pas aussi convaincante qu'il apparaît au premier abord et cela pour deux raisons. Avant tout, seule une investigation détaillée et minutieuse du cas individuel peut montrer s'il ne peut exister des troubles qu'il est difficile de reconnaître ou de rattacher à la frigidité. Je pense ici, par exemple, à des difficultés caractérielles ou à des échecs dans la planification de la vie, ce qu'on attribue injustement à des facteurs extérieurs. En second lieu, il faut considérer que notre structure psychologique n'est pas aussi rigide qu'une machine, qui doit échouer en tant que telle s'il y a une erreur ou une faiblesse inhérente à un point donné. Nous avons plutôt une grande aptitude à transformer les forces sexuelles en forces non sexuelles, les sublimant peut-être ainsi avec succès dans une voie culturelle valable.

Avant d'entrer dans la genèse de la frigidité, je voudrais considérer le phénomène que nous lui trouvons réellement et fréquemment associé. Je veux me limiter au phénomène qui se trouve plus ou moins dans les limites de la normalité.

Que nous considérions ou non la frigidité comme étant conditionnée organiquement ou psychologiquement, c'est une inhibition de la fonction sexuelle de la femme. Il n'est donc pas surprenant de trouver la frigidité liée à la détérioration d'autres fonctions spécifiquement féminines. Nous voyons dans bien des cas les troubles les plus divers de la menstruation ([1]). Ils comprennent les irrégularités du cycle, les dysménorrhées ou — demeurant totalement dans la sphère psychologique — des états de tension, d'irritabilité ou de faiblesse, se manifestant fréquemment dans les huit à quatorze jours précédant la menstruation et provoquant chaque fois une détérioration de l'équilibre psychique.

Dans d'autres cas, les difficultés résident dans l'attitude de la femme devant la maternité. Dans certains cas la grossesse est carrément rejetée avec une certaine rationalisation. Dans d'autres encore, des avortements se produisent sans raison organique décelable. Nous rencontrons aussi dans d'autres cas ces nombreuses doléances bien connues de la gros-

---

([1]) J'exclus ici, comme dans les considérations suivantes, les troubles dus à des origines organiques définies.

sesse (²). Des troubles tels que l'angoisse névrotique ou une faiblesse fonctionnelle dans le travail peuvent s'installer pendant l'accouchement. Chez d'autres femmes l'allaitement devient difficile pour des causes extrêmes, allant de l'échec complet de l'allaitement au sein jusqu'à l'épuisement nerveux. Ou bien nous pouvons ne pas rencontrer l'attitude maternelle appropriée à l'égard de l'enfant. Nous pouvons voir ces mères irritables ou hyper-anxieuses qui ne peuvent donner à l'enfant une réelle chaleur et qui sont enclines à le laisser à une gouvernante.

Une attitude similaire arrive souvent dans la routine ménagère de la femme. Ou bien le travail de la maison est survalorisé et devient une torture pour la famille, ou bien il fatigue la femme à l'extrême, de même que chaque tâche accomplie de mauvaise grâce devient une tension.

Cependant, même là où il n'y a pas de troubles des fonctions féminines, *une* relation sera régulièrement détériorée ou incomplète — je veux dire l'attitude envers l'homme. Je reviendrai dans un autre contexte à la nature de ces troubles. Je veux seulement dire ceci : qu'ils se révèlent dans l'indifférence ou la jalousie morbide, dans la défiance ou l'irritabilité, dans des revendications ou des sentiments d'infériorité, dans un besoin d'avoir des amants ou des amitiés intimes avec des femmes, ils ont une chose en commun — l'incapacité d'une relation amoureuse complète (c'est-à-dire comprenant les deux, corps et âme) avec un objet d'amour hétérosexuel.

Si au cours de l'analyse nous pénétrons plus profondément dans la vie psychique inconsciente de ces femmes, nous rencontrons en règle générale une négation du rôle féminin. Ceci est des plus remarquables du fait que le moi conscient de ces femmes ne présente souvent aucune évidence d'une négation si active de la féminité. Au contraire, l'apparence générale aussi bien que l'attitude consciente peuvent être somme toute féminines. Il a été correctement démontré que des femmes frigides peuvent être érotiquement sensibles et sexuellement exigeantes, observation qui nous met en garde contre

(¹) Nous ne pouvons mettre en cause les modifications physio-chimiques du métabolisme pour ces troubles, car lorsqu'une attitude psychique favorable existe, ils ne peuvent seuls provoquer ces difficultés.

la mise en équation de la frigidité avec le refus du sexe. En fait, nous ne rencontrons pas dans les couches plus profondes un refus sexuel en général, mais plutôt une répugnance à assumer le rôle féminin spécifique. Au point où cette aversion devient consciente elle est habituellement rationalisée comme étant due à des facteurs tels que la discrimination sociale contre les femmes ou par des accusations portées contre le mari ou les hommes en général. Cependant, à un niveau plus profond on trouve une autre motivation clairement discernable — un désir ou des fantasmes plus ou moins intenses de masculinité. Je voudrais insister sur le fait qu'ici nous sommes déjà dans le domaine de l'inconscient. Quoique de tels désirs puissent être partiellement conscients, la femme est généralement inconsciente de leur étendue et de leur motivation instinctuelle plus profonde.

Nous appelons *complexe de masculinité de la femme* le complexe tout entier de sentiments et de fantasmes ayant pour contenu les sentiments de discrimination de la femme, son désir de l'homme, son désir d'être un homme et la négation du rôle féminin. Ses effets sur la vie de la femme plus ou moins saine aussi bien que sur la femme névrosée sont tellement multiples, que je dois me contenter d'esquisser d'une manière assez schématique les principales orientations ([1]).

Dans la mesure où le désir de l'homme est au premier plan, ces effets s'expriment par un ressentiment contre l'homme, par une amertume intérieure s'exerçant contre l'homme en tant qu'être privilégié — similaire à l'hostilité dissimulée du travailleur à l'égard de son employeur et ses efforts pour vaincre l'employeur ou l'affaiblir psychologiquement par les mille moyens de la guérilla quotidienne. En bref, nous reconnaissons le tableau du premier regard car il apparaît dans d'innombrables mariages.

Cependant, nous voyons simultanément comment la même femme qui discrédite tous les hommes, les considère néanmoins de beaucoup comme ses supérieurs. Elle ne croit pas à l'aptitude des femmes à une réussite véritable et a plutôt tendance à adopter le manque d'égards masculin à l'égard des

([1]) Abraham, « Manifestations of the Female Castration Complex », *Int. J. Psycho-Anal*, Vol. IV (1921) ; Freud, « The Taboo of Virginity », *The Standard Edition*, Vol. XI, p. 191.

femmes. Quoique n'étant pas elle-même un homme, elle aspire au moins à partager son jugement sur les femmes. Cette attitude alterne fréquemment avec des tendances définies de dénigrement envers l'homme, de telle sorte qu'on pense à la fable du renard et des raisins verts.

De plus, une telle attitude inconsciente d'envie rend la femme aveugle à ses propres qualités. Même la maternité lui apparaît comme une charge. Tout est mesuré en fonction du masculin — c'est-à-dire d'après un standard qui lui est intrinsèquement étranger — et de ce fait elle se voit elle-même insuffisante. Nous constatons ainsi à notre époque une très grande incertitude, même chez les femmes douées dont les succès sont positifs et reconnus. Cela naît de la profondeur de leur complexe de masculinité et peut s'exprimer dans une sensibilité excessive envers la critique ou dans la timidité.

D'autre part, le sentiment d'avoir été fondamentalement lésée et de subir une discrimination du sort peut aboutir à des revendications inconscientes contre la vie, pour obtenir des compensations en raison des torts qui lui ont été faits. Étant donnée l'origine de ces revendications, il est logique qu'elles ne puissent jamais être réellement satisfaites. On a l'habitude d'expliquer l'attitude de la femme perpétuellement exigeante, perpétuellement mécontente, comme dérivant d'une insatisfaction sexuelle générale. Mais une pénétration plus profonde montre que l'insatisfaction peut déjà être une conséquence du complexe de masculinité. Il est aisé de comprendre, comme le démontre l'expérience, que la contrainte des revendications inconscientes de masculinité soit défavorable à une attitude féminine. Du fait de leur logique interne, ces revendications doivent aboutir à la frigidité si le mâle n'est pas entièrement refusé comme partenaire sexuel. En retour, la frigidité est susceptible d'intensifier les sentiments d'infériorité déjà mentionnés, du fait qu'à une couche plus profonde elle est infailliblement expérimentée comme une incapacité d'aimer. C'est souvent en opposition complète avec l'estimation morale consciente que la frigidité est une manifestation de décence ou de chasteté. A son tour, ce sentiment infaillible inconscient d'un manque dans le domaine sexuel conduit aisément à une jalousie névrotiquement renforcée à l'égard des autres femmes.

D'autres conséquences du complexe de masculinité sont

plus profondément enracinées dans l'inconscient et ne peuvent être comprises sans une connaissance exacte des mécanismes inconscients. Les rêves et symptômes de nombreuses femmes démontrent clairement qu'elles n'ont pas fondamentalement accepté leur féminité. Au contraire, dans leur vie fantasmée inconsciente, elles ont maintenu la fiction d'avoir été réellement créées en tant qu'hommes. Elles sont convaincues, sous une influence quelconque, d'avoir été mutilées, détériorées ou blessées. Par le maintien de tels fantasmes, les organes génitaux féminins sont conçus comme des organes malades et lésés, concept qui peut plus tard être confirmé et réactivé encore et toujours par l'évidence de la menstruation — malgré un savoir conscient plus grand. La relation avec de tels fantasmes inconscients peut aisément conduire aux troubles menstruels déjà mentionnés, de même qu'aux douleurs pendant les rapports sexuels et à des troubles gynécologiques (¹).

Dans d'autres cas, ces représentations, avec les affections et les angoisses hypocondriaques qui leur sont associées, ne sont pas reliées aux organes génitaux eux-mêmes, mais sont transférées sur tous les autres organes. Seule une observation détaillée du matériel psychanalytique, telle qu'elle dépasserait le cadre d'un article d'orientation, pourrait nous donner un aperçu des processus en jeu dans chaque cas individuel. On peut seulement, par l'analyse elle-même, avoir une impression de la ténacité de ces désirs inconscients de masculinité.

Si l'on recherche l'origine de ce curieux complexe dans le développement psychologique de la femme, on peut souvent identifier et observer immédiatement un stade infantile — stade durant lequel la petite fille envie au garçon ses organes génitaux. C'est une découverte bien établie et qui peut être aisément contrôlée par l'observation directe. Les interprétations analytiques qui, après tout, sont subjectives, n'ajoutent rien à ces observations et cependant, même au stade de la confirmation directe, on trouve une incrédulité très nette. Partout où les critiques ne peuvent débattre le fait que les enfants puissent exprimer de telles idées, ils tentent à tout le moins de nier leur signification évolutive. Ils affirment qu'un

(¹) Même là où l'on trouve des modifications organiques telles que des ectopies, les affections subjectives découlent fréquemment de tels facteurs psychiques.

tel désir ou même l'envie peuvent être observés chez certaines filles, mais que cela ne signifie rien de plus qu'une envie similaire exprimée pour les jouets ou les bonbons d'un autre enfant.

Permettez-moi, en conséquence, de me référer à un fait qui peut-être nous fera réfléchir sur une telle opinion — je veux parler du grand rôle que joue le sens du corps dans la vie des jeunes enfants, avant que se soit produit le développement d'une différenciation physiologique. Une telle attitude primitive devant le physique nous frappe, nous Européens adultes, comme étrange. Nous voyons que d'autres groupes, qui pensent plus naïvement et par conséquent de façon moins refoulée les problèmes sexuels, pratiquent très ouvertement des cultes comprenant l'adoration des emblèmes physiques de la sexualité, en particulier le phallus, auquel ils attribuent un rang divin et un pouvoir miraculeux. Le mode de pensée sous-jacent à ces cultes phalliques est en fait si étroitement relié au mode de pensée de l'enfant, qu'il est clairement intelligible à quiconque est familier avec le comportement de l'enfant. En contrepartie, il peut nous aider à mieux comprendre l'univers de l'enfant.

Si maintenant nous admettons le stade de l'envie du pénis comme un fait empirique, une objection s'élève qui ne peut guère être réfutée à la lumière de la pensée rationnelle ; elle affirme que la fille n'a aucune raison d'envier le garçon. Par son aptitude à la maternité elle a des avantages biologiques indubitables et tels que l'on pourrait plutôt penser cela du contraire : l'envie de maternité dans l'esprit du garçon. Je veux indiquer brièvement qu'un tel phénomène existe réellement et qu'à partir de là naît un stimulus puissant, qui incite le mâle à sa productivité culturelle (¹). D'autre part, la petite fille à ce stade précoce n'a pas encore compris qu'elle a un avantage futur sur le garçon et cela ne l'empêche donc pas (à ce moment-là) de se sentir désavantagée. Il existe néanmoins une certaine validité dans la critique élevée contre notre surestimation de l'envie du pénis. En effet, le complexe de masculinité de la vie ultérieure, avec ses fréquentes consé-

(¹) Cf. l'équivalence linguistique de mots tels que « child » et « work » (en allemand *Werk* = production), « create » et « give birth ».

quences dramatiques, n'est pas un rejeton direct de cette période précoce du développement, mais naît seulement après un détour compliqué.

Pour comprendre ces conditions, il faut admettre que cette attitude de l'envie du pénis est une attitude narcissique dirigée contre le moi et non contre l'objet. Dans le cas d'un développement féminin favorable, l'envie narcissique du pénis est presque complètement submergée par le désir libidinal objectal pour un homme et pour un enfant [1]. Cette expérience s'adapte bien à l'observation selon laquelle les femmes qui demeurent en sécurité dans leur féminité ne gardent aucune trace importante des expressions déjà citées de revendications de masculinité.

Des études psychanalytiques ont cependant montré que de nombreuses conditions devaient être remplies pour garantir un tel développement normal et qu'il y a tout autant de possibilités pour des blocages ou des troubles dans ce développement. La phase décisive pour le développement psychosexuel ultérieur est celle dans laquelle le premier objet de rapport se présente à l'intérieur de la famille [2]. Pendant cette période, qui atteint son apogée entre trois et cinq ans, différents facteurs peuvent intervenir, obligeant la fille à reculer devant son rôle de femme. Un grand favoritisme pour un frère peut, par exemple, souvent contribuer pour beaucoup dans l'instauration de désirs coercitifs de masculinité chez la petite fille. Des observations sexuelles faites de bonne heure ont une influence encore plus durable dans ce sens. Cela est particulièrement vrai dans un milieu où les questions sexuelles sont dissimulées à l'enfant, de telle sorte qu'elles prennent par contraste le caractère du surnaturel et du tabou. Les rapports sexuels des parents, si souvent observés dans les premières années de l'enfance, sont typiquement imaginés par l'enfant comme le viol de la mère, ou sa détérioration, ou sa blessure, ou sa maladie. La vue des traces du sang menstruel de la mère

[1] J'admets une connaissance des investigations psychanalytiques de ce stade que nous résumons sous le vocable de situation œdipienne. Sur ces rapports avec le complexe de masculinité, voir Horney, « On the Genesis of the Castration Complex in Women », *Int. J. Psycho-Anal.* (1924).

[2] S. Freud, « On the Transformation of Instincts with Special Reference to Anal Erotism », in *Collected Papers*, vol. VII, pp. 164-171.

renforce l'idée de l'enfant. Des impressions accidentelles, telles que la brutalité effective du père ou la maladie de la mère, peuvent augmenter chez l'enfant la notion que la position de la femme est précaire et dangereuse.

Tout cela affecte la petite fille, particulièrement du fait que cela se produit au stade de la première vague de son développement sexuel, pendant laquelle elle identifie inconsciemment ses propres revendications instinctuelles à celles de sa mère. De ces revendications instinctuelles inconscientes naît une autre pulsion qui peut agir dans le même sens. C'est-à-dire que plus l'attitude précoce d'amour pour le père est fervente, plus le danger est grand qu'elle échoue en raison de déceptions provenant du père ou de sentiments de culpabilité envers la mère. De plus, ces affects restent inséparablement liés au rôle féminin. Un tel lien avec des sentiments de culpabilité peut en particulier suivre des intimidations du fait de la masturbation, qui, comme on le sait, est l'expression physique de la stimulation sexuelle pendant cette période.

En raison de ces angoisses et de ces sentiments de culpabilité, la fille peut se détourner complètement de son rôle de femme et se réfugier pour sa sécurité dans une masculinité fictive. Les désirs de masculinité qui étaient nés originellement d'une envie naïve et qui de par leur nature même devaient disparaître précocement, sont alors sur-investis par ces pulsions puissantes.

Un esprit non-analytique sera plus enclin à penser d'abord à des déceptions dans la vie amoureuse ultérieure. Nous observons effectivement quelquefois qu'un homme, après avoir été déçu par une femme, peut se détourner vers des objets d'amour homosexuels. Nous ne devons certainement pas sous-évaluer ces éventualités ultérieures, mais nos expériences nous rappellent que ces infortunes ultérieures dans la vie amoureuse peuvent déjà être le résultat d'une attitude acquise dans l'enfance. D'autre part, toutes ces conséquences peuvent se produire sans ces expériences ultérieures.

Une fois que ces revendications de masculinité inconscientes ont prise sur elle, la femme tombe dans un cercle vicieux fatidique. Alors qu'à l'origine elle avait fui de son rôle féminin dans le rôle masculin fantasmé, celui-ci, une fois établi, contribue à son tour au refus du rôle féminin même

ultérieur, avec en plus maintenant une nuance de mépris.
Une femme qui a construit sa vie sur de telles prétentions
inconscientes, est fondamentalement menacée de deux côtés :
d'une part, par ses désirs de masculinité du fait qu'ils ébran-
lent son moi ; et d'autre part, par sa féminité refoulée en ce
qu'une expérience quelconque lui rappelle son rôle féminin.

La littérature nous décrit le sort d'une femme brisée par
ce conflit. Nous la reconnaissons dans la Pucelle d'Orléans
de Schiller, dessinée dans les grandes lignes de l'histoire. Le
masque romanesque de l'histoire nous montre l'héroïne brisée
sous le poids de ses sentiments de culpabilité parce que pendant un bref instant elle a aimé un ennemi de son pays. Cette
motivation paraît cependant insuffisante pour de tels sentiments de culpabilité et un tel effondrement ; la corrélation
entre le crime et la punition est inexacte et injuste. Une signification d'une profonde portée psychologique naît cependant
une fois que nous affirmons que l'intuition poétique a dé-
peint un conflit naissant dans l'inconscient. L'approche d'une
compréhension psychologique du drame devrait alors être
recherchée dans le prologue. Là, la Pucelle entend la voix de
Dieu lui interdisant toute expérience féminine, lui promettant
en échange les honneurs virils. Je cite :

> De l'amour d'un homme tu ne seras jamais embrassée
> Ni la flamme coupable de la passion ne pénétrera ton cœur
> Tes cheveux ne seront pas ornés de la couronne nuptiale
> Nul bel enfant ne se nichera dans ton sein
> Mais des honneurs de la guerre je te ferai immortelle
> Devant la renommée et le sort des femmes profanes [1].

Supposons que la voix de Dieu soit psychologiquement
l'équivalent de celle du père, affirmation justifiée par mille
expériences. Ainsi, au cœur de la situation fondamentale on
trouverait le fait que l'interdiction des expériences féminines
est en rapport avec ses sentiments pour son père ; et que cette
interdiction transférée sur le père la pousse dans un rôle masculin. L'effondrement total ne naîtrait alors pas du fait qu'elle
aime un ennemi de son pays, mais du fait qu'elle aime et que
sa féminité refoulée a jailli et s'accompagne de sentiments de

---

[1] F. Schiller, La Pucelle d'Orléans.

culpabilité. Incidemment, il est caractéristique que ce conflit conduise non seulement à une dépression émotionnelle, mais aussi à l'échec de sa réussite « masculine ».

Il est assez fréquent dans la psychologie médicale d'observer, sur une petite échelle, des cas similaires à ceux créés par le génie intuitif du poète. Ce sont des cas de femmes névrosées ou présentant des modifications caractérielles après leur première expérience sexuelle, que ce soit simplement après avoir découvert ce qui concerne les sexes ou après une expérience physique véritable. En résumé, on peut dire que ce sont des cas dans lesquels la route vers le rôle féminin spécifique est barrée par des sentiments inconscients de culpabilité ou d'angoisse. Un tel blocage ne doit pas nécessairement conduire à la frigidité. C'est seulement la question de la quantité de telles résistances, qui détermine jusqu'à quel point l'expérience féminine sera bloquée. Nous pouvons observer ici une suite continue de symptômes, depuis les femmes qui refusent la pensée même d'une expérience sexuelle, jusqu'à celles chez qui la résistance devient apparente seulement à travers l'expression organique de la frigidité. Si la résistance est relativement faible, la frigidité n'est habituellement pas un mode de réaction rigide et non modifiable. Elle peut être abandonnée dans certaines conditions, pour la plupart inconscientes. Pour certaines femmes, l'expérience sexuelle doit se situer dans des conditions d'interdit, pour d'autres elle doit s'accompagner d'une certaine violence, et pour d'autres encore elle n'est possible que lorsque toute implication émotionnelle est exclue. Dans ces derniers cas, les femmes peuvent être frigides avec l'homme aimé et cependant être capables d'une totale soumission physique à un homme qui n'est que sensuellement désiré sans être aimé.

De ces différentes manifestations de la frigidité on peut déduire correctement son origine psychogène. De plus, la compréhension analytique de son développement nous permet de saisir que son apparition ou sa disparition dans certaines conditions physiologiques est strictement déterminée par l'historique du développement de l'individu. L'affirmation de Stekel que « la femme anesthésiée est simplement la femme qui n'a pas trouvé la forme de satisfaction qui lui est propre » est, de ce point de vue, une mésintelligence ; d'autant plus que cette « forme appropriée » peut être reliée à des conditions inconscientes qui ne sont ni réalisables, ni acceptables pour le moi conscient.

Le phénomène de la frigidité s'intègre dans un cadre plus large. Il peut en effet constituer en lui-même un symptôme important, d'autant plus qu'une accumulation de libido — en raison du manque de libération réelle — est médiocrement tolérée par de nombreuses femmes. Cependant, il n'acquiert sa signification vraie qu'à travers un trouble du développement qui est à sa base et dont il est simplement une manifestation. Suivant cette notion, il est aisé de comprendre pourquoi d'autres fonctions féminines sont aussi affectées si fréquemment par la frigidité et pourquoi il existe si rarement de troubles nerveux graves chez une femme qui ne soient accompagnés de frigidité et de ses inhibitions sous-jacentes.

Nous revenons ainsi au problème initial de la *fréquence* de ces phénomènes. Sans autre commentaire, il s'ensuit que d'après cette conception la fréquence de la frigidité n'est pas une raison suffisante pour la considérer comme normale, en particulier depuis que nous pouvons rapporter la frigidité jusqu'aux inhibitions du développement qui lui donnent naissance. Cependant, la question reste en suspens quant à la cause de sa terrible fréquence.

On ne peut répondre à cette question par l'analyse seule. La psychanalyse ne peut faire plus que montrer le chemin ou mieux les détours du développement d'où naît la frigidité. Elle nous permet, en plus de cela, certaines facilités d'accès à ces chemins. Mais elle ne nous dit pas pourquoi ces chemins sont si souvent parcourus — ou en tout cas rien de plus que des hypothèses.

Il me semble que cette fréquence s'explique mieux par des facteurs supra-individuels et culturels. Notre culture, c'est bien connu, est une culture virile et par conséquent peu favorable à la révélation de la femme et de son individualité [1]. Parmi les nombreuses influences qu'exerce ce facteur, je veux en citer deux.

Premièrement, quelle que soit la façon dont la femme sera

---

[1] Georg Simmel, « Philosophische Kultur », *Gesammelte Essays von Georg Simmel*, Ed. Werner Klonkhardt (Leipzig, 1911).

prisée comme mère ou comme amante, ce sera toujours l'homme qui sera considéré comme le plus précieux dans les domaines humain et intellectuel. La petite fille grandit sous l'influence de cette impression. Si nous nous rendons compte que la petite fille, dès les premières années de son enfance, porte en elle une raison d'envier le mâle, alors nous pouvons aisément saisir combien cette impression sociale contribue à justifier ses désirs de masculinité sur un plan conscient et combien elle entrave une affirmation intérieure de son rôle de femme.

Un facteur défavorable additionnel gît dans une certaine singularité de l'érotisme viril contemporain. La séparation entre composantes sensuelles et romanesques de la vie amoureuse, que nous ne trouvons qu'occasionnellement chez les femmes, semble être aussi fréquente chez les hommes instruits que la frigidité chez les femmes [1]. Ainsi, d'une part, l'homme recherche une compagne et une amie qui lui soit proche intellectuellement, mais envers laquelle sa sensualité est inhibée — et il espère profondément qu'elle lui témoignera réciproquement une telle attitude. L'effet sur la femme est clair : il peut aisément mener à la frigidité, même si les inhibitions provenant de son propre développement et qu'elle a apportées avec elle, ne sont pas insurmontables. D'autre part, un tel homme recherchera une femme avec laquelle il pourra avoir seulement des rapports sexuels, tendance qu'il manifeste très clairement dans ses relations avec les prostituées. La répercussion de cette attitude sur la femme doit toutefois aboutir à la frigidité. Du fait que chez la femme la vie émotionnelle est en règle générale plus étroitement et plus uniformément liée à la sexualité, elle ne peut se donner complètement si elle n'aime pas ou si elle n'est pas aimée. Considérons que du fait de sa position dominante, les besoins subjectifs de l'homme peuvent être satisfaits en réalité. Considérons aussi l'influence que les coutumes et l'éducation exercent sur la création et le maintien des inhibitions de la femme. Alors ces brèves références démontrent quelles forces puissantes sont à l'œuvre pour freiner la femme dans le dévoilement

[1] S. Freud, « Contributions to the Psychology of Love. A Special Type of Choice of Object Made by Men » (1910), in *Collected Papers*, Vol. IV, pp. 192-202.

libre de sa féminité. D'autre part, la psychanalyse montre que dans le développement de la femme de nombreuses possibilités et tendances existent qui peuvent conduire de l'intérieur au refus du rôle féminin.

Le point auquel l'effet décisif appartient aux facteurs *exogènes* ou *endogènes* sera différent pour chaque cas. Cependant, c'est fondamentalement la question d'une action conjointe de ces deux facteurs. Peut-être pouvons-nous supposer qu'une pénétration plus rigoureuse de leur mode d'action permettrait une compréhension réelle de la fréquence des inhibitions de la femme.

IV

LE PROBLÈME DE L'IDÉAL MONOGAME (¹)

Pendant longtemps je me suis demandé avec un étonnement croissant pourquoi il n'y avait pas encore eu d'introduction analytique profonde aux problèmes du mariage (²), quoique chaque analyste ait sûrement beaucoup à dire sur le sujet et que des considérations à la fois pratiques et théoriques exigent qu'on s'attaque à ces problèmes : considérations pratiques, car nous sommes chaque jour confrontés avec des problèmes matrimoniaux ; théoriques, car il n'y a certainement pas d'autre situation dans la vie qui ne soit si étroitement et manifestement reliée à la situation œdipienne que le mariage.

Peut-être, me suis-je dit, la question tout entière nous touche-t-elle de trop près pour être un objet de curiosité et

(¹) Lu au Xᵉ Congrès International de Psychanalyse, Innsbruck, 3 septembre 1927. *Int. J. Psycho-Anal.*, Vol. IX, 1928, pp. 318-31. Réimprimé avec l'autorisation de *The International Journal of Psycho-Analysis.*

(²) Cela n'implique pas que la plupart des aspects de ces problèmes n'aient pas été déjà *effleurés* dans la littérature psychanalytique. Je n'ai qu'à me référer à Freud, « Civilized Sexual Morality and Modern Nervousness », et « Contributions to the Psychology of Love » ; Ferenczi, « Psycho-Analysis of Sexual Habits » ; Reich, « *Die Funktion des Orgasmus* » ; Schultz-Henke, « *Einführung in die Psycho-Analyse* ; Flügel, « *The Psycho-Analytic Study of the Family* ». Encore dans *Ehebuch* (édité par Max Marcuse), nous avons des articles de Roheim, « Urformen und Wandlungen der Ehe » ; Horney, « Psychische Eignung und Nichteignung zur Ehe » ; « Über die psychischen Bedingungen zur Gattenwahl » ; « Über die psychischen Wurzeln einiger typischer Ehekonflikte ».

d'ambition scientifiques attrayant. Mais il est aussi possible
que ce ne soient pas les problèmes mais les conflits qui nous
touchent de trop près, qui se trouvent trop près de certaines
des racines les plus profondes de notre expérience personnelle
la plus intime. Et il y a une autre difficulté : le mariage est
une institution sociale et notre approche de ces problèmes du
point de vue psychologique est nécessairement entravée ;
mais en même temps, l'importance pratique de ces problèmes
nous oblige à essayer au moins de comprendre leurs fondements psychologiques.

Quoique, pour les besoins du présent article, j'aie choisi
un problème particulier, nous devons tout d'abord tenter de
formuler une conception (dans ses grandes lignes seulement)
de la situation psychologique fondamentale impliquée dans le
mariage. Dans son *Ehebuch*, Kayserling a récemment émis
une question aussi remarquable que manifeste. En dépit du
malheur matrimonial constant à toutes les époques, qu'est-ce
qui continue de pousser les êtres humains au mariage ?
demande-t-il. Pour répondre à cette question, nous ne sommes
heureusement pas obligés de revenir à la notion d'un désir
« naturel » pour un mari et des enfants ; ni, comme le fait
Kayserling, de fournir des explications métaphysiques ; nous
pouvons affirmer avec la plus grande netteté que ce qui nous
pousse au mariage n'est ni plus ni moins que l'espoir d'y
trouver l'accomplissement de tous nos anciens désirs de la
situation œdipienne infantile — désir d'être une épouse pour
le père, de le posséder exclusivement et de lui donner des
enfants. En passant je puis dire, en le sachant, que nous
tendons à être très sceptiques quand nous entendons pro-
phétiser que l'institution du mariage sera bientôt périmée,
même si nous admettons qu'à une époque donnée la structure
de la société prendra la forme de ces souhaits immortels.

D'où : la situation initiale dans le mariage est chargée de
désirs inconscients dangereusement lourds. Cela est plus ou
moins inévitable car nous savons qu'il n'y a pas de remède
à la périodicité persistante de ces désirs et que ni la pénétration consciente de ces difficultés, ni notre expérience de ces
difficultés dans la vie des autres ne peuvent vraiment nous
aider. Il y a des causes au danger de cette charge de désirs
inconscients. Du côté du ça, le sujet est menacé de déception

non seulement parce que le fait d'être réellement soi-même
un père ou une mère n'est pas le moins du monde l'accomplissement de l'image laissée dans nos esprits par nos désirs
infantiles, mais aussi — comme le dit Freud — parce que le
mari ou la femme n'est qu'un substitut. L'amertume de la
déception dépend d'une part du degré de fixation et d'autre
part du degré de discordance entre l'objet trouvé et la gratification atteinte et les désirs sexuels inconscients spécifiques.

Le surmoi, d'autre part, est menacé par la résurrection de
l'ancienne prohibition de l'inceste — cette fois en relation
avec le partenaire conjugal — et plus l'accomplissement des
désirs inconscients est complet, plus le danger est grand. Le
réveil de la prohibition de l'inceste dans le mariage est apparemment très typique et conduit *mutatis mutandis* aux mêmes
résultats que dans la relation enfant-parents ; c'est-à-dire que
les visées sexuelles immédiates font place à une attitude affectueuse dans laquelle les visées sexuelles sont inhibées. Je
connais personnellement un cas où cette évolution ne s'est pas
produite, l'épouse demeurant de façon permanente amoureuse de son mari en tant qu'objet sexuel — et dans ce cas la
femme avait à douze ans joui de gratification sexuelle véritable avec son père.

Il y a bien entendu une autre raison à l'évolution de la
sexualité selon ce schéma dans la vie conjugale — la tension
sexuelle est réduite comme résultant de l'accomplissement
du désir et en particulier parce qu'il peut être aisément gra-
tifié en relation avec l'objet unique. Mais la motivation plus
profonde de ce phénomène typique, en tout cas la rapidité
du processus et particulièrement le degré de son évolution,
sont reliables à une répétition semblable du développement
œdipien (¹). Les facteurs accidentels mis à part, la manière
et le degré où se manifestera l'influence de la situation précoce
dépendront de la mesure où la prohibition de l'inceste se fera
encore sentir comme force vive dans l'esprit de l'individu

(¹) Dans son article « On the Most Prevalent Form of Degradation in
Erotic Life », in *Collected Papers*, Vol. IV, p. 203, Freud a abordé ce
problème de la même façon. Il dit : « Est-il vrai que la valeur psychique
d'un instinct sombre avec sa gratification ? » Et il nous rappelle ce
qu'il advient d'un ivrogne et de son vin — comme le temps seul le
rend de plus en plus attaché à sa boisson particulière. La réponse de
Freud à la question tout entière est la même que celle donnée ici, au

concerné. Les effets plus profonds, quoique leurs manifestations soient différentes chez des êtres différents, peuvent être décrits par une formule générale : ils conduisent à certaines limitations ou conditions déterminées dans lesquelles le sujet est encore apte à tolérer la relation du mariage en dépit de la prohibition de l'inceste.

Comme nous le savons, ces limitations peuvent déjà se faire sentir dans le type de mari ou de femme choisi. Il se peut que la femme choisie comme épouse ne doive en rien rappeler la mère ; de par son origine raciale ou sociale, son niveau intellectuel ou son apparence physique, elle doit contraster avec la mère. Cela aide à expliquer pourquoi des mariages de raison ou des mariages contractés grâce à l'intervention d'un tiers tendent à réussir relativement mieux que de vrais mariages d'amour. Quoique la similitude de la situation du mariage avec les désirs naissant du complexe d'Œdipe produise automatiquement une répétition de l'attitude et du développement précoce du sujet, cela est moins important si les espoirs inconscients ne sont pas tous, dès le début, attachés au futur mari ou à la future femme. Bien plus, quand nous tenons compte de la tendance inconsciente à protéger le mariage de plus grandes catastrophes, nous constatons qu'il y a une certaine sagesse psychologique dans l'institution d'un intermédiaire pour arranger les mariages, comme c'est le cas chez les Juifs orientaux.

Nous voyons dans la vie conjugale même comment de telles conditions peuvent être créées dans nos esprits, par toutes les institutions psychiques. Du point de vue du ça, il y a des inhibitions génitales de toutes sortes, allant de la simple réserve sexuelle à l'égard du partenaire, excluant les variations dans le plaisir préliminaire ou le coït, jusqu'à l'impuissance complète ou la frigidité. De plus, nous voyons de la part du moi des tentatives de réassurance ou de justification qui peuvent prendre des formes diverses. L'une d'elle se

point qu'il nous rappelle que dans notre vie érotique l'objet primitif peut être représenté par une série sans fin de substituts « dont aucun n'est totalement satisfaisant ». Je voudrais seulement ajouter à cette explication que non seulement une quête du « véritable » amour objectal est constamment poursuivie, mais qu'il faut aussi considérer le recul devant l'objet du moment en raison de la prohibition qui s'attache si aisément à l'accomplissement du désir.

ramène à une sorte de refus du mariage et se manifeste fréquemment chez les femmes comme une admission purement
extérieure du fait d'être mariées, sans aucune appréciation
intérieure, accompagnée d'un sentiment intérieur d'être constamment étonnées d'être mariées, par une tendance à signer
de leur nom de jeune fille, à se comporter en petite fille, et
ainsi de suite.

Mais, poussé par la nécessité intérieure de justifier le mariage à la conscience, le moi adopte souvent l'attitude contraire
envers l'état de mariage, y attachant une importance exagérée
ou plus précisément insistant exagérément sur l'amour ressenti pour le mari ou pour la femme. On pourrait forger le
terme « justification par amour » et voir une analogie avec
les verdicts plus doux des tribunaux pour les criminels pous-
sés par l'amour. Dans son article sur un cas d'homosexualité
féminine, Freud dit qu'il n'y a rien sur quoi notre conscience
soit plus incomplète ou menteuse que sur les degrés d'affection ou d'antipathie que nous portons à un autre être humain.
C'est particulièrement vrai du mariage, car il est fréquent
que le degré d'amour ressenti soit surestimé. Je me suis longtemps demandé comment nous pouvons expliquer cela. Que
l'on soit sujet à une illusion de cette sorte-là où la relation
est éphémère n'est pas vraiment étonnant, mais on pourrait
supposer que dans le mariage non seulement la permanence
de la relation mais aussi la gratification plus fréquente du
désir sexuel seraient calculées pour supprimer la surestimation sexuelle et l'illusion qui s'y rattache. La réponse la plus
évidente serait que les gens très naturellement s'efforcent
de s'estimer pour les grandes exigences de la vie psychique
impliquées dans le mariage (concevant qu'elles sont dues à
une forte émotion) et de ce fait de s'accrocher avec ténacité
à l'idée d'une telle émotion même après qu'elle ait cessé d'être
une force vive. Il faut néanmoins admettre que cette explication est superficielle. Elle naît probablement du besoin de
synthèse du moi avec lequel nous sommes familiers et auquel
nous pouvons attribuer une falsification des faits dans le but
de démontrer une attitude à but unique dans une relation
si importante de la vie.

Une fois encore, le rapport avec le complexe d'Œdipe
fournit une explication bien plus profonde. Car nous voyons

que le commandement et le vœu d'aimer et de s'attacher au mari ou à la femme par lesquels nous entrons dans le mariage, sont considérés par l'inconscient comme le renouvellement du quatrième commandement. D'où : ne pas aimer le partenaire dans le mariage devient pour l'inconscient un péché aussi grand que le manquement au commandement en rapport avec les parents ; et à cet égard aussi — la suppression de la haine et l'exagération de l'amour — les expériences antérieures sont compulsivement répétées avec précision dans chaque détail. Je crois que dans de nombreux cas nous ne pouvons apprécier correctement ce phénomène à moins d'affirmer que l'amour même peut être une des conditions nécessaires pour prêter un semblant de justification à une relation prohibée par le surmoi. Alors, naturellement, la conservation de l'amour, ou son illusion, est au service d'une importante fonction économique et c'est pourquoi on s'y efforce si obstinément.

En fin de compte, nous ne serons pas étonnés de trouver que la souffrance (comme symptôme névrotique) est une des conditions pour que le mariage tienne contre une prohibition coercitive de l'inceste. L'affliction peut prendre des formes si variées dans cette intention qu'on ne peut espérer leur rendre justice dans une brève étude. Je ne ferai donc qu'en suggérer quelques-unes. Il y a par exemple des conditions de la vie domestique ou professionnelle de certaines personnes qui sont construites à l'aide d'un dispositif inconscient, de telle sorte que le sujet est surmené et doit faire des sacrifices injustifiés « par amour pour la famille » qu'elle ou lui considère comme un fardeau. Ou bien encore, il est fréquent d'observer qu'après le mariage des êtres sacrifient une part considérable de leur développement personnel, que ce soit dans leur vie professionnelle, dans leur caractère ou leur intellect. En fin de compte, nous devons ajouter les cas innombrables dans lesquels un partenaire devient l'esclave des exigences de l'autre et supporte de bonne grâce cette situation pénible, probablement avec le plaisir conscient d'un sens des responsabilités puissant.

Considérant de tels mariages, on se demande souvent avec étonnement quelle peut être la raison au fait qu'ils ne sont pas dissous mais au contraire sont souvent si stables. Mais, comme

je l'ai dit, la réflexion montre que c'est justement l'accomplissement de la condition d'affliction qui garantit la permanence de telles unions.

Arrivés à ce point, nous comprenons qu'il n'y a pas de ligne
de démarcation nette entre ces cas et les autres, où le mariage
est acheté au prix d'une névrose. Je ne veux pas entrer dans
ces derniers, car dans cet article je désire principalement
parler des situations qui peuvent être décrites comme normales.

Il est presque superflu de dire que, dans cette étude, je fais
une certaine violence aux faits réels, non seulement parce que
chacune des conditions décrites peut être déterminée autrement, mais aussi parce que pour les présenter clairement j'ai
dû les prendre séparément, alors qu'en réalité elles sont en
général entremêlées. Pour vous donner un exemple : nous
pouvons percevoir quelque chose de chaque condition, en
particulier pour des femmes très respectables, chez lesquelles
une attitude *maternelle* fondamentale n'est pas rare — attitude
qui peut seule leur rendre le mariage possible. C'est comme si
elles disaient : dans mes rapports avec mon mari je ne dois
jouer ni le rôle de la femme, ni celui de la maîtresse, mais seulement celui de la mère avec tout ce que cela implique de
soins tendres et de responsabilités. Une telle attitude est en
quelque sorte une sauvegarde pour un mariage, mais elle est
fondée sur une limitation de l'amour et la vie intérieure du
mari et de la femme peut en être rendue stérile.

Quelle que soit dans le cas individuel l'issue de ce dilemme
entre trop et trop peu d'accomplissement, dans tous les cas où
il est particulièrement aigu, ces deux facteurs — déception
et prohibition de l'inceste — avec toutes leurs conséquences
de secrète hostilité envers le mari ou la femme, aliéneront
l'autre partenaire et le pousseront à rechercher d'autres objets
d'amour. Ceci est la situation fondamentale qui donne naissance au *problème* de la monogamie.

D'autres issues sont ouvertes à la libido ainsi libérée — la
sublimation, le refoulement, l'investissement régressif des
objets antérieurs, l'exutoire par les enfants — mais nous ne
nous occuperons pas de ceux-là aujourd'hui.

Nous devons admettre la possibilité que d'autres êtres
humains deviennent les objets de notre amour. Car les im-

pressions de notre enfance et leurs productions secondaires
sont tellement variées qu'elles doivent normalement admettre
en fait le choix d'objets très différents.

La pulsion à rechercher de nouveaux objets peut (toujours
chez les êtres normaux) prendre un nouvel élan de sources
inconscientes. Car, quoique le mariage représente l'accomplissement de désirs infantiles, ceux-ci ne peuvent être accomplis qu'autant que le développement du sujet le rende apte à
effectuer une réelle identification avec le rôle du père ou de la
mère. Chaque fois que la résolution du complexe d'Œdipe
s'écarte de cette norme, nous trouvons le même phénomène :
l'être en question se cramponne en quelques points fondamentaux au rôle de l'enfant dans la triade mère-père-enfant.
Quand c'est le cas, les désirs naissant de cette attitude instinctuelle ne peuvent être directement gratifiés dans le mariage.

Ces conditions d'amour reportées de l'enfance nous sont
familières grâce aux travaux de Freud. Je n'ai donc qu'à
vous les remettre en mémoire pour montrer comment la
signification intérieure du mariage empêche leur accomplissement. Pour l'enfant, l'objet d'amour est indissolublement
lié à l'idée d'interdit ; cependant l'amour pour le mari ou pour
la femme n'est pas simplement permis — il se dessine en outre
l'idée monstrueuse du devoir conjugal. La rivalité (à condition qu'il y ait un tiers lésé) est exclue par la nature même du
mariage monogame ; en effet, le monopole est un privilège
accordé par la loi. Il peut y avoir encore (et ici nous sommes
génétiquement sur un plan différent, car les conditions ci-
dessus ont leur origine dans la situation œdipienne elle-même,
alors que celles dont je vais parler peuvent être rattachées
à la fixation de situations particulières dans lesquelles le
conflit œdipien s'est terminé), il peut y avoir une compulsion
répétée à démontrer la puissance sexuelle ou l'attrait érotique
en raison d'une incertitude génitale et une faiblesse correspondante dans la structure du narcissisme. Ou, lorsqu'il y a
une tendance inconsciente à l'homosexualité, il y a compulsion
de rechercher un objet du même sexe que le sujet. La femme
peut y parvenir par un chemin détourné ; soit que le mari soit
poussé dans des relations avec d'autres femmes, soit que la
femme elle-même recherche des relations dans lesquelles une

autre femme joue un rôle. Par-dessus tout — et du point de vue pratique cela est probablement très important — là où il persiste une dissociation dans la vie amoureuse, le sujet sera contraint de centrer des sentiments tendres sur des objets autres que ceux des désirs sensuels.

Nous pouvons voir aisément que la rétention de n'importe laquelle de ces conditions infantiles est défavorable au principe de la monogamie ; elle doit inévitablement pousser le mari ou la femme à rechercher d'autres objets d'amour.

Ces désirs polygames viennent alors en conflit avec l'exigence chez le partenaire d'une relation monogame et avec l'idéal de fidélité que nous avons établi pour nous-mêmes dans notre esprit.

Commençons par considérer la première de ces deux revendications, car, de toute évidence, revendiquer le renoncement d'un autre est un phénomène plus primitif que d'imposer une renonciation à soi-même. L'origine de cette revendication, d'une façon générale, est claire ; c'est en fait la renaissance du désir infantile de monopoliser le père ou la mère. Mais cette revendication au monopole n'est en aucune manière propre à la vie conjugale, comme nous pouvons nous y attendre, en voyant que ses origines sont en chacun de nous ; elle est au contraire l'essence de chaque relation d'amour. Bien entendu, dans le mariage aussi bien que dans d'autres relations, cela peut être une revendication faite purement par amour, mais de par ses origines elle est si indissolublement liée à des tendances destructives et hostiles envers l'objet, que souvent rien ne reste de l'amour qui fait de la revendication un paravent derrière lequel ces tendances hostiles s'accomplissent pleinement.

En analyse, ce désir de monopole se révèle d'abord comme dérivant de la phase orale quand il prend l'apparence du désir d'incorporer l'objet dans le but d'en avoir seul la possession. Souvent, même pour l'observateur ordinaire, il trahit son origine par l'avidité de possession qui non seulement reproche au partenaire toute autre expérience érotique, mais est aussi jalousie des amis, du travail ou des intérêts du partenaire. Ces manifestations confirment les prévisions dérivant de nos connaissances théoriques, à savoir que dans cette possession abusive, comme dans toute attitude conditionnée oralement, il y a une admission d'ambivalence. Nous avons parfois l'impression que les hommes n'ont pas seulement réussi à imposer réellement la revendication naïve et totale de fidélité monogame à leurs femmes plus énergiquement que les femmes à leurs maris, mais que l'instinct de revendication au monopole est plus contraignant chez les hommes ; il y a à cela d'importantes raisons conscientes — c'est-à-dire que les hommes désirent être sûrs de leur paternité — mais cela peut être précisément l'origine orale de cette exigence qui lui donne une impulsion plus contraignante chez l'homme, car lorsque sa mère l'allaitait il avait expérimenté au moins une incorporation partielle de l'objet d'amour, alors que la fille ne peut revenir en arrière à une expérience correspondante quelconque avec son père.

D'autres éléments destructifs sont étroitement amalgamés à ce désir dans d'autres relations. A une époque précoce, la revendication au monopole de l'amour du père ou de la mère avait rencontré frustration et déception et le résultat en avait été une réaction de haine et de jalousie. Il reste donc toujours derrière cette exigence une certaine haine, qui peut généralement être détectée par la manière dont cette revendication est imposée et qui généralement éclate si l'ancienne déception se répète.

La frustration précoce n'a pas seulement blessé notre amour objectal, mais aussi notre dignité personnelle dans son point le plus sensible et nous savons que chaque être humain garde une blessure narcissique. Pour cette raison, c'est notre fierté qui exige ultérieurement une relation monogame et l'exige avec une urgence appropriée à la sensibilité de la blessure laissée par la déception précoce. Dans la société patriarcale, dans laquelle l'exigence d'une possession exclusive est avant tout le fait de l'homme, ce facteur narcissique se manifeste pleinement par le ridicule rattaché au « cocu ». Ici encore la revendication n'est pas faite par amour ; c'est une question de prestige. Dans une société dominée par l'élément masculin, cela deviendra de plus en plus une question de prestige, car il est de règle que les hommes pensent plus à leur position sociale qu'à l'amour.

En fin de compte, l'exigence monogame est étroitement reliée à des éléments instinctuels sadique-anals et ce sont ces éléments qui, avec les éléments narcissiques, donnent un caractère particulier à la revendication monogame dans le mariage. En contraste avec les relations de l'amour libre, les questions de possession dans le mariage sont doublement et étroitement reliées à sa signification historique. Le fait que le mariage représente en lui-même une association économique est de moindre importance que le point de vue d'après lequel la femme est considérée comme le bien propre de l'homme. D'où, sans aucune accentuation individuelle particulière des caractéristiques anales, ces éléments viennent en force dans la vie conjugale et transforment la revendication d'amour en une exigence sadique-anale de possession. On peut voir les éléments de cette origine sous leur aspect le plus cru dans les vieux jugements pénalisant les femmes infidèles, mais dans les mariages actuels ils se trahissent encore souvent par les moyens employés pour imposer la revendication : une compulsion plus ou moins affectueuse et une suspicion toujours en éveil, calculée pour tourmenter le partenaire — les deux nous étant familiers par les analyses de névroses obsessionnelles.

Ainsi, les origines dont l'idéal monogame tire sa force semblent être suffisamment primitives. En dépit de cette origine dont on pourrait dire qu'elle est humble, il est devenu un idéal impérieux et il partage ainsi, comme nous le savons, l'évolution d'autres idéaux dans lesquels des pulsions instinctuelles élémentaires rejetées par la conscience s'accomplissent. Dans ce cas, ce qui contribue au processus est le fait que l'accomplissement de certains de nos plus puissants désirs refoulés représente en même temps une réussite valable dans différents aspects sociaux et culturels. Comme l'a montré Rado dans son article « An anxious Mother » ([1]), cette formation idéale permet au moi de restreindre sa fonction critique, qui autrement lui apprendrait que cette revendication au monopole permanent, compréhensible en tant que *désir*, en tant qu'*exigence*, n'est pas seulement difficile à imposer, mais est aussi injustifiable ; et en outre, qu'elle représente plus l'accomplissement de pulsions narcissiques et sadiques qu'elle n'indique les désirs d'un amour sincère. Ainsi que le

([1]) *Int. J. Psycho-Anal,* Vol. IX (1928).

dit Rado, la formation de cet idéal donne au moi une « assurance narcissique » sous le couvert de laquelle il est libre de laisser jouer tous ces instincts qu'il condamnerait autrement, en même temps que s'élève dans son estimation le sens d'une revendication juste et idéale.

Bien entendu, le fait que ces exigences soient sanctionnées par la loi est d'une énorme importance. Des propositions de réforme naissant de la compréhension des dangers auxquels le mariage est exposé du fait de cette compulsion, une exception est ordinairement faite à ce dernier point. Néanmoins, cette sanction légale est probablement simplement l'expression extérieure et visible de la valeur de cette exigence dans l'esprit des êtres humains. Et quand nous constatons sur quelle base instinctuelle profondément enracinée se dresse la revendication au monopole, nous voyons aussi que si la justification idéale actuelle était enlevée à l'humanité, nous nous efforcerions à tout prix d'en trouver une autre. En outre, aussi longtemps que la société attache de l'importance à la monogamie, celle-ci offre un intérêt du point de vue de l'économie psychique, en permettant la gratification des instincts élémentaires sous-jacents à l'exigence, dans le but de compenser la restriction des instincts qu'elle impose.

L'exigence monogame, tant qu'elle a ce fondement général, peut dans les cas individuels être renforcée de différents côtés. Parfois une de ses composantes peut jouer un rôle écrasant dans l'économie instinctuelle, ou bien tous ces facteurs reconnus comme forces pulsionnelles dans la jalousie en général, peuvent y contribuer. En fait, nous pouvons décrire l'exigence monogame comme une assurance contre les tourments de la jalousie.

Tout comme la jalousie, elle peut être refoulée par le poids des sentiments de culpabilité qui murmurent que nous n'avons aucun droit à la possession exclusive du père. Ou bien encore, elle peut être submergée par d'autres tendances instinctuelles, comme dans les manifestations bien connues d'homosexualité latente.

De plus, ainsi que je l'ai dit, les désirs polygames entrent en conflit avec notre propre idéal de fidélité. A l'encontre de la revendication à la monogamie chez d'autres, notre propre attitude envers la fidélité n'a pas de prototype immédiat dans notre expérience infantile. Son contenu représente une restriction de l'instinct ; à cause de cela il n'est en rien manifestement élémentaire mais il est, même au début, une transformation instinctuelle.

En règle générale, nous avons plus d'occasions d'observer cette exigence monogame chez les femmes que chez les hommes et nous nous demandons pourquoi il en est ainsi. La question pour nous n'est pas de savoir (comme on l'affirme fréquemment) que les hommes ont naturellement une disposition plus polygame ; car nous sommes très peu au clair sur ce problème des dispositions naturelles. Mais, cela mis à part, cette affirmation est manifestement une simple affabulation tendancieuse en faveur de l'homme. Je pense cependant que nous sommes justifiés de demander quels peuvent être les facteurs psychologiques qui rendent la fidélité dans la vie tellement plus rare chez les hommes que chez les femmes.

Cette question demande plus d'une réponse, car elle ne peut être séparée des facteurs historiques et sociaux. Par exemple, nous pourrions considérer jusqu'où la plus grande fidélité de la femme peut être secondairement conditionnée par le fait que les hommes ont imposé leur exigence monogame plus efficacement. Ici, je ne pense pas seulement à la dépendance économique de la femme, ni aux punitions draconiennes décrétées contre l'infidélité féminine. Il y a d'autres facteurs plus compliqués en jeu — des facteurs que Freud a rendus explicites dans « Le Tabou de la Virginité » : principalement que les hommes exigent de la femme qu'elle arrive vierge au mariage, dans le but de la mettre dans une certaine mesure en « esclavage sexuel ».

Du point de vue analytique, deux questions se posent en rapport avec ce problème. La première est celle-ci : considérant que la possibilité de la conception rend le coït plus important pour les femmes que pour les hommes, ne peut-on s'attendre à ce que ce fait ait une quelconque représentation psychologique ? Personnellement, je serais surprise qu'il n'en soit pas ainsi. Nous en savons si peu sur ce sujet que jusqu'à présent nous n'avons jamais été capables d'isoler un instinct reproducteur particulier ; nous n'avons pu que le discerner au-dessous de sa superstructure psychique. Nous savons que la dissociation entre l'amour « spirituel » et l'amour sensuel, d'une si grande importance quant à la possibilité d'être fidèle, est de manière prépondérante — en vérité presque spécifiquement — une caractéristique masculine. N'avons-nous pas là ce que nous cherchons — le corrélatif psychique aux différences biologiques entre les sexes?

La seconde question naît de la réflexion suivante. La différence dans la résolution du complexe d'Œdipe chez l'homme et chez la femme peut être formulée ainsi : le garçon renonce plus radicalement à l'objet d'amour primaire à cause de son orgueil génital, alors que la fille reste fixée de façon plus contraignante sur la personne du père, mais ne peut manifestement le faire qu'à la condition d'abandonner son rôle sexuel dans une plus large mesure. La question serait alors : n'avons-nous pas dans la vie ultérieure une preuve de cette différence entre les sexes, dans l'inhibition génitale fondamentalement plus grande de la femme et n'est-ce pas précisément cela qui lui rend la fidélité plus facile, tout comme il est beaucoup plus commun de trouver la frigidité que l'impuissance, les deux étant des manifestations d'inhibition génitale.

Nous en arrivons ainsi à l'un des facteurs que nous devrions considérer très généralement comme une condition essentielle de la fidélité, c'est-à-dire l'inhibition génitale. Nous n'avons néanmoins qu'à considérer la tendance à l'infidélité comme caractéristique de femmes frigides et d'hommes peu puissants pour admettre que, s'il n'est peut-être pas inexact de formuler ainsi la condition de la fidélité, un exposé plus précis est cependant nécessaire.

Nous avançons un peu plus loin quand nous considérons que ceux dont la fidélité a un caractère obsessionnel dissimulent souvent un sens de culpabilité sexuelle derrière des prohibitions conventionnelles (¹). Tout ce qui est conventionnellement interdit — et cela englobe toutes les relations sexuelles en dehors du mariage — se charge de tout le poids de prohibitions inconscientes et c'est ce qui donne à une telle convention son grand poids moral. Comme il faut nous y attendre, cette difficulté se rencontre chez ceux qui ne se sentent libres de se marier que dans certaines conditions.

(¹) Sigrid Undset a clairement montré cette relation dans *Christine Lawransdatter*.

Ces sentiments de culpabilité sont expérimentés en particulier en relation avec le mari ou avec la femme. Le partenaire non seulement assume le rôle inconscient du parent que l'enfant convoitait et aimait, mais de plus l'ancienne phobie de prohibitions et de punitions peut revivre et se référer à lui ou à elle. En particulier, les anciens sentiments de culpabilité au sujet de l'onanisme se réactivent et sous la pression du quatrième commandement créent la même atmosphère chargée de culpabilité, d'un sens exagéré du devoir, ou bien une réaction d'irritabilité. Ou bien, dans d'autres cas, l'atmosphère est faite d'insincérité ; ou bien il y a une angoisse réactionnelle de crainte de dissimuler quoi que ce soit au partenaire. Je suis portée à croire que l'infidélité et l'onanisme sont reliés plus directement que par le simple sentiment de culpabilité. Il est vrai que primitivement les désirs sexuels en rapport avec les parents trouvaient à se manifester physiquement dans l'onanisme. Mais en règle générale, dans les fantasmes de masturbation, les parents sont très tôt remplacés par d'autres objets. C'est ainsi que ces fantasmes représentent, autant que les désirs primitifs, la première infidélité de l'enfant à l'égard des parents. La même chose s'applique aux expériences érotiques avec les frères et sœurs, camarades de jeu, domestiques et ainsi de suite. Tout comme l'onanisme représente la première infidélité dans le domaine du fantasme, il est représenté par ces expériences dans la réalité. Et en analyse nous voyons que ceux qui ont maintenant un sentiment de culpabilité assez vivace à cause de ces expériences, qu'elles soient fantasmes ou réalité, fuient avec une anxiété particulière toute infidélité à l'intérieur du mariage, car cela signifierait une répétition de l'ancienne culpabilité.

Il est fréquent que ce soit ce reliquat de l'ancienne fixation qui se répète chez des êtres dont la fidélité est visiblement obsessionnelle, en dépit de leurs désirs polygames intenses.

Mais la fidélité peut aussi avoir un fondement psychologique très différent qui peut, soit coexister chez les êtres mêmes dont nous venons de parler, soit être totalement indépendant. Les êtres en question, pour une des raisons que j'ai mentionnées, sont particulièrement sensibles au sujet de leur revendication à la possession exclusive du partenaire — et aussi, par réaction, ont la même exigence pour eux-mêmes.

Consciemment, il peut leur sembler qu'ils doivent obéir eux-
mêmes seulement aux revendications qu'ils exigent des autres,
mais dans de tels cas la raison profonde gît dans les fantasmes
de toute-puissance d'après lesquels leur propre renonciation
à d'autres relations est comme un geste magique contraignant le partenaire à renoncer de la même manière.

Nous voyons maintenant les motifs qui se trouvent derrière l'exigence de la monogamie et avec quelle coercition
elle entre en conflit. Pour établir une comparaison avec la
vie psychique, nous pourrions appeler ces pulsions contraires
les forces centrifuges et centripètes dans le mariage et nous
devrions dire que nous avons ici une action de forces antagonistes équilibrées. Car les deux tirent leur force pulsionnelle des désirs les plus élémentaires et immédiats naissant
du complexe d'Œdipe. Il est inévitable que les deux jeux
de pulsions soient mobilisés dans la vie conjugale, dans toutes
les variantes possibles de leur activité. Cela nous aide à comprendre pourquoi il n'a jamais été possible et ne sera jamais
possible de trouver un principe qui puisse résoudre ces conflits
de la vie conjugale. Même dans les cas individuels, quoique
nous puissions voir à peu près clairement quelles sont les
motivations en cause, ce n'est qu'en regardant en arrière à
la lumière de l'expérience analytique que nous pouvons apercevoir quels résultats ont réellement découlé d'un comportement ou d'un autre.

En bref, nous observons que les éléments de haine peuvent
trouver une issue non seulement quand le principe de monogamie est violé, mais quand il est respecté et peuvent se dé-
charger de différentes manières ; que les sentiments de haine
soient dirigés contre le partenaire d'une façon ou d'une autre
et qu'ils agissent des deux côtés pour saper le fondement sur
lequel la vie conjugale doit être édifiée — le tendre attachement entre mari et femme.

Néanmoins, la compréhension ainsi acquise ne nous laisse
pas entièrement impuissants en face de tels conflits conjugaux. La découverte des sources inconscientes dont ils se
nourrissent peut affaiblir à la fois l'idéal monogame et les
tendances polygames à un point tel, qu'il peut devenir possible
de combattre ces conflits jusqu'au bout. Et la connaissance
que nous avons acquise nous aide encore d'une autre manière.

Quand nous observons les conflits de la vie conjugale de deux êtres, nous tendons souvent à penser que la seule solution serait la séparation. Plùs notre compréhension est ferme que ces conflits et d'autres sont inévitables, plus profonde sera notre conviction que notre attitude devant de telles impressions personnelles incontrôlées devra être celle d'une totale réserve, et plus grande sera notre aptitude à les contrôler en réalité.

V

TENSIONS PRÉMENSTRUELLES [1]

Nous ne sommes guère étonnés de constater que la menstruation, qui est un phénomène si remarquable, soit devenue à la fois le point de départ et le foyer de fantasmes chargés d'angoisse. C'est ainsi depuis que nous savons avec plus de netteté jusqu'à quel point l'angoisse est reliée à tout ce qui est sexuel. Nos expériences découlent d'analyses de cas individuels aussi bien que de faits ethnologiques des plus impressionnants. Cette angoisse fantasmatique est le fait des deux sexes ; les tabous des peuples primitifs [2] témoignent éloquemment de la phobie que l'homme éprouve à l'égard des femmes, phobie centrée précisément sur la menstruation. Chaque analyse féminine montre qu'avec l'apparition du sang menstruel s'éveillent chez elle des pulsions et des fantasmes cruels de nature à la fois passive et active. Quoique notre compréhension de ces fantasmes et de leur importance pour la femme qui les expérimente soit encore insuffisante, elle nous a déjà fourni un instrument pratique et utile. Il nous permet d'agir

[1] « Die prämenstruellen Verstimmungen », *Zeitschr. f. Psychoanalytische Pädagogik*, Vol. 5, n° 5/6 (1931), pp. 1-7. Réimprimé en traduction avec l'autorisation de la Société Karen Horney.
[2] Sur ce point je ne rentrerai pas dans la causalité des tabous entourant la menstruation ; je me rapporterai uniquement aux articles approfondis et instructifs de Daly, « Hindu Mythology and the Castration Complex » (1927), et « The Menstruation Complex » (1928), in *Internationaler Psychoanalytischer Verlag*. Cf. [également la lettre de C. D. Daly dans *Zeitschr. f. Psychoanalytischer Pädagogik*, Vol. 5, n° 5/6.

thérapeutiquement sur les nombreux troubles psychologiques et fonctionnels de la menstruation. Il est remarquable qu'on ait accordé aussi peu d'attention au fait que les troubles n'apparaissent pas seulement pendant la menstruation, mais plus fréquemment encore quoique moins importunément dans les jours précédant l'apparition des règles. Ces troubles sont généralement connus ; ils consistent en une tension dont les degrés varient depuis le sentiment que tout est de trop, le sentiment d'apathie ou de ralentissement, des sentiments intenses de modestie exagérée, jusqu'aux sentiments prononcés d'oppression et de dépression profondes. Tous ces sentiments sont fréquemment intriqués avec des sentiments d'irritabilité ou d'angoisse. On a l'impression que ces fluctuations d'humeur sont généralement plus proches d'une expérience normale que de troubles menstruels vrais. Ils apparaissent fréquemment chez des femmes par ailleurs saines et ne donnent pas habituellement l'impression d'un processus pathologique. De même, ils sont rarement reliés à des troubles psychologiques ou à une transformation hystérique.

Ils ont généralement peu à voir avec des constructions de fantasmes à propos des règles. Ils peuvent évidemment se transformer en troubles menstruels vrais, mais ils régressent habituellement avec l'apparition des règles, dans un sentiment concomitant de soulagement. Certaines femmes sont chaque fois étonnées d'en constater le lien avec la menstruation. Elles expliquent leur soulagement à l'apparition des règles en insistant sur le fait que ce cauchemar torturant n'est qu'une déception due à un processus purement physique. Un autre facteur étayant la théorie selon laquelle ces conditions n'ont réellement rien à voir avec le saignement et son interprétation, est leur fréquente apparition antérieure à la toute première menstruation ; c'est-à-dire au moment où même une relation subconsciente n'aurait pu exister avec un saignement prévu. Le processus psychologique est analogue au processus physiologique en ce que la menstruation est plus qu'un saignement.

Ces tensions prémenstruelles présentent moins d'intérêt pour les médecins que pour nous. Ils savent que les faits essentiels ou peut-être les plus essentiels du processus complet se produisent avant le début des règles. Ils sont plus aisément satisfaits par la notion générale d'une charge psychologique conditionnée physiquement.

Il serait utile de revoir brièvement ces faits. A peu près à la moitié de la période intermédiaire entre deux menstruations, un ovule arrive à maturité dans l'un des deux ovaires ; les membranes enveloppantes (follicules) se rompent et l'ovule descend par les trompes de Fallope jusque dans l'utérus où il se nide si la fécondation a eu lieu. L'ovule est viable pendant environ deux semaines et est prêt à être fécondé. Pendant ce temps, les membranes rompues de l'ovule se sont transformées en corps lutéinique. Ce corps jaune est fonctionnellement une glande endocrine — c'est-à-dire qu'il sécrète une substance qui a été récemment isolée à l'état pur. Elle a été appelée « hormone œstrogène » en raison de sa capacité à provoquer un cycle œstrogène chez des souris ovariectomisées. Cette hormone œstrogène agit sur l'utérus de telle sorte que la muqueuse de la paroi utérine se modifie comme si une grossesse devait en résulter ; c'est-à-dire que la muqueuse tout entière devient spongieuse, congestionnée, et que les glandes à l'intérieur se gorgent de sécrétion. S'il n'y a pas fécondation, les couches superficielles de la muqueuse sont rejetées, les substances emmagasinées pour la croissance de l'embryon sont expulsées et l'ovule mort s'en va avec le flot de sang. En même temps commence la régénération de la muqueuse.

La fonction de l'hormone œstrogène n'est pas épuisée par cet effet ; le reste des organes génitaux se congestionne également, comme les seins dans lesquels on peut même constater souvent une augmentation réelle du tissu glandulaire antérieure à l'apparition des règles. De plus, l'hormone produit des modifications contrôlables du sang, de la pression sanguine, du métabolisme et de la température. Étant donné l'étendue de ces effets, nous parlons d'un grand cycle rythmique de la vie des femmes, dont la signification biologique est une préparation mensuelle au processus de la procréation.

La connaissance de ces faits biologiques ne nous donne par elle-même aucune information sur le contenu psychologique particulier des tensions prémenstruelles, mais elle est néanmoins indispensable à leur compréhension, car certains processus psychologiques sont parallèles à ces faits physiques ou sont provoqués par eux.

D'une manière générale, cette affirmation n'est pas nouvelle. C'est un fait biologique établi qu'une augmentation de la libido sexuelle se produit en même temps que les faits décrits. Ce fait parallèle peut être clairement observé chez les animaux et c'est en raison de ce rapport que l'hormone a été appelée œstrogène. Nous sommes d'accord avec des chercheurs très connus, tels que Havelock Ellis, qui affirment le même processus psychologique parallèle d'une augmentation de la libido chez les femmes. Les femmes sont donc confrontées avec ce problème, rendu difficile par les restrictions culturelles, d'avoir à maîtriser cette augmentation de la tension libidinale. La tâche sera aisée s'il y a des occasions pour la satisfaction des besoins instinctuels essentiels. Elle ne deviendra difficile que si de telles occasions ne sont pas utilisables pour des causes externes ou internes. Cette relation est confirmée aussi bien chez des femmes bien portantes, c'est-à-dire chez des femmes dont le développement psycho-sexuel est relativement peu perturbé. Leurs troubles menstruels disparaissent complètement pendant les périodes de plénitude de la vie amoureuse et réapparaissent dans les périodes de frustration externe ou d'expériences insatisfaisantes. L'observation des mécanismes provoquant ces tensions montre que nous avons à faire à des femmes qui, pour une raison quelconque, acceptent mal les frustrations, qui y réagissent avec rage (¹), mais ne peuvent détourner cette rage à l'extérieur et par conséquent la retournent contre elles-mêmes.

Des symptômes plus sérieux et des mécanismes plus compliqués apparaissent chez des femmes insatisfaites pour des raisons d'inhibitions émotionnelles. Nous avons l'impression ici qu'elles pourraient être encore capables de maintenir un équilibre précaire, quoique souffrant d'une certaine perte de vitalité. Cependant, quand la libido augmente, elle est endiguée et ne peut longtemps être maintenue en équilibre. D'où l'apparition de phénomènes régressifs, différents pour chaque individu et s'exprimant symptomatologiquement par la réapparition de réactions infantiles.

Ces réflexions, étayées par des observations cliniques, ne

(¹) La forme que prennent de telles réactions est sans signification dans l'explication générale des processus impliqués.

sont guère discutables. Nous devons cependant nous demander s'il y a des conditions limitant cette relation causale, puisque les tensions prémenstruelles, en particulier les tensions légères, apparaissent fréquemment (quoique pas autant que nous pourrions le penser). Nous ne les trouvons même pas dans chaque névrose. Pour répondre à ce dernier problème nous devrions, dans de nombreuses névroses, rattacher les accumulations caractéristiques et la production de libido sexuelle à la présence ou à l'absence de tension prémenstruelle. Cela rendrait peut-être plus compréhensibles certains aspects des conditions individuelles. Nous devons tout d'abord répéter la question : l'augmentation de la libido en tant que telle est-elle réellement l'agent spécifique dans l'apparition des tensions pendant cette période ?

Jusqu'à présent, nous n'avons considéré que l'effet d'un aspect partiel d'un fait psychologique et ainsi avons négligé complètement l'effet biologiquement décisif de l'autre partie. Gardons à l'esprit que l'augmentation de la libido a comme signification biologique la préparation à la conception et que les modifications organiques essentielles servent de préparation à la gestation.

Nous devons donc demander : est-il concevable qu'une femme soit avertie inconsciemment de ces processus ? Est-il possible que le fait d'être physiquement prête pour la gestation se manifeste de cette façon dans la vie psychique ?

Revoyons notre expérience. Mes propres observations sont explicitement en faveur d'une telle possibilité. Une patiente T a spontanément déclaré qu'antérieurement à ses règles ses rêves étaient toujours voluptueux et rouges, qu'elle se sentait comme sous la pression de quelque chose de pervers et de scandaleux et que son corps semblait lourd et plein. Avec l'apparition des règles, elle avait immédiatement un sentiment de soulagement. Elle avait souvent pensé que l'enfant était parti. Quelques détails de l'histoire de sa vie : elle est l'aînée et a deux sœurs ; la mère est tyrannique et querelleuse ; son père est attaché à la patiente par une sorte de tendresse chevaleresque. Au cours de randonnées, le père et la fille sont souvent pris pour un couple marié. A dix-huit ans, elle s'est mariée avec un homme de trente ans son aîné, qui ressemblait à son père par sa personnalité et son physique. Pendant plusieurs années, elle a vécu très heureuse avec cet homme sans avoir avec lui de rapports sexuels. Durant cette période elle éprouvait pour les enfants une antipathie affective intense. Plus tard, devenant progressivement insatisfaite de sa vie et de sa situation conjugale, son attitude envers les enfants se modifia. Elle décida de choisir une carrière, hésita entre celle d'institutrice d'école maternelle et celle de sage-femme, et finalement se décida pour la première. Pendant les nombreuses années où elle fut institutrice, elle éprouvait un penchant très tendre pour les enfants ; puis sa profession lui répugna. Elle sentait que ces enfants n'étaient pas les siens, mais étaient les enfants d'autres personnes. Elle maintint son refus sexuel, sauf pour une brève période où, au lieu de concevoir un enfant, elle eut un fibrome et dut subir une hystérectomie. Il semblait que son désir sexuel n'était devenu apparent qu'après que son désir d'un enfant soit devenu irréalisable. J'espère que ce résumé très incomplet suffira à montrer que dans ce cas, ce qui était le plus profondément refoulé, c'était le désir d'un enfant. Sa structure névrotique présentait des aspects contraignants d'attitude maternelle aussi bien que d'attitude infantile et, dans sa totalité, était une production de ce même problème central.

Je ne veux pas entrer dans le problème de ce qui avait, dans ce cas, renforcé le désir d'un enfant et avait conduit à un refoulement aussi profond. Une preuve suggestive peut suffire à indiquer qu'ici, comme dans d'autres cas similaires, le désir d'un enfant était sur-investi d'angoisse et de sentiments de culpabilité, en raison d'anciennes connexions avec des pulsions destructives.

Un tel refoulement conduit à un refus total, effectif, du désir d'avoir des enfants à soi. J'ai trouvé sans exceptions (et tout à fait indépendamment du reste de la structure névrotique) l'apparition de tensions menstruelles dans ces cas où l'on peut affirmer avec une certitude relative le désir contraignant d'un enfant, mais où il y a une défense réellement contraignante contre ce désir que sa réalisation n'a jamais pu être même une possibilité lointaine. Cela nous donne à réfléchir et nous conduit à l'hypothèse qu'au moment où l'organisme se prépare à concevoir, le désir refoulé d'avoir un enfant est mobilisé avec tout son contre-investissement conduisant à des troubles de l'équilibre psychique. Des rêves révélant ce conflit se produisent avec une fréquence marquée dans la période précédant immédiatement la menstruation. Cependant, des tests plus précis sont nécessaires pour contrôler la fréquence de la coïncidence temporelle avec les rêves où apparaissent sous une forme quelconque des problèmes de maternité. Par exemple, des tensions pré-menstruelles se produisaient régulièrement chez une patiente dont le désir manifeste d'un enfant était contraignant, mais dont l'angoisse résultait de la peur de toutes les phases possibles de sa réalisation éventuelle — commençant avec la phobie du sexe et incluant les soins à l'enfant ; de même, des tensions apparaissaient chez une femme dont la phobie de mourir pendant l'accouchement empêchait toute réalisation possible de son désir d'un enfant.

Il semble que l'état de tension prémenstruel évolue moins régulièrement dans les cas où le désir d'un enfant est chargé de conflit, mais dans lesquels il y a néanmoins des grossesses et des naissances. Je pense ici aux nombreuses femmes pour lesquelles la maternité tenait dans la vie une place d'une importance cruciale, mais chez lesquelles les conflits inconscients associés s'exprimaient sous une forme ou une autre, telles que : nausées matinales, faiblesse des contractions du travail, ou hyper-protection à l'égard des enfants.

Ici, je puis résumer mes impressions, mais avec la plus grande précaution. Apparemment, ces tensions peuvent se produire dans les cas où le désir d'un enfant a été intensifié par une expérience réelle, mais dont l'accomplissement réel a été impossible pour une raison quelconque. Le fait que l'augmentation de la tension libidinale n'est pas seule responsable m'est apparu évident grâce à l'observation d'une femme dont l'attitude maternelle était très développée et cependant pleine de conflits. Elle souffrait de tensions prémenstruelles particulièrement inquiétantes, bien qu'à cette époque ses relations sexuelles avec un homme aient été habituellement satisfaisantes. Cependant, pour des raisons péremptoires, il n'y avait aucune possibilité de réaliser son désir d'un enfant, désir particulièrement contraignant à cette période. Ses seins gonflaient avant ses règles. Pendant cette phase de sa vie, des discussions s'élevaient régulièrement à propos du problème d'avoir des enfants, quelquefois sous le prétexte de songer ᴀux préservatifs, à leur efficacité et leur nocivité possibles.

Il y a encore un autre phénomène dont je n'ai pas encore parlé et qui montre que généralement l'augmentation libidinale a effectivement une part dans la création de tensions prémenstruelles, mais dont il n'est pas l'agent spécifique. Je veux parler du net soulagement qui accompagne l'apparition des règles. Du fait que l'augmentation libidinale se poursuit pendant toute la période des règles, la baisse soudaine de la tension émotionnelle ne peut être comprise de ce point de vue. Le début du saignement met cependant fin aux fantasmes de gestation, comme dans le cas de la patiente T : « Maintenant l'enfant est parti. » Les processus psychologiques individuels peuvent être totalement différents. Dans l'un des cas mentionnés, l'idée de sacrifice était au premier plan. La femme en question pensait, à l'arrivée des règles : « Dieu a accepté le sacrifice. » De même, de différentes manières, le soulagement de la tension dépend quelquefois de l'accomplissement inconscient des fantasmes représentés, par exemple, par le saignement, ou la détente du surmoi, parce que les fantasmes rejetés de manière coercitive sont alors parvenus à leur fin. Le fait essentiel est qu'ils cessent avec l'apparition des règles.

Brièvement résumée, d'après les impressions rapportées ici, l'hypothèse naît que les tensions prémenstruelles sont immédiatement soulagées par les processus de préparation à la gestation. Je suis maintenant tellement convaincue de cette corrélation, qu'en présence de ces troubles je m'attends à trouver au cœur de la maladie et de la personnalité des conflits impliquant le désir d'un enfant. Et je crois n'avoir jamais été trompée dans cette attente.

Je veux encore une fois souligner les limites de cette conception, à l'encontre de celle des gynécologues. Nous n'avons pas affaire à une faiblesse constitutionnelle, condition conduisant à la conclusion tendancieuse d'une moindre efficience des femmes. Je m'en tiens plutôt au fait que ce moment particulier du cycle de la femme représente un fardeau seulement chez les femmes dont l'idée de maternité est chargée de grands conflits intérieurs.

Je crois cependant que la maternité représente pour les femmes un problème plus vital que ne l'affirme Freud. Freud répète que le désir d'un enfant est quelque chose qui « appartient de manière absolue à la psychologie du moi » (¹), qu'il n'apparaît que secondairement en raison de la déception due à l'absence du pénis (²) et que de ce fait il n'est pas un instinct primaire.

Je pense au contraire que le désir d'un enfant peut tirer de l'envie du pénis un renforcement secondaire considérable, mais que ce désir est primaire et instinctuellement ancré profondément dans la sphère biologique. Les observations au sujet des tensions prémenstruelles semblent n'être compréhensibles que sur la base de cette conception fondamentale. Je suis d'avis que ces observations doivent précisément démontrer que le désir d'un enfant remplit toutes les conditions que Freud lui-même a admises comme « pulsions ». La pulsion à la maternité illustre donc « la représentation psychique d'un stimulus somatique interne continu » (³).

(¹) S. Freud, « On the Transformation of Instincts with Special Reference to Anal Erotism » (1916), in *Collected Papers*, Vol. II, pp. 164-171.

(²) S. Freud, « Some Psychological Consequences of the Anatomical Differences between the Sexes » (1925), in *Collected Papers*, Vol. V, 1956, pp. 175-80.

(³) Freud, « Trois Essais sur la Théorie de la Sexualité ».

VI

LA DÉFIANCE ENTRE LES SEXES (¹)

Au moment d'aborder quelques problèmes concernant les rapports entre les sexes je dois vous demander de ne pas être déçus. Je ne m'intéresse pas principalement à l'aspect du problème qui est le plus important pour le généraliste. Ce n'est qu'en dernier lieu que je parlerai brièvement de la thérapeutique. Il est pour moi beaucoup plus important de signaler quelques causes psychologiques à la défiance entre les sexes.

Les rapports entre homme et femme sont tout à fait semblables à ceux entre enfant et parents, en ce que nous préférons mettre l'accent sur les aspects positifs de ces rapports. Nous préférons affirmer que l'amour est le facteur fondamentalement donné et que l'hostilité est un fait accidentel et évitable. Quoique nous soyons familiers avec des slogans tels que « la guerre des sexes » et « l'hostilité entre les sexes », nous devons admettre qu'ils ne signifient pas grand-chose. Ils nous obligent à une hyper-concentration des relations sexuelles entre hommes et femmes, ce qui peut aisément nous conduire à une vue trop partiale. A l'heure actuelle, nous souvenant de nombreux cas, nous pouvons conclure que des relations amoureuses peuvent être facilement détruites par une hostilité

(¹) Lu à la Section Berlin-Brandebourg de l'Association Médicale des Femmes Allemandes, le 20 Novembre 1930 : « Das Misstrauen zwischen den Geschlechtern ». *Die Ärztin*, VIII (1931), pp. 5-12. Réimprimé en traduction avec l'autorisation de la Société Karen Horney.

manifeste ou déguisée. Et nous sommes d'autre part trop enclins à rendre responsables de telles difficultés l'infortune de l'individu, l'incompatibilité des partenaires et les causes sociales ou économiques.

Les facteurs individuels que nous trouvons à l'origine de relations médiocres entre hommes et femmes peuvent être pertinents. Cependant, en raison de la grande fréquence, ou plutôt de l'occurence régulière de troubles dans les relations amoureuses, nous devons nous demander si les troubles dans les cas individuels ne peuvent naître d'un arrière-plan commun ; s'il y a des dénominateurs communs à cette naissance facile et fréquente de la suspicion entre les sexes ?

Il n'est guère possible de tenter, dans le cadre d'une brève conférence, de donner une étude complète d'un domaine aussi vaste. Je ne parlerai donc pas de facteurs tels que l'origine et les effets d'institutions sociales telles que le mariage. J'ai simplement l'intention de choisir au hasard certains des facteurs qui sont psychologiquement compréhensibles et qui se rattachent aux causes et effets de l'hostilité et de la tension entre les sexes.

Je voudrais commencer par quelque chose de très banal : c'est-à-dire qu'une grande partie de cette atmosphère de suspicion est compréhensible et même justifiable. En apparence, cela n'a rien à voir avec le partenaire mais plutôt avec l'intensité des affects et avec la difficulté qu'il y a à les dompter.

Nous savons, ou nous pouvons sentir confusément, que ces affects peuvent mener à l'extase, à être hors de soi-même, à l'abandon de soi-même, ce qui signifie un bond dans l'infini. C'est peut-être pour cela que la vraie passion est si rare. Car, à l'exemple d'un grand homme d'affaires, nous sommes peu disposés à mettre tous nos œufs dans le même panier. Nous sommes portés à la réserve et à être toujours prêts à battre en retraite. Il en est ainsi car nous avons tous la peur naturelle de nous perdre dans un autre, du fait de notre instinct de conservation. C'est pourquoi ce qui se produit en amour se produit dans l'éducation et la psychanalyse ; chacun croit tout savoir dans ces domaines, mais peu le savent en fait. Nous sommes portés à perdre de vue combien peu nous donnons de nous-mêmes, mais nous ressentons d'autant plus cette même déficience chez le partenaire, le sentiment de « Tu ne m'as jamais vraiment aimé ». Une épouse qui nourrit des idées de suicide parce que son mari ne lui donne pas tout son amour, tout son temps et tout son intérêt, ne remarquera pas combien sa propre hostilité, combien sa vindicte cachée et son agressivité s'expriment par son attitude. Elle ne ressentira que désespoir en raison de la richesse de son « amour », alors qu'en même temps elle ressentira très intensément et verra très clairement le manque d'amour de son partenaire. Même Strindberg (qui était misogyne) parvint à dire pour sa défense qu'il n'avait pas de haine à l'égard des femmes, mais que les femmes le détestaient et le torturaient.

Ici, nous avons affaire à un phénomène pathologique. Dans les cas pathologiques nous distinguons simplement une distorsion et une exagération d'un fait général et normal. Jusqu'à un certain point, chacun sera enclin à perdre de vue ses propres pulsions hostiles, mais sous la pression de sa propre conscience coupable, les projettera sur son partenaire. Le processus doit nécessairement provoquer une défiance manifeste ou voilée à l'égard de l'amour du partenaire, de sa fidélité, de sa sincérité ou de sa bonté. C'est pour cette raison que je préfère parler de défiance entre les sexes et non de haine ; car du fait de notre expérience nous sommes plus familiarisés avec ce sentiment de défiance.

Une autre source presque inévitable de déceptions et de défiance dans notre vie amoureuse découle du fait que l'intensité même de nos sentiments d'amour réveille nos espoirs et nos désirs passionnés de bonheur qui sommeillent au plus profond de nous-mêmes. Tous nos désirs inconscients, contradictoires par leur nature et se développant sans limites, attendent là leur accomplissement. Le partenaire est supposé être fort et en même temps désemparé, nous dominer et être dominé par nous, être ascète et voluptueux. Il devrait nous violer et être tendre, nous consacrer exclusivement son temps tout en étant absorbé par un travail créateur. Aussi longtemps que nous affirmons qu'il peut remplir tous nos espoirs, nous l'investissons de l'éclat de la surestimation sexuelle. Nous utilisons l'ampleur d'une telle surestimation pour mesurer notre amour, alors qu'en réalité elle exprime à peine notre attente. La nature même de nos revendications rend leur réalisation impossible. C'est ici que gît l'origine de nos déceptions, dont nous pouvons venir à bout plus ou moins efficacement. Dans des circonstances favorables, nous n'avons même pas besoin d'être conscients du grand nombre de nos déceptions, de même que nous n'avons pas été conscients de l'étendue de nos espoirs secrets. Il reste cependant en nous des traces de défiance, comme chez l'enfant qui découvre que son père ne peut après tout lui décrocher les étoiles.

A ce stade, nos réflexions n'ont certainement apparu ni nouvelles, ni spécifiquement analytiques et ont souvent été mieux exprimées dans le passé. L'approche analytique commence avec la question : quels sont les facteurs particuliers du développement humain qui conduisent au désaccord entre les espoirs et leur accomplissement — et pour quelle raison sont-ils d'une telle importance dans des cas particuliers ? Commençons par une considération d'ordre général. Il y a une différence fondamentale entre le développement humain et le développement animal — c'est-à-dire la longue période d'impuissance et de dépendance de l'enfant. Le paradis de l'enfance est le plus souvent une illusion dont les adultes aiment se leurrer. Pour l'enfant, cependant, ce paradis est habité par des monstres trop dangereux. Des expériences avec le sexe opposé paraissent inévitables. Nous n'avons qu'à rappeler la capacité qu'ont les enfants, même dans leurs toutes premières années, pour des désirs sexuels passionnés et instinctifs, semblables à ceux des adultes et cependant différents. Les enfants sont différents par les visées de leurs pulsions et par-dessus tout par l'intégrité primitive de leurs exigences. Il leur paraît difficile d'exprimer directement leurs désirs et quand ils le font, ils ne sont pas pris au sérieux. Leur sérieux est souvent pris pour de la finasserie, ou bien il est négligé ou rejeté. En bref, les enfants passent par des expériences douloureuses et humiliantes de trahison et de mensonge. Ils peuvent aussi devoir prendre la seconde place après un parent ou un frère et ils sont menacés et intimidés quand, en jouant avec leur propre corps, ils recherchent ces plaisirs que les adultes leur refusent. L'enfant est relativement impuissant devant tout cela. Il est incapable de faire connaître sa rage — ou alors à un faible degré ; il ne peut non plus saisir l'expérience au moyen de la compréhension intel-

lectuelle. La colère et l'agressivité sont ainsi refoulées sous
forme de fantasmes extravagants qui atteignent à peine le
niveau de la conscience, fantasmes criminels considérés du
point de vue de l'adulte, fantasmes qui s'échelonnent depuis
le fait de prendre de force et depuis le vol, jusqu'aux fantasmes de tuer, brûler, couper en morceaux et jusqu'à la suffo-
cation. Du fait que l'enfant est vaguement conscient de ces
forces destructives en lui, il se sent (suivant la loi du talion)
également menacé par les adultes. Ici se situe l'origine de ces
angoisses infantiles dont aucun enfant ne se libère complètement. Cela déjà nous permet de mieux comprendre la phobie
de l'amour dont j'ai parlé auparavant. C'est précisément ici,
dans cette zone des plus irrationnelles, que les anciennes
phobies de l'enfance provoquées par les menaces du père ou
de la mère sont réveillées, nous mettant instinctivement sur
la défensive. En d'autres termes, la phobie de l'amour sera
toujours mêlée à la crainte de ce que nous pourrions faire
à l'autre — ou de ce que l'autre pourrait nous faire. Par
exemple, un amoureux des Iles Aru ne fera jamais don d'une
mèche de cheveux à sa bien-aimée, car en cas de querelle la
bien-aimée pourrait la brûler, en provoquant ainsi la maladie
du partenaire.

Je voudrais esquisser brièvement comment les conflits
de l'enfance peuvent affecter ultérieurement les relations
avec le sexe opposé. Prenons comme exemple une situation
typique : la petite fille qui a été profondément blessée par
une grande déception de la part du père transformera son
désir instinctuel inné de recevoir de l'homme, en un désir
vindicatif de lui arracher par la force. Ainsi s'établit la base
d'une ligne directe de l'évolution vers une attitude ultérieure
d'après laquelle non seulement la fillette reniera ses instincts
maternels mais n'aura qu'une pulsion, celle de nuire à l'homme,
de l'exploiter et de le vider de toute substance. Elle est
devenue un vampire. Nous pouvons affirmer qu'il y a une
transformation semblable du désir de recevoir au désir
d'enlever ; et en outre que le dernier désir était refoulé par
l'angoisse d'une conscience coupable. Nous avons alors ici
la constellation fondamentale pour la formation d'un certain
type de femme incapable de se lier à l'homme parce qu'elle
a la phobie que chaque homme la suspecte de vouloir quelque

chose de lui. Cela veut dire en fait qu'elle a la phobie qu'il
puisse deviner ses désirs refoulés. Ou bien, en projetant sur
lui ses désirs refoulés, elle fantasmera que chaque homme sou-
haite uniquement l'exploiter, qu'il ne veuille d'elle que la
satisfaction sexuelle — après quoi il la congédiera. Ou alors
présumons qu'une formation réactionnelle de modestie excessive masquera le désir refoulé de la puissance. Nous avons
ainsi le type de femme qui évitera d'exiger ou d'accepter
quoi que ce soit de son mari. Cependant, à cause du retour
du refoulé, une telle femme réagira par une dépression à
l'inaccomplissement de ses désirs inexprimés et souvent
informulés. Elle saute ainsi volontairement « de la poêle
à frire dans le feu », comme le fait son partenaire, parce qu'une
dépression le frappera plus durement qu'une agression directe.
Très souvent, le refoulement de l'agressivité envers l'homme
draine toute son énergie vitale. La femme se sent alors incapable de regarder la vie en face. Elle déplacera sur l'homme
toute la responsabilité de son impuissance, lui volant le
souffle même de la vie. Nous avons ici le type de femme qui,
sous une apparence d'impuissance et d'enfantillage, domine
son homme.

Ces exemples démontrent comment l'attitude fondamentale des femmes envers les hommes peut être troublée par
les conflits de l'enfance. Dans un essai de simplification, j'ai
insisté sur un seul point — qui cependant me semble crucial : le trouble dans le développement du sens maternel.

Je vais maintenant évoquer certains traits de psychologie
masculine. Je ne désire pas suivre des cas individuels de
développement, quoiqu'il puisse être très instructif d'observer analytiquement comment, par exemple, même des hommes
qui consciemment entretiennent des relations positives avec
des femmes et les tiennent en haute estime en tant qu'êtres
humains, nourrissent au plus profond d'eux-mêmes une secrète méfiance à leur égard, et comment cette défiance peut
être ramenée à leurs sentiments envers leur mère durant les
années de formation. J'insisterai plutôt sur certaines attitudes typiques d'hommes à l'égard des femmes, sur la manière
dont elles sont apparues à différentes périodes de l'histoire
et dans différentes cultures, non seulement en ce qui concerne
leurs relations sexuelles avec les femmes, mais aussi plus

souvent dans des situations non sexuelles (telles que leur estimation générale des femmes). Je choisirai des exemples au hasard en commençant avec Adam et Ève. Ainsi qu'il est dit dans l'Ancien Testament, la culture juive est nettement patriarcale. Cela se reflète dans la religion, qui ne comporte aucune déesse maternelle ; dans la morale et les coutumes, qui donnent au mari le droit de dissoudre les liens du mariage en répudiant simplement sa femme. Ce n'est qu'en étant conscients de cet arrière-plan que nous pouvons reconnaître la tendance mâle dans deux incidents de l'histoire d'Adam et Ève. D'abord l'aptitude de la femme à procréer est en partie déniée, en partie dévaluée : Ève est née d'une côte d'Adam et une malédiction l'a contrainte d'enfanter dans la douleur. Deuxièmement, si l'on interprète le fait de pousser Adam à manger la pomme de l'arbre de la connaissance comme une tentative sexuelle, la femme apparaît comme la tentatrice sexuelle qui plonge l'homme dans la misère. Je crois que ces deux éléments, l'un né du ressentiment, l'autre de l'angoisse, ont détérioré les relations entre les sexes depuis les temps les plus reculés jusqu'à aujourd'hui. Développons brièvement cette notion. La phobie que l'homme a de la femme a ses racines dans le sexe, comme le démontre le simple fait que c'est seulement sexuellement la femme attirante dont il a la phobie et qui doit être gardée en esclavage quoiqu'il la désire de façon contraignante. D'autre part, les femmes âgées sont tenues en haute estime, même dans les cultures dans lesquelles la jeune femme est crainte et de ce fait dominée. Dans certaines cultures primitives, la femme âgée peut avoir une voix décisive dans les affaires de la tribu ; dans les nations asiatiques elle jouit aussi d'un grand pouvoir et d'un grand prestige. D'autre part, dans les tribus primitives la femme est entourée de tabous pendant toute la période de sa maturité sexuelle. Les femmes des tribus Arunta sont capables d'influer magiquement sur les organes sexuels mâles. Si elles sifflent sur un brin d'herbe puis le montrent du doigt à un homme ou le lui lancent, il tombe malade ou perd complètement ses organes génitaux. Les femmes le conduisent à sa perte. Dans une certaine tribu de l'Est africain, mari et femme ne dorment pas ensemble car le souffle de la femme pourrait affaiblir l'homme. Si une femme d'une tribu du

Sud de l'Afrique passe par-dessus la jambe d'un homme endormi, il sera incapable de courir ; d'où la règle générale de l'abstinence sexuelle deux à cinq jours avant la chasse, la guerre ou la pêche. La phobie de la menstruation, de la gestation et de l'accouchement est pire. Les femmes en période de règles sont entourées de tabous très étendus — l'homme qui touchera une femme en période de règles mourra. Il y a au fond de tout cela une idée fondamentale : la femme est un être mystérieux qui communique avec les esprits et a ainsi des pouvoirs magiques dont elle peut user pour nuire au mâle. Il doit donc se protéger contre ses pouvoirs en la tenant asservie. Ainsi les Miri du Bengale interdisent à leurs femmes de manger la chair du tigre de peur qu'elles ne deviennent trop fortes. Les Watawela de l'Est africain gardent secret l'art de faire le feu, de crainte que les femmes ne les gouvernent. Les Indiens de Californie ont des cérémonies pour maintenir leurs femmes en état de soumission ; un homme est déguisé en diable pour intimider les femmes. Les Arabes de La Mecque excluent les femmes des fêtes religieuses, pour empêcher la familiarité entre les femmes et leurs seigneurs. Nous trouvons des coutumes semblables au Moyen Âge — le culte de la Vierge à côté des sorcières brûlées sur le bûcher ; l'adoration de la « pure » attitude maternelle complètement dépourvue de sexualité à côté de la destruction cruelle de la femme sexuellement séduisante. Ici encore nous trouvons l'implication de l'angoisse sous-jacente, car la sorcière est en communication avec le diable. Aujourd'hui, avec nos formes plus humaines d'agressivité, nous brûlons les femmes au figuré seulement, parfois avec une haine non déguisée, quelquefois avec une apparente bienveillance. De toute façon : « Le Juif doit être brûlé [1]. » Dans des autodafés amicaux et secrets, bien des choses agréables sont dites sur les femmes, mais il est précisément malheureux que dans son état naturel octroyé par Dieu, elle ne soit pas l'égale de l'homme. Mœbius a montré

---

[1] Ceci est une citation de *Nathan der Weise* (Nathan le Sage) de l'auteur allemand du xviiie siècle Gotthold Ephraim Lessing, humaniste et représentant typique du siècle des Lumières et du rationalisme. L'expression devint une tournure familière. Elle signifie que l'homme est coupable, par le simple fait d'être juif, quels que soient la dignité et le bien-fondé de ses actes.

que le cerveau de la femme pèse moins que celui de l'homme, mais ce point n'a pas besoin d'être si crûment exprimé. Au contraire, on peut insister sur le fait que la femme n'est pas inférieure, ou simplement différente, mais que malheureusement elle a moins de qualités ou aucune des qualités humaines ou culturelles que l'homme tient en si haute estime. On dit qu'elle est profondément enracinée dans les sphères personnelle et émotionnelle, ce qui est merveilleux ; mais maheureusement, cela la rend incapable d'exercer la justice, ou d'être objective, et la disqualifie donc pour l'exercice de toutes situations dans la législation et le gouvernement et dans la communauté intellectuelle. On dit qu'elle ne se sent chez elle que dans le royaume d'Éros. Les questions intellectuelles sont étrangères à son être le plus intime, de même qu'elle est mal à l'aise dans les tendances culturelles. Elle est donc, comme le disent franchement les Asiatiques, un être de second ordre. La femme peut être industrieuse mais elle est hélas incapable d'un travail productif et indépendant. Elle est en fait entravée dans tout accomplissement authentique, du fait des tragédies lamentables et sanglantes de la menstruation et de l'accouchement. Ainsi, chacun remercie silencieusement son Dieu (tout comme le fait le Juif pieux dans ses prières) de ne pas être né femme.

L'attitude de l'homme devant la maternité est un chapitre vaste et complexe. On a généralement tendance à n'y voir aucun problème. Même le misogyne est manifestement disposé à respecter la femme en tant que mère et à vénérer son attitude maternelle dans certaines conditions, comme dans le Culte de la Vierge. Pour avoir un tableau plus clair nous devons distinguer entre deux attitudes : l'attitude des hommes envers la maternité représentée dans sa forme la plus pure par le Culte de la Vierge, et leur attitude devant la maternité comme nous la rencontrons dans le symbolisme des anciennes déesses-mères. Les hommes seront toujours en faveur de la maternité exprimée par certaines qualités spirituelles féminines, c'est-à-dire la mère allaitant, désintéressée, se sacrifiant elle-même ; car elle est l'incarnation idéale de la femme qui peut accomplir tous ses espoirs et tous ses désirs. Dans les anciennes déesses-mères, l'homme ne vénérait pas la maternité au sens spirituel, mais plutôt la maternité dans son sens

le plus élémentaire. Les déesses-mères sont des déesses ter-
restres, fécondes comme la terre. Elles produisent une vie
nouvelle et la nourrissent. C'est ce pouvoir créateur de vie,
cette force élémentaire qui a rempli l'homme d'admiration.
Et c'est là justement que naît le problème. Car il est contraire
à la nature humaine d'apprécier sans ressentiment des aptitudes qu'on ne possède pas. Ainsi, la part minime de l'homme
dans la création d'une vie nouvelle est devenue pour lui une
incitation puissante à créer quelque chose de neuf par lui-
même. Il a créé des valeurs dont il peut être fier à juste titre.
L'État, la religion, l'art et la science sont essentiellement ses
créations et notre culture tout entière porte l'empreinte de
l'homme.

Cependant, ce qui se produit ailleurs survient ici aussi.
Même les plus grandes satisfactions ou réalisations nées de
la sublimation ne peuvent suppléer à ce pour quoi nous n'avons
pas été dotés par la nature. C'est ainsi qu'un résidu manifeste
de ressentiment général demeure chez les hommes à l'égard
des femmes. Ce ressentiment s'exprime aujourd'hui dans les
manœuvres défensives contre la menace de l'invasion des
femmes dans leurs domaines ; d'où leurs tendances à déprécier
la gestation, l'accouchement et à mettre exagérément en
valeur la génitalité mâle. Cette attitude ne s'exprime pas
seulement dans des théories scientifiques, mais a aussi une
très grande importance pour les relations globales entre les
sexes et pour la moralité sexuelle en général. La maternité,
en particulier la maternité illégitime, est insuffisamment pro-
tégée par la loi (avec une exception en Russie dans une récente tentative vers le progrès). En contrepartie, il existe
pour l'homme de nombreuses occasions d'accomplir ses besoins sexuels. L'exagération de la clémence sexuelle irrespon-
sable, de la dépréciation des femmes ramenées à l'état d'objets
pour les seuls besoins physiques, sont d'autres conséquences
de cette attitude de l'homme.

D'après les investigations de Bachofen, nous savons que cet
état de la suprématie culturelle de l'homme n'a pas existé
depuis le commencement des temps, mais que les femmes ont
été un jour l'élément prépondérant. C'était l'époque dite du
matriarcat, quand lois et coutumes étaient axées sur la mère.
Comme l'a montré Sophocle dans les *Euménides,* le matricide

était un crime impardonnable, alors qu'en comparaison le parricide était une offense mineure. Ce n'est que dans les temps historiques connus que l'homme a commencé progressivement à jouer le rôle principal dans les domaines politique, économique et juridique, aussi bien que dans celui de la morale sexuelle. Nous paraissons traverser à présent une période de lutte dans laquelle les femmes osent une fois encore combattre pour leur égalité. C'est une phase dont nous ne sommes pas encore capables d'évaluer la durée.

Je ne veux pas paraître avoir insinué que tous les désastres résultent de la suprématie virile et que les rapports entre les sexes s'amélioreraient si l'on accordait la primauté aux femmes. Cependant, nous devons nous demander pourquoi il devrait y avoir entre les sexes une lutte pour la puissance. A un certain moment, le parti le plus puissant créerait une idéologie appropriée pour le maintien de sa position et pour rendre cette position acceptable au plus faible. Dans cette idéologie, la différenciation du plus faible serait interprétée comme une infériorité et il serait prouvé que ces différences sont immuables, fondamentales ou représentent la volonté de Dieu. C'est le propre d'une telle idéologie de dénier ou de dissimuler l'existence d'une lutte. C'est une des réponses à la question posée initialement, à savoir pourquoi nous avons si peu conscience du fait qu'il y a lutte entre les sexes. Il est de l'intérêt des hommes de voiler ce fait ; et l'emphase qu'ils donnent à leurs idéologies a fait que les femmes, elles aussi, ont adopté ces théories. Notre tentative pour résoudre ces rationalisations et pour examiner ces idéologies dans leurs forces pulsionnelles fondamentales n'est qu'un pas dans la voie qu'a inaugurée Freud.

Je pense que mon exposé a montré plus clairement l'origine de la *méfiance* que l'origine de la *crainte* et je veux, par conséquent, parler brièvement de ce dernier problème. Nous avons vu que la phobie que l'homme a de la femme est dirigée contre elle en tant qu'être sexuel. Comment faut-il le comprendre ? L'aspect le plus net de cette phobie est révélé par la tribu des Arunta. Ceux-ci croient que la femme a le pouvoir magique d'influer sur les organes génitaux mâles. C'est ce que nous voulons dire en analyse par : angoisse de castration. C'est une angoisse d'origine psychogène qui remonte aux sentiments de culpabilité et aux anciennes phobies de l'enfance. Son noyau anatomo-psychologique gît dans le fait qu'au cours des rapports sexuels l'homme doit confier ses organes génitaux au corps de la femme, qu'il lui fait don de sa semence et qu'il interprète cela comme un abandon de sa force vitale à la femme, de la même façon qu'il expérimente la disparition de l'érection après les rapports sexuels comme une preuve qu'il a été affaibli par la femme. Quoique l'idée suivante n'ait pas encore été élaborée, il est très probable, d'après les données analytiques et ethnologiques, que la relation avec la mère soit associée de façon contraignante et directe avec la phobie de la mort. Nous avons appris à comprendre le désir ardent de la mort comme le désir ardent de réunion avec la mère. Dans les contes africains, c'est une femme qui apporte la mort au monde. Les grandes déesses-mères apportaient aussi mort et destruction. Il semble que nous soyons la victime de l'idée que celle qui donne la vie est capable aussi de l'ôter. Il y a un troisième aspect à la phobie de l'homme à l'égard de la femme, un aspect qu'il est plus difficile de comprendre et de prouver, mais qui peut être démontré en observant certains phénomènes récurrents dans le monde animal. Nous y voyons que le mâle est très souvent muni de certains stimulants spécifiques pour attirer la femelle, ou de dispositifs spécifiques pour se saisir de la femelle pendant l'union sexuelle. De tels dispositifs seraient incompréhensibles si l'animal femelle avait des besoins sexuels aussi pressants ou abondants que le mâle. En fait, nous voyons que la femelle rejette le mâle, inconditionnellement, aussitôt qu'elle est fécondée. Quoique les exemples pris dans le monde animal ne puissent être appliqués aux humains qu'avec la plus grande prudence, il est permis dans ce contexte de poser la question suivante : est-il possible que l'homme soit sexuellement plus dépendant de la femme que la femme de lui, parce que chez la femme une partie de l'énergie sexuelle est liée au processus de la génération ? Se peut-il donc que les hommes aient un intérêt vital à garder les femmes en état de subordination ? Les facteurs qui semblent être à la racine de la lutte pour le pouvoir entre hommes et femmes sont d'autant plus importants qu'ils sont de nature psychogénétique et reliés à l'homme.

Ce phénomène aux multiples facettes appelé amour parvient

à établir des ponts entre la solitude de ce rivage et la solitude de l'autre. Ces ponts peuvent être d'une grande beauté, mais ils sont rarement construits pour l'éternité et souvent ne peuvent supporter une trop lourde charge sans s'effondrer. Et nous trouvons ici une autre réponse à la question initialement posée : pourquoi voyons-nous l'amour entre les sexes plus nettement que nous ne voyons la haine ? parce que l'union des sexes nous offre les plus grandes possibilités de bonheur. Nous sommes donc généralement enclins à perdre de vue combien sont puissantes les forces destructives qui travaillent sans cesse à détruire nos chances de bonheur.

Nous pourrions, en conclusion, nous demander comment les interprétations analytiques contribuent à diminuer la défiance entre les sexes. Il n'y a pas de réponse uniforme à ce problème. La peur de la puissance des affects et les difficultés qu'il y a à les contrôler dans une relation d'amour, le conflit qui en résulte entre l'abandon et l'instinct de conservation, entre le Moi et le Toi, constituent un phénomène tout à fait compréhensible, total et pour autant normal. La même chose s'applique dans son essence à notre promptitude à nous défier, qui naît de conflits non résolus de notre enfance. Cependant, ces conflits de l'enfance peuvent varier en intensité et laissent derrière eux des traces d'une profondeur variable. L'analyse peut non seulement aider, dans les cas individuels, à améliorer les relations avec le sexe opposé, mais peut aussi tenter d'améliorer les conditions psychologiques de l'enfance et de prévenir des conflits excessifs. C'est bien entendu notre espoir pour l'avenir. Dans la lutte importante pour la puissance, l'analyse peut jouer un rôle important en dévoilant les motifs réels de cette lutte. Cela n'éliminera pas les mobiles, mais cela peut aider à mieux développer cette lutte sur son propre terrain, au lieu de la faire dévier vers des manifestations périphériques.

VII

LES PROBLÈMES DU MARIAGE [1]

Pourquoi les bons mariages sont-ils si rares — mariages qui n'étouffent pas le potentiel de développement des partenaires, mariages dans lesquels les courants sous-jacents de tension ne se reflètent pas dans le foyer ou dans lesquels ils sont si intenses qu'ils ont abouti à une indifférence bienveillante ? Se peut-il que l'institution du mariage ne puisse se concilier avec certains faits de l'existence humaine ? Le mariage n'est-il qu'une illusion, amenée à disparaître, ou l'homme moderne est-il particulièrement incapable de lui donner substance ? Admettons-nous son échec ou le nôtre lorsque nous le condamnons ? Pourquoi le mariage est-il si souvent la mort de l'amour ? Devons-nous être écrasés par cette situation comme si c'était une loi inévitable, ou sommes-nous assujettis à des forces en nous, variables quant à leur contenu et à leur impact, peut-être reconnaissables et même évitables et qui cependant nous dévastent ?

En surface, ce problème paraît très simple — et très désespéré. La routine d'une longue vie avec la même personne aboutit en général à des rapports lassants et ennuyeux, particulièrement dans le domaine sexuel. D'où une éclipse et un refroidissement progressifs qu'on dit inévitables. Van de Velde nous a donné un livre entier plein de suggestions bien intentionnées pour améliorer les conditions de non-accomplisse-

[1] « Zur Problematik der Ehe », *Psychoanalytische Bewegung*, IV (1932), p. 213-23. Réimprimé en traduction avec l'autorisation de la Société Karen Horney.

ment sexuel. Il a cependant perdu de vue une chose, c'est qu'il avait affaire à un symptôme plus qu'à une maladie. Considérer le mariage comme perdant âme et brillance en raison de la monotonie terne du temps n'est qu'une vue superficielle du problème.

Il n'est pas difficile d'apercevoir les forces souterraines agissantes, mais c'est gênant, comme l'est chaque coup d'œil jeté dans les profondeurs. Il n'est pas nécessaire d'avoir été à l'école de Freud pour admettre que le vide du mariage n'est pas dû à la lassitude seule, mais qu'il est le résultat de forces destructives cachées, secrètement à l'œuvre et qui ont sapé ses fondations ; que c'est seulement la graine germant sur le sol fertile des déceptions, des défiances, de l'hostilité et de la haine. Nous n'aimons pas admettre ces forces, en particulier en nous-mêmes, car elles nous paraissent mystérieuses. Le seul fait de les admettre présuppose que nous devons avoir sur nous-mêmes des exigences gênantes. C'est cependant cette sorte de conscience que nous devons rechercher et approfondir si nous souhaitons sérieusement nous engager du point de vue psychologique dans les problèmes du mariage. La question psychologique fondamentale doit être : comment naît l'aversion pour le partenaire du mariage ?.

Il y a, avant tout, plusieurs causes très générales, presque trop banales pour être mentionnées. Elles naissent de nos limites humaines, que nous connaissons — que nous tenions de la Bible l'idée d'être tous des pécheurs, ou de Mark Twain celle d'être tous particulièrement fous, ou que d'une façon plus claire nous appelions cette insuffisance une névrose. Toutes ces affirmations laissent place à une seule exception : nous-mêmes. Qui a jamais entendu quelqu'un pesant la décision de se marier et disant : avec le temps je vais développer en moi tel et tel trait désagréable. Les imperfections du conjoint apparaissent inévitablement pendant la longue période de vie commune. Elles mettent en mouvement une petite avalanche qui automatiquement grossit en descendant la pente du temps. Si un mari reste attaché à l'illusion de son indépendance, il réagira par une secrète amertume à son sentiment d'être nécessaire et lié à sa femme. Celle-ci à son tour sent sa révolte refoulée, réagit par une angoisse secrète de peur de le perdre et par cette angoisse augmente instinctivement ses exigences. Le mari y réagit par une sensibilité et une attitude de défense accrues — jusqu'à ce que finalement la digue se rompe, aucun des deux n'ayant compris son irritabilité sous-jacente. La rupture peut se faire à propos d'un fait sans importance. Comparée au mariage, toute relation transitoire, qu'elle soit basée sur la prostitution, le flirt, l'amitié ou qu'elle soit une liaison, est par nature plus simple. Car il est relativement plus facile d'éviter là de se frotter aux angles du partenaire.

En outre, les imperfections humaines coutumières englobent le fait que nous n'aimons pas nous dépenser plus qu'il n'est absolument nécessaire, intérieurement aussi bien qu'extérieurement. Le fonctionnaire qui a un travail à vie ne fournit pas son effort le plus grand. Son travail est sûr de toute manière et il ne doit ni concourir ni lutter pour une carrière comme un professionnel ou un travailleur. Considérons les prérogatives du contrat de mariage d'après les modèles courants, qu'elles aient été sanctionnées par la loi ou non. Nous pouvons voir aisément que d'un point de vue psychologique le droit d'endurer le compagnon à vie, la fidélité et même la coopération sexuelle, lestent le mariage d'un poids terrifiant et qu'il est d'un très grand danger, lui donnant une ressemblance néfaste avec le cas du fonctionnaire qui ne peut être licencié. Il y a si peu de formation au mariage que la plupart d'entre nous ignorent que si le fait d'être amoureux nous est octroyé comme un don, un bon mariage doit se construire étape par étape. Pour le moment, il n'existe qu'un chemin connu pour enjamber le vide entre la loi et le bonheur. Il implique une modification de notre attitude personnelle, vers une renonciation intérieure de nos revendications sur le partenaire. Comprenez bien que je dis revendications dans le sens d'exigences et non de désirs. En plus de ces difficultés générales il y a des difficultés personnelles, différentes pour chaque individu, variant en fréquence, en qualité et en intensité. Il y a des séries infinies de pièges dans lesquels l'amour se fourvoie et d'où naît la haine. Il y a peu à gagner à les énumérer et à les décrire. Il est peut être plus simple et plus clair de mettre l'accent sur quelques-uns d'entre eux et de les délimiter.

Un mariage peut avoir un mauvais pronostic dès le départ

si nous n'avons pas choisi le « bon » partenaire. Comment
expliquer le fait qu'en choisissant quelqu'un avec qui nous
devons partager notre vie, nous choisissions si souvent un
partenaire mal assorti ? Qu'est-ce qui se passe exactement ?
Est-ce le manque de conscience de nos propres besoins ? ou
un manque de connaissance de l'autre ? Ou est-ce un aveugle-
ment passager dû au fait d'être amoureux ? Tous ces facteurs
jouent certainement un rôle. Il me semble essentiel cependant
de garder présent à l'esprit que, généralement, les choix dans
un mariage librement consenti, peuvent ne pas être tout à
fait « faux ». Une certaine qualité du partenaire répondait à
un de nos espoirs, quelque chose en lui promettait réellement
de réaliser un de nos désirs ; il en a peut-être été ainsi dans
le mariage. Si cependant le reste du soi demeure à l'écart et
a peu en commun avec le partenaire, inévitablement cette
singularité troublera une relation durable. Ainsi l'erreur essentielle d'un tel choix résidera dans le fait que ce choix a été fait
pour réaliser une condition isolée. Une seule pulsion, un seul
désir, sont venus de force au premier plan et ont éclipsé tout
le reste. Chez un homme, par exemple, ce pourrait être le
besoin irrésistible d'appeler sienne une jeune fille courtisée
par d'autres hommes. C'est une condition particulièrement
malheureuse pour l'amour, car l'attrait de la femme doit
s'évanouir avec la conquête sur les autres rivaux et ne peut
être ranimé que par l'apparition de nouveaux rivaux qui
seront inconsciemment recherchés. Ou un partenaire peut
paraître désirable parce qu'il (ou elle) promettrait la réalisation de tous nos efforts secrets dans le but d'être considéré,
que ce soit sur le plan économique, social ou intellectuel. Ou
dans un cas différent, des désirs infantiles encore puissants
peuvent déterminer le choix. Je pense ici à un jeune homme
très doué et heureux qui nourrissait un profond désir d'une
mère — ayant perdu la sienne à l'âge de quatre ans. Il épousa
une veuve d'un certain âge, grassouillette et maternelle qui
avait deux enfants et dont l'intelligence et la personnalité
étaient inférieures à la sienne. Ou bien prenez le cas d'une
femme qui à l'âge de dix-sept ans a épousé un homme de
trente ans son aîné qui, physiquement et psychologiquement,
ressemblait à son père bien-aimé. Cet homme la rendit tout
à fait heureuse pendant quelques années, malgré l'absence

complète des rapports sexuels, jusqu'à ce qu'elle perde ses désirs infantiles. Elle prit alors conscience d'être réellement seule, liée à un homme qui ne signifiait pas grand-chose pour elle malgré ses qualités très aimables. Dans de tels cas (et ils sont nombreux), trop de choses restent en nous vides et irréalisées. Une réalisation initiale est suivie d'une déception ultérieure. La déception n'est pas encore l'équivalent de l'antipathie mais elle en constitue une source, à moins que nous n'ayons le don très rare d'acceptation et que nous ne sentions pas qu'une relation établie sur une base aussi restreinte peut barrer la route à d'autres possibilités de trouver le bonheur. Sans nous préoccuper du degré de notre civilisation et de contrôle de notre vie instinctuelle, c'est en étant en harmonie avec la nature humaine qu'au fond de nous-mêmes nous sentirons une rage toujours grandissante dirigée contre tout homme ou toute puissance qui menace d'entraver l'accomplissement d'efforts d'importance vitale. Cette rage peut et doit s'insinuer sans que nous en ayons conscience et pourtant elle sera très active, même si nous fermons notre esprit sur ses conséquences. Notre partenaire sentira que notre attitude envers lui devient plus critique, moins patiente ou plus négligente.

Je voudrais y ajouter un autre groupe, dans lequel le danger n'est pas dû tant à la rigueur croissante de nos désirs d'amour qu'au conflit provoqué par des espoirs contradictoires. Nous nous croyons généralement plus unifiés dans nos désirs que nous ne le sommes réellement parce que nous sentons instinctivement — et non sans raison — que les contradictions en nous constituent une menace pour notre personnalité ou notre vie. Ces contradictions sont plus apparentes chez ceux dont l'équilibre émotionnel est perturbé, mais il semble qu'il soit à côté de la question de tirer une ligne de démarcation très nette. C'est dans la nature des choses que de telles contradictions intérieures apparaissent le plus facilement et de façon coercitive dans le domaine sexuel. Dans d'autres domaines de la vie, tels que le travail et les relations humaines, la réalité extérieure nous contraint à une attitude plus uniforme et en même temps mieux adaptée. Même les êtres qui ont habituellement choisi la ligne droite et qui n'en dévient pas, sont plus facilement tentés de faire du sexe le terrain de jeux de leurs rêves contradictoires. Et il n'est que naturel que ces espoirs soient également apportés dans le mariage.

Je me souviens d'un cas qui représente le prototype d'autres cas semblables. C'est celui d'un homme doux, dépendant et en quelque sorte efféminé, qui épousa une femme qui lui était supérieure en vitalité et en taille et qui symbolisait le type maternel. C'était un mariage d'amour réel et sincère. Cependant, comme c'est fréquent, les désirs de l'homme étaient contradictoires. Il était attiré par une femme facile, aimant le flirt, exigeante et qui représentait tout ce que la première femme ne pouvait lui donner. Et ce fut ce dualisme de ses propres désirs qui ruina son mariage.

Nous pouvons également citer ici les cas de ces êtres qui, tout en étant étroitement attachés à leurs propres familles, choisissent des femmes tout à fait à l'opposé de leur propre milieu, tant en ce qui concerne la race que l'apparence, les intérêts et le niveau social. En même temps, cependant, ces êtres éprouvent de l'aversion pour ces différences et, sans en être conscients, recherchent bientôt un type plus familier.

Je pense aussi à des femmes ambitieuses pour elles-mêmes, qui veulent toujours être en tête et qui cependant n'osent pas réaliser ces rêves ambitieux et attendent de leurs maris qu'ils réalisent ces désirs à leur place. Le mari devrait être accompli, supérieur à tous les autres, célèbre et admiré. Il y a bien entendu des femmes qui seront satisfaites que leurs maris réalisent leurs espoirs. Il arrive cependant tout aussi souvent que l'épouse ne tolère pas que son partenaire réalise ses propres espérances, car sa propre soif de puissance ne tolère pas qu'elle soit éclipsée par son mari.

Il y a aussi des femmes qui choisissent un mari efféminé, délicat et faible. Elles sont motivées par leur propre attitude masculine, quoiqu'elles n'en soient pas souvent conscientes. Elles nourrissent cependant le désir d'un mâle brutal et fort qui les prendra de force. Par conséquent, elles retiendront contre le mari son inaptitude à vivre selon les deux jeux d'expectatives et le mépriseront pour sa faiblesse.

Par des chemins différents de tels conflits peuvent engendrer l'antipathie envers le conjoint. Nous pouvons retenir contre lui son inaptitude à nous donner ce qui nous est essentiel, tout en tenant ses dons véritables pour acquis et en les dépréciant pour les considérer comme étant de la médiocrité. Pendant tout ce temps, ce que nous ne pouvons obtenir devient un but fascinant, brillamment illuminé par la notion que c'était cela dont nous avions « réellement » un besoin intense depuis le début. Nous pouvons aussi retenir contre lui le fait qu'il n'a pas réalisé nos désirs parce que leur accomplissement même se révélait incompatible avec nos luttes intérieures contradictoires.

Un fait est demeuré tout le temps à l'arrière-plan, à savoir que le mariage est aussi une relation sexuelle entre deux individus de sexes opposés. Les sources de haine les plus profondes peuvent découler de ce fait, si la relation d'un sexe à l'autre est perturbée. Beaucoup de désagréments dans le mariage donnent l'apparence d'un conflit et sont ressentis comme tels — conflit axé sur ce partenaire seulement. Il est facile de se convaincre que rien de tel n'aurait pu nous arriver si nous avions choisi un autre partenaire. Nous sommes enclins à perdre de vue le fait que le facteur décisif pourrait être notre propre attitude intérieure à l'égard du sexe opposé et qu'elle pourrait s'exprimer de la même manière dans notre relation avec n'importe quel partenaire. En d'autres termes, de toutes les difficultés qui apparaissent souvent — ou même toujours — dans le mariage, la part du lion est introduite par nous-mêmes comme résultant de notre propre développement. La lutte entre les sexes ne fournit pas seulement un vaste arrière-plan pour des événements historiques millénaires, elle devient aussi la toile de fond pour la lutte à l'intérieur du mariage. La défiance secrète entre hommes et femmes que nous rencontrons si souvent sous une forme ou sous une autre ne naît pas couramment de mauvaises expériences récentes. Quoique nous préférions croire qu'elle dérive de tels événements, cette défiance a en fait son origine dans la première enfance. Les expériences plus tardives, telles qu'elles se produisent pendant la puberté ou à la fin de l'adolescence, sont généralement conditionnées par des attitudes acquises antérieurement, quoique nous ne soyons pas conscients de ces relations.

Laissez-moi ajouter quelques remarques pour une meilleure compréhension. C'est une des intuitions fondamentales et probablement indélébiles que nous devons à Freud, à savoir que l'amour et la passion n'apparaissent pas primitivement

à la puberté, mais que le petit enfant est déjà capable de
sentir, de vouloir et d'exiger passionnément. Du fait que son
esprit n'est pas encore inhibé, il est probablement capable
d'expérimenter ces sentiments avec une intensité tout à fait
différente que cela n'est possible pour nous autres les adultes.
Si nous admettons ce fait fondamental et admettons de plus
comme évident que nous sommes soumis, comme chaque
animal, à la grande loi de l'attraction hétérosexuelle, alors
le postulat controversé de Freud (à savoir que le complexe
d'Œdipe est une étape du développement que chaque enfant
doit traverser) ne nous semble ni singulier, ni étrange.

Au cours de ces expériences précoces d'amour, l'enfant doit
habituellement passer par des frustrations, des déceptions,
des refus et des sentiments de jalousie impuissante. De même,
il aura fait l'expérience du mensonge, de la punition et de la
menace.

Des traces de ces expériences précoces d'amour resteront
toujours gravées et affecteront les relations ultérieures avec
le sexe opposé. Ces traces varient à l'infini pour chaque individu, mais de la diversité d'attitudes des deux sexes émerge
un canevas reconnaissable.

Chez l'homme nous trouvons fréquemment les résidus
suivants de ses rapports précoces avec sa mère : il y a tout
d'abord le recul devant la femme qui interdit. Du fait que
c'est à la mère qu'est généralement confié le soin de l'enfant,
c'est de la mère que nous recevons nos toutes premières expériences de chaleur, de soins et de tendresse, mais aussi nos
premières prohibitions. Il semble qu'il nous soit très difficile
de nous libérer de ces expériences précoces. Nous avons
l'impression que des traces en restent vivantes dans presque
chaque homme ; en particulier quand nous voyons combien
les hommes se sentent à l'aise quand ils sont entre eux, que
ce soit sur la base des sports, des clubs, de la science ou même
de la guerre. Ils ressemblent à des écoliers heureux d'avoir
échappé à la surveillance. Il est naturel que cette attitude se
répète plus clairement dans leurs rapports avec leurs femmes
qui, plus que d'autres, sont destinées à prendre la place de la
mère.

Un autre trait trahit la relation de dépendance non résolue
envers la mère ; c'est l'idée de la sainteté de la femme, idée

qui a atteint son expression la plus exaltée dans le Culte de
la Vierge. Cette idée peut avoir certains beaux aspects dans
la vie quotidienne, mais le revers de la médaille est très dangereux. Car dans les cas extrêmes elle conduit à la conviction
que la femme décente, respectable est asexuée et qu'on l'humi-
lierait en ayant pour elle des désirs sexuels. Cette conception
implique de plus qu'on ne peut espérer avoir une expérience
amoureuse complète avec une telle femme, même si on l'aime
beaucoup et qu'on ne doive rechercher des satisfactions
sexuelles qu'avec un type de femme corrompue, une prostituée. Dans les cas très nets, cela signifie qu'on peut aimer
et apprécier sa femme mais qu'on ne peut la désirer et qu'on
sera plus ou moins inhibé envers elle. Certaines femmes peuvent être conscientes de cette attitude de l'homme sans y
objecter, en particulier si elles sont frigides ; cependant cette
attitude conduira inévitablement à une insatisfaction franche
ou voilée de part et d'autre.

Je voudrais mentionner dans ce contexte un troisième trait
qui me semble caractéristique de l'attitude de l'homme envers
la femme. C'est la phobie qu'a l'homme de ne pouvoir satisfaire la femme. C'est la phobie de ses exigences en général et
de ses exigences sexuelles en particulier. Dans une certaine
mesure, c'est une phobie enracinée dans les faits biologiques,
au point que l'homme doit s'affirmer encore et toujours face
à la femme, alors que la femme est capable d'avoir des rapports sexuels et d'accoucher même si elle est frigide. D'un
point de vue ontologique, même cette sorte de phobie a son
origine dans l'enfance, quand le petit garçon se sentait un
homme mais avait la phobie que sa virilité ne soit ridiculisée
et par conséquent que sa confiance en lui-même ne soit blessée,
quand on se moquait de sa cour enfantine et qu'on la tournait
en dérision. Des traces de cette insécurité demeureront, plus
fréquemment que nous ne sommes portés à l'admettre, cachées
derrière une hyperaccentuation de la virilité comme valeur
en soi ; cependant, ces insécurités se trahissent par une
confiance en soi toujours fluctuante chez l'homme dans ses
rapports avec la femme. Le mariage peut faire ressortir une
hypersensibilité persistante concernant toute frustration
venant de l'épouse. Si elle n'est pas à son entière disposition,
si le meilleur n'est pas assez bon pour lui, s'il ne la satisfait

pas sexuellement, tout cela doit apparaître au mari fondamentalement incertain, comme une insulte à sa confiance virile en lui-même. A son tour, cette réaction éveillera instinctivement en lui le désir d'humilier sa femme, en sapant sa confiance en elle-même.

Ces exemples ont été choisis pour montrer quelques tendances typiques de l'homme. Ils suffisent à montrer que certaines attitudes envers le sexe opposé ont pu être acquises dans l'enfance et qu'elles devront nécessairement s'exprimer dans des relations ultérieures, en particulier dans le mariage et qu'elles sont relativement indépendantes de la personnalité du partenaire. Moins de telles attitudes auront été surmontées au cours de son développement, plus le mari se sentira mal à l'aise dans ses rapports avec sa femme. La présence de tels sentiments sera souvent inconsciente et leurs origines seront toujours inconscientes. La réaction à ces sentiments peut beaucoup varier. Elle peut conduire à des tensions et des conflits à l'intérieur du mariage, allant de la rancune cachée à la haine franche, ou elle peut induire le mari à rechercher et à trouver un soulagement à la tension dans le travail ou dans la société d'hommes ou de femmes dont il ne craint pas les exigences et dans la présence desquels il ne se sent pas chargé de toutes sortes d'obligations. Encore une fois nous voyons que le lien conjugal se révèle toujours le plus fort, pour le meilleur et pour le pire. Cependant, la relation avec une autre femme est fréquemment la plus détendante, la plus satisfaisante et la plus heureuse.

Des difficultés que la femme apporte dans le mariage — don, d'une valeur douteuse, de ses années de formation — je ne citerai qu'une seule : la frigidité. On peut débattre de sa valeur intrinsèque, importante ou non, mais c'est une indication de perturbation dans les rapports avec l'homme. Sans tenir compte des variations du contenu individuel, c'est toujours l'expression du refus de l'homme, que ce soit de l'individu ou du sexe en général. Les statistiques concernant la fréquence de la frigidité diffèrent grandement entre elles et me semblent fondamentalement sujettes à caution, d'une part parce que la qualité d'une sensation ne peut être statistiquement exprimée et d'autre part parce qu'il est difficile d'évaluer combien de femmes se leurrent elles-mêmes d'une

façon ou d'une autre quant à leur capacité de jouissanc
sexuelle. D'après ma propre expérience, je suis prête à affir
mer que de faibles degrés de frigidité sont plus fréquents qu
nous ne pouvons nous y attendre d'après l'affirmation direct
des femmes.

Quand j'ai affirmé que la frigidité est toujours une expres
sion du refus de l'homme, je ne parlais pas de l'apparenc
manifeste de l'hostilité envers l'homme. De telles femme
peuvent être très féminines dans leur allure, leur habillemen
et leur comportement. Elles peuvent donner l'impression qu
leur vie tout entière est « en harmonie avec l'amour seul » (¹)
Ce que je veux dire est quelque chose de beaucoup plus pro
fond — une incapacité à aimer vraiment, une incapacité
se soumettre à l'homme. Ces femmes iront plutôt leur propr
chemin, ou éloigneront l'homme par leur jalousie, leurs exi
gences, l'ennui ou les querelles.

Comment naît une telle attitude ? Nous serions tout d'abor
portés à tout mettre sur le compte des défauts de nos méthode
passées et présentes d'éducation des filles, avec la pressio
des interdits sexuels, la séparation d'avec les hommes, qu
empêche de les voir sous un jour normal. Ils apparaissent don
comme des héros ou des monstres. Cependant, l'évidence auss
bien que la réflexion montrent que cette conception est tro
superficielle. C'est un fait que la plus grande rigueur dan
l'éducation des filles n'est pas parallèle à l'accroissement d
la frigidité. Nous voyons que là où les caractéristiques fonda
mentales sont en jeu, la nature humaine n'a jamais été essen
tiellement modifiée par l'interdit ou la contrainte.

Il n'y a-peut-être qu'un seul facteur qui, en dernière analyse
soit suffisamment fort pour nous faire fuir devant la satis
faction des besoins vitaux : l'angoisse. Si nous voulons com
prendre son origine et son développement, autant qu'il es
possible de la saisir génétiquement, nous devons regarder d
plus près le destin typique des pulsions instinctuelles che
l'enfant de sexe féminin. Nous pouvons y trouver des facteur
différents qui font apparaître à la petite fille le rôle fémini
comme dangereux et le lui font détester. Les phobies typique

(¹) Citation de la fameuse chanson de Marlène **Dietrich**, « Lov
Alone ».

de la première enfance, avec leur symbolisme transparent, permettent aisément de trouver leur sens caché. Que pourrait signifier d'autre la phobie des voleurs, des serpents, des animaux sauvages et des orages, sinon la phobie féminine de forces écrasantes pouvant vaincre, pénétrer et détruire ? Il y a des phobies supplémentaires en relation avec la prémonition instinctive et précoce de la maternité. La petite fille est à la fois effrayée d'expérimenter dans l'avenir cet événement mystérieux et redoutable et effrayée à la pensée que peut-être elle n'aura jamais l'occasion de l'expérimenter.

La petite fille échappe à ces sentiments d'une manière typique, par la fuite dans un rôle masculin désiré ou fantasmé. Des aspects plus ou moins distincts peuvent être aisément observés chez les enfants de quatre à dix ans. Avant et pendant la puberté, le comportement bruyant de garçon manqué disparaît pour faire place à une attitude féminine. Cependant, des résidus contraignants et perturbateurs peuvent continuer à persister sous la surface et à agir de plusieurs façons : en tant qu'ambition, pulsion de puissance, ressentiment à l'égard de l'homme, qui est considéré comme ayant toujours un avantage comparé à la femme, attitude combative envers l'homme, peut-être sous des formes alternées de manipulations sexuelles — et finalement inhibition ou blocage complet lors de l'expérimentation de l'acte sexuel.

Un point s'éclaircira si nous comprenons le développement historique et grossièrement esquissé de la frigidité. Si nous considérons le mariage comme un tout, nous voyons que l'arrière-plan d'où naît la frigidité et la façon dont elle s'exprime dans l'attitude tout entière envers le mari, sont plus importants que le symptôme lui-même qui, en tant que plaisir manqué seulement, n'est peut-être pas aussi important.

La maternité est l'une des fonctions féminines qui tendent à être perturbées par un développement aussi défavorable. Je préférerais ne pas discuter ici des nombreuses manières dont de telles perturbations physiques et émotionnelles peuvent s'exprimer, mais me limiter à une seule question. Est-il vraisemblable qu'un mariage fondamentalement bon puisse souffrir de la naissance d'un enfant. On peut entendre fréquemment poser cette question sous une forme apodictique : les enfants ciment-ils ou sapent-ils un mariage ? Il est ce-

pendant vain de poser la question sous une forme aussi générale car la réponse dépendra de la structure interne du
mariage individuel. Par conséquent, ma question devra être
posée sous une forme plus spécifique. De bonnes relations
entre partenaires mariés peuvent-elles être lésées par la naissance d'un enfant ?

Quoiqu'une telle conséquence paraisse biologiquement
paradoxale, elle peut en effet se présenter dans certaines conditions psychologiques. Il peut arriver par exemple qu'un
homme inconsciemment attaché de façon contraignante à
sa mère en vienne à considérer sa femme comme une représentation de la mère, une fois qu'elle est réellement devenue
mère elle-même, de telle sorte qu'il lui deviendra impossible
de l'approcher sexuellement. Un tel changement d'attitude
peut se défendre par une rationalisation considérant que
l'épouse a perdu sa beauté du fait de la grossesse, de l'accouchement et de l'allaitement. C'est par des rationalisations de
cette sorte que nous tentons habituellement d'en venir aux
prises avec ces émotions ou ces inhibitions qui remontent des
profondeurs incompréhensibles de l'être.

Le cas correspondant chez une femme présuppose que, par
une certaine distorsion dans son développement, toutes ses
aspirations fémines se sont concentrées sur l'enfant. En conséquence, elle n'aime chez l'adulte que l'enfant, l'enfant qu'il
représente pour elle et l'enfant qu'il est supposé lui donner.
Si une telle femme a réellement un enfant, le mari lui deviendra inutile et même gênant par ses exigences.

Ainsi, dans certaines conditions psychologiques, l'enfant
peut aussi devenir une source d'éloignement ou d'antipathie.

J'aimerais conclure ici, en tout cas pour le moment,
quoique je n'aie même pas effleuré d'autres possibilités importantes de conflits, telles que celles naissant d'une homosexualité latente. Une plus grande compréhension n'ajouterait en
principe rien au point de vue résultant des analyses psychologiques discutées ci-dessus.

En conséquence, mon point de départ est le suivant : si
l'étincelle s'éteint dans le mariage, ou si un tiers s'introduit,
les processus mêmes que nous tenons pour responsables de la
rupture du mariage sont déjà une conséquence d'une certaine évolution. C'est l'aboutissement d'un processus qui

demeure habituellement caché de nous, mais qui progressivement deviendra la haine du partenaire. Les origines de cette haine ont beaucoup moins de rapports avec les qualités gênantes du partenaire que nous ne le croyons et beaucoup plus avec les conflits non résolus, issus de notre propre développement et que nous apportons dans le mariage.

Les problèmes du mariage ne peuvent donc être résolus par des admonestations concernant le devoir et la renonciation, ni par la recommandation d'une liberté totale des instincts. Les premières n'ont plus de sens aujourd'hui et de toute évidence la dernière ne sert pas notre lutte pour le bonheur (en dehors du danger que nos plus grandes valeurs ne se perdent). Positivement, la question devrait être posée ainsi : à quels facteurs conduisant à l'antipathie pour le partenaire pouvons-nous échapper ? Quels sont ceux qui peuvent être surmontés ? Des dissonances excessivement explosives dans le développement peuvent être évitées, au moins en intensité. On peut dire à juste titre que les chances d'un mariage dépendent du degré d'équilibre émotionnel acquis par les partenaires avant le mariage. Un grand nombre de difficultés paraissent inévitables. Il est de la nature humaine de s'attendre à ce que l'accomplissement nous soit présenté comme un don, au lieu d'avoir à travailler pour l'obtenir. Une relation intrinsèquement bonne (c'est-à-dire libre d'angoisse) entre les sexes peut demeurer un idéal hors d'atteinte. Nous devons aussi apprendre à accepter les espoirs contradictoires à l'intérieur de nous-mêmes comme appartenant en partie à notre nature, en reconnaissant l'impossibilité de les réaliser tous à l'intérieur du mariage. Nos attitudes à l'égard de la renonciation varieront selon le moment où le balancier de l'histoire nous frappera. Les générations précédant la nôtre exigeaient une trop grande renonciation aux instincts. D'autre part, nous avons tendance à la craindre exagérément. Le but le plus désirable du mariage, aussi bien que de toute autre relation, semble être de trouver un optimum entre ce qui précède et la concession, entre la restriction et la liberté des pulsions. Cependant, la renonciation essentielle qui menace vraiment le mariage n'est pas celle qui nous est imposée par les insuffisances réelles du partenaire. Nous pouvons, après tout, lui pardonner de ne pas être capable de nous donner plus que les limites de sa nature ne lui permettent ; nous pourrions aussi renoncer à nos autres revendications qui, exprimées ou sous-entendues, empoisonnent trop facilement l'atmosphère. Nous devrions renoncer aux revendications des différentes façons de rechercher et satisfaire nos autres pulsions, et non seulement les pulsions sexuelles que le partenaire laisse sans réponse et insatisfaites. En d'autres termes, nous devons reconsidérer le schéma absolu de la monogamie en réexaminant avec un esprit ouvert son origine, ses valeurs et ses dangers.

VIII

LA PHOBIE DE LA FEMME ([1])

Remarques sur la différence spécifique dans la phobie ressentie respectivement par l'homme et par la femme pour le sexe opposé

Dans sa ballade intitulée *Le Plongeur*, Schiller nous dit comment un seigneur saute dans un dangereux tourbillon pour conquérir une femme — en premier lieu symbolisée par un gobelet. Frappé d'horreur, il décrit les périls de l'abysse dans laquelle il est condamné à être englouti :

Mais enfin la force sauvage se calme
Et noire dans l'écume blanche
Une faille béante s'ouvre dans les profondeurs
Sans fond comme les espaces de l'enfer
Où l'on voit les vagues déferlantes
Attirées, impétueuses, dans l'entonnoir bouillonnant.

Maintenant, vite avant que revienne le déferlement
Le jeune homme se recommande à Dieu
Et un cri d'horreur jaillit tout autour
Et déjà le tourbillon l'a emporté.
Et impétueusement sur le nageur courageux
La gueule se ferme ; il ne remonte plus.

Et le silence s'étend sur le gouffre des eaux.
Seul dans les profondeurs un grondement creux

([1]) « Die Angst vor der Frau. Über einen spezifischen Unterschied in der männlichen und weiblichen Angst vor dem anderen Geschlecht », *Intern. Zeitschr. f. Psychoanal.*, XIII (1932), pp. 348-60. Réimprimé avec l'autorisation de *The International Journal of Psycho-Analysis*.

Et tremblant, on entend de bouche à bouche :
« Jeune homme au grand cœur que Dieu te garde! »
Et on entend les hurlements de plus en plus creux
Et on reste encore dans une attente craintive et terrible.

La même idée est exprimée, plus plaisamment, dans le
Chant du Garçon-pêcheur de *Guillaume Tell* :

Le lac sourit, il invite à la baignade,
Le garçon s'endormit sur ses vertes rives.
Lors il entendit une sonnerie
Douce comme les flûtes,
Comme les voix des anges au paradis.
Et quand dans une joie bienheureuse il s'éveille
Les eaux clapotent autour de sa poitrine ;
Et des profondeurs monte l'appel :
Cher garçon tu es à moi, je séduis le dormeur
Et je l'attire.

Les hommes ne se sont jamais lassés de façonner des expressions pour exprimer la force contraignante qui attire l'homme
vers la femme et, parallèlement à son envie, la phobie que par
elle il puisse mourir ou se perdre. Je citerai en particulier
l'expression mouvante de cette phobie dans le poème de Heine
sur la légende de la Lorelei qui, assise haut sur la rive du Rhin,
prend le batelier au piège de sa beauté.

Ici, c'est encore l'eau (représentant comme les autres
« éléments » l'élément essentiel « femme ») qui aspire l'homme
qui succombe au charme de la femme. Ulysse devait ordonner
à ses marins de l'attacher au mât pour échapper à la séduction
et au danger des sirènes. L'énigme du Sphinx ne peut être
résolue que par un petit nombre et la plupart de ceux qui
tentent de la résoudre perdent la vie. Le palais royal des
contes de fées est orné des têtes des prétendants qui ont eu
l'audace d'essayer de résoudre les énigmes posées par la très
belle fille du roi. La déesse Kali [1] danse sur les corps d'hommes
assassinés. Samson, qu'aucun homme ne pouvait vaincre, est
dépouillé de sa force par Dalila. Judith décapite Holopherne
après s'être donnée à lui. Salomé porte la tête de saint Jean-
Baptiste. Les sorcières sont brûlées parce que les prêtres

[1] Voir le compte rendu de Daly dans son article « Hindumytho-
logie und Kastrationskomplex », *Imago*, Bd. XIII (1927).

craignent en elles le travail du démon. « Earth Spirit » (l'Esprit de la Terre) de Wadehind détruit chaque homme qui succombe à son charme non parce qu'elle est particulièrement néfaste, mais simplement parce qu'il est de sa nature de le faire. De tels exemples existent à l'infini ; toujours et partout, l'homme lutte pour se débarrasser de sa phobie des femmes en y objectant. « Ce n'est pas que je la craigne », dit-il, « c'est qu'elle est elle-même méchante, capable de tous les crimes, une bête de proie, un vampire, une sorcière, insatiable dans ses désirs. Elle est la personnification même de ce qui est menaçant. » N'est-ce pas là une des racines principales de la pulsion virile à la création — du conflit éternel entre le désir intense de l'homme pour la femme et sa phobie (¹). Pour des sensibilités primitives, la femme devient doublement menaçante par les manifestation sanglantes de sa féminité. Tout contact avec elle pendant la menstruation est fatal (²) ; les hommes perdent leurs forces, les pâturages se fanent, les pêcheurs et les chasseurs ne prennent rien. La défloration implique le plus grand danger pour l'homme. Ainsi que le montre Freud dans « Le Tabou de la Virginité » (³), c'est particulièrement le mari qui éprouve la phobie de cet acte. Dans cet ouvrage, Freud objective également cette angoisse, se contentant d'une référence aux pulsions de castration qui apparaissent réellement chez les femmes. Il y a deux raisons pour lesquelles cela n'est pas une explication adéquate du phénomène du tabou lui-même. En premier lieu, les femmes ne réagissent pas universellement à la défloration par des pulsions de castration reconnues comme telles ; ces pulsions sont probablement le fait de femmes ayant une attitude masculine très développée. Et deuxièmement, même si la défloration fait naître invariablement des pulsions destructives chez

(¹) Sachs explique la pulsion à la création artistique comme la quête de compagnons de culpabilité. En cela je crois qu'il a raison, mais il ne me paraît pas approfondir suffisamment la question, du fait que son explication est partiale et ne prend en considération qu'une partie de la personnalité totale, à savoir le surmoi. (Sachs, « Gemeinsame Tagträume », *Internationaler Psychoanalytischer Verlag*.)

(²) Daly, « Der Menstruationskomplex », *Imago*, Bd. XIV (1928) ; et Winterstein, « Die Pubertätsriten des Mädchen und ihre Spuren in Märchen », *Imago*, Bd. XIV, 1928.

(³) Freud, « The Taboo of Virginity » (1918), *Collected Papers*, Vol. IV.

la femme, nous devons encore laisser à nu (comme nous devrions le faire dans chaque analyse) les pulsions pressantes chez l'homme lui-même, qui lui font considérer la première pénétration — de force — du vagin comme une entreprise périlleuse ; si périlleuse, en effet, qu'elle ne peut être accomplie impunément que par un homme puissant ou par un étranger qui choisit de risquer sa vie ou sa virilité en échange.

N'est-il pas remarquable (nous demandons-nous avec étonnement), quand on considère la masse énorme de ce matériel transparent, que l'on accorde si peu de considération et d'attention à la phobie secrète que la femme inspire à l'homme. Il est encore plus remarquable peut-être que les femmes elles-mêmes aient été capables si longtemps de la négliger ; je discuterai ailleurs et en détail des raisons de cette attitude dans ce contexte (c'est-à-dire leur propre angoisse et l'altération de leur dignité personnelle). De son côté, l'homme a d'abord des raisons stratégiques pour garder sa phobie secrète. Mais il tente aussi par tous les moyens de la nier, même à lui-même. C'est la raison des efforts auxquels nous avons fait allusion pour « l'objectiver » dans la création artistique ou scientifique. Nous pouvons supposer que même sa glorification de la femme a son origine non seulement dans sa soif d'amour, mais aussi dans son désir de cacher sa phobie. Cependant, un soulagement semblable est aussi recherché et trouvé dans la dépréciation des femmes, que les hommes montrent ostensiblement par leur attitude. L'attitude d'amour et d'adoration signifie : « Il n'y a aucune raison pour moi de craindre un être tellement extraordinaire, tellement beau, que dis-je, tellement saint. » L'attitude de dépréciation implique : « Il serait trop ridicule de craindre une créature qui, si nous la regardons sous toutes ses faces, est une pauvre chose (¹). » Cette dernière façon d'apaiser son angoisse a pour l'homme un avantage particulier : elle aide à étayer sa dignité

(¹) Je me souviens combien j'ai été moi-même surprise la première fois que j'ai entendu cette idée affirmée par un homme, sous la forme d'une proposition universelle. L'orateur était Groddeck qui, de toute évidence, sentait qu'il affirmait une chose qui allait de soi, lorsqu'il remarquait dans la conversation : « Bien sûr, les hommes ont peur des femmes » Groddeck a, dans ses œuvres, maintes fois insisté sur cette terreur.

virile. Cette dernière semble se sentir bien plus menacée dans
son essence même par l'acceptation d'une phobie des femmes
que par l'acceptation de la phobie d'un homme (le père). La
raison pour laquelle l'estime que les hommes ont d'eux-mêmes
est si particulièrement sensible précisément par rapport aux
femmes, ne peut être comprise qu'en se rapportant à leur
développement précoce (question à laquelle je reviendrai
plus tard).

Cette phobie des femmes est clairement révélée dans l'analyse. L'homosexualité mâle a pour base (en commun d'ailleurs avec toutes les autres perversions) le désir d'échapper aux
organes génitaux féminins ou le refus de leur existence même.
Freud a montré que c'est un trait fondamental particulier
au fétichisme (¹) ; il pense cependant qu'il est fondé non sur
l'angoisse, mais sur un sentiment d'aversion dû à l'absence
de pénis chez la femme. Même d'après son exposé je crois
cependant que nous sommes absolument forcés de conclure
qu'il y a aussi une angoisse agissante. Ce que nous voyons
réellement, c'est la phobie du vagin, à peine masquée par
l'aversion. Seule *l'angoisse* est un motif suffisamment fort
pour empêcher l'homme d'atteindre son but quand la libido
le pousse assurément à s'unir à la femme. Mais l'exposé de
Freud ne parvient pas à expliquer cette angoisse. L'angoisse
de castration du garçon liée à son père n'est pas une raison
adéquate pour expliquer la phobie d'un être auquel cette
punition a déjà été infligée. En dehors de la phobie du père,
il doit y avoir une autre phobie dont l'objet est la femme ou
les organes génitaux de la femme. Or cette phobie du vagin
elle-même apparaît sans équivoque non seulement chez les
homosexuels et les pervers, mais aussi dans les rêves d'hommes
en cours d'analyse. Tous les analystes sont familiarisés avec
des rêves de cette sorte et je n'ai pas besoin d'en donner plus
qu'un simple aperçu : par exemple, une automobile roule à
toute vitesse et soudain tombe dans un ravin et se fracasse ;
un bateau navigue le long d'un étroit chenal et soudain est
aspiré par un tourbillon ; il y a une cave avec des plantes et
des animaux surnaturels tachés de sang ; un homme escalade
une cheminée et risque de tomber et de se tuer.

(¹) Freud, « Fetichism », *Int. J. Psycho-Anal.*, Vol. IX (1928).

Le Dr Baumeyer, de Dresde [1], m'autorise à citer une série
d'expériences nées de l'observation fortuite et qui illustrent
la phobie du vagin. Le médecin jouait à la balle avec des
enfants d'un centre thérapeutique et au bout d'un certain
temps leur montra que la balle portait une fente. Le médecin
écarta les bords de la fente et elle y mit le doigt de telle sorte
qu'il était fortement retenu par la balle. Sur les 28 garçons
auxquels elle demanda de faire la même chose, 6 seulement
le firent sans peur et 8 ne pouvaient être convaincus de le
faire. Sur les 19 filles, 9 y mirent le doigt sans peur aucune ;
les autres montrèrent une certaine gêne mais aucune d'elles
ne montra d'angoisse.

Nul doute que la phobie du vagin se cache souvent derrière
la phobie du père, également présente ; ou dans le langage de
l'inconscient, derrière la phobie du pénis dans le vagin de la
femme [2].

Il y a deux raisons à cela. En premier lieu, comme je l'ai
déjà dit, la dignité de la personne masculine souffre moins de
cette façon et, deuxièmement, la phobie du père est plus
tangible, moins inquiétante en qualité. Nous pouvons faire la
comparaison avec la différence entre la phobie d'un ennemi
réel et la phobie d'un fantôme. La prédominance accordée à
l'angoisse en rapport avec le père castrateur est donc tendancieuse, ainsi que l'a montré Groddeck, par exemple, dans son
analyse d'un suceur de pouce dans *Struwwelpeter* ; c'est un
homme qui coupe le pouce, mais c'est la mère qui profère la
menace et l'instrument qui la met à exécution est une paire
de ciseaux — un symbole féminin.

D'après tout ce qui précède, je crois qu'il est probable que
la phobie masculine de la femme (la mère) ou des organes
génitaux féminins gît plus profondément, pèse plus lourd
et est en général plus énergiquement refoulée que la phobie de
l'homme (le père), et que la tentative pour trouver le pénis

---

[1] Les expériences étaient dirigés par Frl. Dr Hartung dans une
clinique pour enfants de Dresde.

[2] Boehm, « Beiträge zur Psychologie der Homosexualität », *In-
tern. Zeitschr. f. Psychoanal.*, XI (1928) ; Mélanie Klein, « Early Stages
of the Oedipus Conflict », *Int. J. Psycho-Anal*, vol. IX (1928) ; « The
Importance of Symbol-Formation in the Ego », *Int. J. Psycho-Anal.*,
Vol. XI (1930) ; « Infantile Anxiety-Situations reflected in a Work of
Art in the Creative Impulse », *Int. J. Psycho-Anal.*, Vol. X (1929), p. 436.

chez la femme représente d'abord et avant tout une tentative pour nier l'existence des sinistres organes génitaux
féminins.

Y a-t-il une explication ontogénétique à cette angoisse ? Ou
n'est-ce pas plutôt (chez les êtres humains) une partie intégrante de l'existence et du comportement masculins ? Peut-on
l'expliquer par l'état de léthargie — ou même de mort — qui
survient fréquemment chez les animaux mâles après l'accouplement ([1]) ? Est-ce que la vie et la mort ne seraient pas plus
étroitement liées chez le mâle que chez la femelle, chez qui
l'union sexuelle produit potentiellement une vie nouvelle ?
Est-ce que l'homme ressent, parallèlement à son désir de
conquête, une avidité secrète d'extinction dans l'acte d'union
avec la femme (la mère) ?

Est-ce peut-être cette avidité qui est à la base de l'« instinct
de mort » ? Est-ce à son désir de vivre que réagit cette angoisse ?

Quand nous nous efforçons de comprendre cette angoisse
en termes psychologiques et ontogénétiques, nous sommes
plutôt désemparés si nous nous en tenons à la notion de Freud
selon laquelle ce qui distingue la sexualité infantile de la
sexualité adulte, c'est précisément que le vagin reste « ignoré »
de l'enfant. D'après cette notion, nous ne pouvons proprement
parler de primauté génitale ; nous devons plutôt parler de
primauté du phallus. Il vaudrait donc mieux décrire la période
d'organisation génitale infantile comme la « phase phallique » ([2]). Les nombreuses remarques faites chez des garçons
à cette période de la vie ne laissent aucun doute quant à
l'exactitude des observations sur lesquelles Freud a fondé sa
théorie. Mais si nous regardons de plus près les caractéristiques
essentielles de cette phase, nous ne pouvons nous empêcher
de nous demander si sa description résume vraiment la génitalité infantile comme telle, dans sa manifestation spécifique,
ou s'applique seulement à une phase relativement plus tardive. Freud affirme qu'il est caractéristique que l'intérêt du
garçon soit axé narcissiquement sur son propre pénis : « La
force pulsionnelle que cette partie virile de son propre corps

([1]) Bergmann, *Muttergeist und Erkenntnisgeist.*
([2]) Freud, « The Infantile Genital Organization of the Libido »
(1923), in *Collected Papers*, Vol. II.

engendrera plus tard à la puberté, s'exprime dans l'enfance essentiellement comme une pulsion à s'enquérir des choses sous la forme d'une curiosité sexuelle ». Les questions posées sur l'existence et la taille du phallus chez les autres êtres humains jouent un rôle très important.

Mais il est certain que l'essence des pulsions phalliques authentiques débutant par des sensations de l'organe, est le désir de *pénétrer*. Que ces pulsions existent, on ne peut guère en douter ; elles se manifestent trop clairement dans les jeux enfantins et dans l'analyse de jeunes enfants. A nouveau il serait difficile de dire en quoi consistent réellement les désirs sexuels du garçon en rapport avec sa mère, si ce n'est dans ces pulsions mêmes ; ou pourquoi l'objet de son angoisse de masturbation serait son père en tant que castrateur, si ce n'était que la masturbation est l'expression autoérotique de ses pulsions phalliques hétérosexuelles.

A la phase phallique, l'orientation psychique du garçon est de prédominance narcissique ; donc, la période dans laquelle ses pulsions génitales sont dirigées vers un objet doit être antérieure. Il faut certainement considérer la possibilité qu'elles ne soient pas dirigées vers les organes génitaux féminins dont il devine instinctivement l'existence. Dans les rêves à la fois antérieurs et ultérieurs, de même que dans les symptômes et dans des modes particuliers du comportement, nous trouvons, il est vrai, des représentations de coït qui sont orales, anales ou sadiques, sans localisation spécifique. Mais nous ne pouvons considérer cela comme une preuve de la primauté de pulsions correspondantes, car nous ne savons pas si ces phénomènes expriment un déplacement du but génital approprié, et jusqu'à quel point ils l'expriment. Au fond, cela se résume à montrer qu'un individu donné est influencé par des tendances orales, anales ou sadiques. Leur valeur probante est moindre parce que ces représentations sont toujours associées à certains affects dirigés contre les femmes, de telle sorte que nous ne pouvons dire si elles peuvent être essentiellement le produit ou l'expression de ces affects. Par exemple, la tendance à avilir les femmes peut s'exprimer dans des représentations anales des organes génitaux féminins, tandis que des représentations orales peuvent exprimer l'angoisse.

Mais en dehors de tout cela, il y a plusieurs raisons au fait qu'il me semble improbable que l'existence d'une ouverture féminine spécifique doive demeurer « ignorée ». D'une part, le garçon, bien entendu, conclura automatiquement que tout le monde est fait à son image ; mais d'autre part, ses pulsions phalliques lui ordonnent instinctivement de rechercher l'ouverture appropriée dans le corps féminin — ouverture qui par ailleurs lui manque car un sexe recherche toujours ce qui lui est complémentaire ou d'une nature différente de la sienne. Si nous acceptons l'affirmation de Freud selon laquelle les théories sexuelles formées par les enfants sont modelées par leur propre constitution sexuelle, cela doit signifier dans le présent contexte que le garçon, poussé par ses propres pulsions de pénétration, fantasme un organe féminin complémentaire. Et c'est précisément ce que nous devons déduire de tout le matériel que j'ai cité au début, en relation avec la terreur masculine des organes génitaux féminins.

Il n'est pas du tout probable que cette angoisse date seulement de la puberté. Au début de cette période, l'angoisse se manifeste très clairement si nous regardons derrière la façade restreinte de l'orgueil puéril qui la cache. La tâche du garçon à la puberté n'est manifestement pas seulement de se libérer de son attachement incestueux à sa mère, mais, d'une façon plus générale, de maîtriser sa phobie du sexe féminin tout entier. Sa réussite n'est généralement que progressive ; d'abord il tourne le dos à toutes les filles et ce n'est que lorsque sa virilité est tout à fait éveillée qu'elle le conduit au-delà du seuil de l'angoisse. Mais nous savons qu'en règle générale les conflits de la puberté ne font que raviver, *mutatis mutandis*, des conflits appartenant à la maturation précoce de la sexualité infantile et que les cours qu'ils suivent sont souvent essentiellement une copie fidèle d'une série d'expériences précoces. En outre, le caractère grotesque de l'angoisse tel que nous la rencontrons dans le symbolisme des rêves et les productions littéraires, indique sans équivoque une période de fantasmes infantiles précoces.

A la puberté un garçon normal a déjà acquis une connaissance consciente du vagin, mais ce qu'il craint chez la femme est une chose inquiétante, étrangère et mystérieuse. Si l'homme adulte continue à considérer la femme comme le grand mystère, l'être chez lequel il existe un secret qu'il ne peut deviner, ce sentiment ne peut se rapporter en fin de compte qu'à une chose : le mystère de la maternité. Tout le reste n'est que résidu de sa phobie.

Qu'elle est l'origine de cette angoisse ? Quelles sont ces caractéristiques ? Et quels sont les facteurs qui assombrissent les relations précoces du garçon avec sa mère ?

Dans un article sur la sexualité féminine (¹), Freud a mis en évidence le plus important de ces facteurs : c'est la mère qui d'abord interdit les activités instinctuelles, car c'est elle qui veille sur l'enfant dans sa prime enfance. Deuxièmement, l'enfant fait évidemment l'expérience de pulsions sadiques contre le corps de sa mère (²), vraisemblablement liées à la rage provoquée par ses interdits ; et d'après la loi du talion, cet emportement a laissé un résidu d'angoisse. Finalement — et c'est peut-être le point le plus important — le destin spécifique de ces pulsions génitales constitue lui-même un autre facteur semblable. La différence anatomique entre les sexes amène une situation totalement différente chez les filles et chez les garçons et, pour comprendre réellement et leur angoisse et la diversité de leur angoisse, nous devons prendre en considération avant tout la *situation réelle des enfants* à la phase de leur sexualité précoce. La nature biologiquement conditionnée de la fille lui donne le désir de recevoir, de prendre en elle-même (³) ; elle sent ou sait que ses organes génitaux sont trop petits pour le pénis de son père et cela la fait réagir à ses propres désirs génitaux par une angoisse immédiate ; elle a peur, si ses désirs étaient réalisés, qu'elle-même ou ses organes génitaux ne soient détruits (⁴).

Le garçon, d'autre part, sent ou juge instinctivement que son pénis est beaucoup trop petit pour les organes génitaux de sa mère et réagit par la phobie de sa propre insuffisance, d'être repoussé et tourné en dérision. Ainsi son angoisse est localisée dans un secteur différent de celui de la fille ; sa phobie

---

(¹) *Int. J. Psycho-Anal*, Vol. XI (1930), p. 281.
(²) Cf., de Mélanie Klein, l'ouvrage déjà cité, auquel on a accordé je crois trop peu d'attention.
(³) Cela ne doit pas être mis en équation avec la passivité.
(⁴) Je parlerai plus longuement de la situation de la fille dans un autre article.

primitive des femmes n'est pas du tout l'angoisse de castration, mais une réaction à la menace faite à sa dignité personnelle (¹).

Pour qu'il n'y ait aucun malentendu, laissez-moi insister sur le fait que je crois que ces processus se font purement instinctivement, sur la base de sensations de l'organe et des tensions de besoins organiques ; en d'autres termes, je maintiens que ces réactions se produiraient même si la fille n'avait jamais vu le pénis de son père ou le garçon les organes génitaux de sa mère et si aucun n'avait de connaissance intellectuelle de l'existence de ces organes génitaux.

En raison de cette réaction de la part du garçon, ce dernier est affecté autrement et plus gravement par la frustration venant de sa mère que la fille par son expérience avec son père. Un coup est porté dans les deux cas aux pulsions libidinales. Mais la fille, dans sa frustration, éprouve une certaine consolation — elle garde son intégrité physique. Tandis que le garçon est atteint à un deuxième point sensible — son sentiment d'insuffisance génitale qui a probablement, au début, accompagné ses désirs libidinaux. Si nous affirmons que la raison la plus générale au violent emportement est l'échec des pulsions qui sont à ce moment-là d'une importance vitale, il s'ensuit que la frustration du garçon par sa mère doit faire naître en lui une double fureur : d'abord le renvoi de sa libido sur lui-même et en second lieu la blessure infligée à sa dignité personnelle masculine. En même temps, un ancien ressentiment né de frustrations prégénitales est probablement rallumé. Le résultat en est que ses pulsions phalliques à pénétrer s'incorporent à sa colère de frustration et les pulsions se teintent de sadisme.

Permettez-moi d'insister sur un point qui est souvent insuffisamment mis en lumière dans la littérature psychanalytique — à savoir que nous n'avons aucune raison d'affirmer que ces pulsions phalliques sont naturellement sadiques et que par conséquent il est inadmissible, en l'absence de preuves spécifiques dans chaque cas, de mettre en équation « viril » avec « sadique » — et parallèlement « féminin » avec « maso-

(¹) Je me référerai ici aux points que j'ai soulevés dans mon article intitulé « Das Misstrauen zwischen der Geschlechtern », *Die Psychoanalytische Bewegung* (1930).

chique ». Si le mélange de pulsions destructives est réellement considérable, les organes génitaux de la mère doivent, d'après la loi du talion, devenir un objet d'angoisse immédiate. Ainsi, s'ils lui sont rendus détestables par leur association avec la dignité personnelle blessée, par un second processus (colère de frustration) ils deviendront un objet d'angoisse de castration. Probablement, tout cela se trouve renforcé quand le garçon observe des traces de menstruation.

Très souvent, cette dernière angoisse laisse à son tour une marque persistante dans l'attitude de l'homme à l'égard des femmes, comme nous l'avons appris par les exemples trouvés au hasard des différentes époques et parmi les différentes races. Mais je ne crois pas qu'elle se produise régulièrement chez tous les hommes à un degré considérable et elle n'est certainement pas une caractéristique *distincte* des relations de l'homme avec l'autre sexe. Une angoisse de cette sorte ressemble énormément, *mutatis mutandis*, à l'angoisse que nous rencontrons chez les femmes. Quand nous la trouvons en analyse avec une intensité notable, le sujet est invariablement un homme dont l'attitude tout entière à l'égard des femmes révèle une tendance névrotique marquée.

D'autre part, je crois que l'angoisse liée à sa dignité personnelle laisse des traces plus ou moins distinctes dans chaque homme et donne à son attitude générale à l'égard des femmes un ton particulier qui n'existe pas dans l'attitude des femmes à l'égard des hommes ; ou, si elle existe, elle est acquise secondairement. En d'autres termes, elle n'est pas partie intégrante de leur nature féminine.

Nous ne pouvons saisir la signification générale de cette attitude virile que si nous étudions plus étroitement le développement de l'angoisse infantile du garçon, ses efforts pour la surmonter et les voies par lesquelles elle se manifeste.

D'après mon expérience, la phobie d'être repoussé et tourné en dérision est un élément typique de l'analyse de chaque homme, quelle que soit sa mentalité ou la structure de sa névrose. La situation analytique et la constante réserve de la femme analyste font ressortir cette angoisse et cette sensibilité plus clairement qu'elles n'apparaissent dans la vie ordinaire, qui donne aux hommes de nombreuses occasions d'échapper à ces sentiments, soit en évitant des situations calculées pour les évoquer, soit par un processus de surcompensation. Le fondement spécifique de cette attitude est difficile à détecter car en analyse elle est généralement cachée par une orientation féminine pour une grande part inconsciente (¹).

A en juger par ma propre expérience, cette dernière orientation n'est pas moins commune, quoique moins voyante (pour des raisons que je donnerai), que l'attitude masculine chez les femmes. Je ne propose pas de discuter ici ses différentes origines ; je dirai seulement que je suppose que la blessure précoce infligée à sa dignité personnelle est probablement l'un des facteurs responsables du dégoût du garçon pour son rôle viril.

Sa réaction typique à la blessure puis à la phobie de sa mère est de toute évidence de retirer sa libido de sa mère et de la concentrer sur lui-même et sur ses organes génitaux. Du point de vue économique, ce processus est doublement avantageux ; il lui permet de fuir la situation affligeante ou chargée d'angoisse qui s'est établie entre lui et sa mère et il rétablit sa dignité personnelle virile en affermissant réactionnellement son narcissisme phallique. Les organes génitaux féminins n'existent plus pour lui ; le vagin « ignoré » est un vagin dénié. Ce stade de son développement est tout à fait identique à la phase phallique de Freud.

En conséquence, nous devons comprendre l'attitude d'investigation qui domine cette phase et la nature spécifique des investigations du garçon, comme l'expression d'un retrait de l'objet, suivie d'une angoisse teintée de narcissisme.

Sa première réaction est alors orientée vers un narcissisme phallique accru. Le résultat en est qu'au désir d'être une femme, que les plus jeunes garçons expriment sans embarras, il réagit maintenant en partie par une angoisse renouvelée de ne pas être pris au sérieux et en partie par l'angoisse de castration. Une fois que nous avons compris que l'angoisse de castration masculine était pour une bonne part la réponse du moi au *désir d'être une femme*, nous ne pouvons partager entièrement la conviction de Freud que la bisexualité se

(¹) Boehm, « The Feminity Complex in Men », *Int. J. Psycho-Anal.*, Vol. XI (1930).

manifeste plus clairement chez les femmes que chez les hommes ([1]). Nous devons laisser la question en suspens.

Un trait de la phase phallique sur lequel Freud a insisté montre avec une netteté particulière la blessure narcissique laissée par la relation du petit garçon avec sa mère : « Il se conduisait comme s'il avait une idée confuse que ce membre pouvait et devait être plus grand ([2]). » Nous devons simplifier cette observation en disant que ce comportement débute en effet à la phase phallique, mais ne cesse pas avec elle ; au contraire, il est naïvement étalé pendant toute l'adolescence et persiste plus tard en tant qu'angoisse profondément cachée quant à la taille du pénis du sujet ou à sa puissance, ou bien en tant qu'orgueil moins dissimulé à leur propos.

Une des exigences des différences biologiques entre les sexes est la suivante : l'homme est réellement obligé de continuer à prouver sa virilité à la femme. Il n'y a pas de nécessité analogue pour elle. Même si elle est frigide, elle peut avoir des rapports sexuels, concevoir et porter un enfant. Elle joue son rôle simplement en *étant*, sans aucune *action* — c'est là un fait qui a toujours rempli les hommes d'admiration et de ressentiment. L'homme, d'autre part, doit *agir* pour s'accomplir. L'idéal d' « efficience » est un idéal typiquement masculin.

C'est probablement la raison fondamentale pour laquelle, lorsque nous analysons des femmes qui ont la phobie de leurs tendances masculines, nous découvrons toujours qu'inconsciemment elles considèrent l'ambition et l'accomplissement comme des attributs de l'homme, en dépit d'un champ réel d'activité féminine plus étendu.

Dans la vie sexuelle elle-même nous voyons comment la simple soif d'amour qui pousse les hommes vers les femmes est souvent éclipsée par leur compulsion intérieure écrasante de prouver leur virilité encore et toujours à eux-mêmes et aux autres. Un homme de ce type, dans sa forme la plus extrême, n'a donc qu'un intérêt : conquérir. Il vise à avoir « possédé » de nombreuses femmes, les plus belles et les plus recherchées. Nous trouvons un remarquable mélange de cette surcompen-

---

[1] Freud, « Female Sexuality », *Inter. J. Psycho-Anal.*, Vol. XI (1930), p. 28.
[2] Freud, « The Infantile Genital Organization of the Libido », in *Collected Papers*, Vol. II.

sation narcissique et d'angoisse persistante chez ces hommes qui, alors qu'ils veulent faire des conquêtes, sont indignés contre la femme qui prend leurs intentions trop au sérieux, ou qui entretiennent une gratitude à vie envers elle si elle leur épargne de fournir de plus amples preuves de leur virilité.

Une autre façon d'éviter là sensibilité de la blessure narcissique est d'adopter l'attitude décrite par Freud comme la tendance à avilir l'objet d'amour [1]. Si un homme ne désire aucune femme qui lui soit égale ou supérieure, n'est-ce pas parce qu'il protège sa dignité personnelle menacée, conformément à ce principe? On ne peut craindre aucun refus d'une prostituée ou d'une femme facile et aucune exigence sexuelle, éthique ou intellectuelle. On peut se sentir avec elle supérieur [2].

Cela nous amène à une troisième voie, la plus importante et la plus inquiétante dans ses conséquences culturelles : celle qui revient à rabaisser la dignité personnelle de la femme. Je crois avoir montré que la dépréciation des femmes par les hommes est fondée sur une tendance psychique définie à les rabaisser — tendance enracinée dans les réactions psychiques de l'homme à certains faits biologiques donnés, résultant d'une attitude mentale largement répandue et obstinément maintenue. L'idée que les femmes sont des créatures infantiles et émotives et comme telles incapables de responsabilité et d'indépendance, est l'œuvre de la tendance masculine à rabaisser la dignité personnelle des femmes. Quand les hommes justifient une telle attitude en démontrant qu'un très grand nombre de femmes correspondent réellement à cette description, nous devons nous demander si ce type de femmes n'a pas été cultivé par un choix systématique de la part des hommes. Le point important n'est pas que d'Aristote à

---

[1] Freud, « Contributions to the Psychology of Love », in *Collected Papers*, Vol. IV.

[2] Cela ne diminue pas l'importance des autres facteurs qui poussent les hommes vers les prostituées, décrits par Freud dans « Contributions to the Psychology of Love », *Collected Papers*, vol. IV ; et par Boehm dans « Beiträge zur Psychologie der Homosexualität », *Intern. Zeitschr. f. Psychoanal.*, Bd. VI (1920) et Bd. VIII (1922).

Mœbius des cerveaux humains d'un calibre plus grand ou plus petit aient développé une quantité étonnante d'énergie ou de capacité intellectuelle à prouver la supériorité du principe masculin. Ce qui compte réellement, c'est le fait que la dignité personnelle toujours précaire de « l'homme moyen » lui fait encore et toujours choisir un type de femme infantile, non maternelle, hystérique et ce faisant exposer chaque nouvelle génération à l'influence de telles femmes.

IX

LA NÉGATION DU VAGIN [1]

Une contribution au problème des angoisses génitales spécifiques aux femmes

Les conclusions fondamentales auxquelles les investigations de Freud sur le caractère spécifique du développement féminin l'on conduit sont les suivantes : premièrement, chez la petite fille le développement précoce des instincts suit le même cours que chez le garçon à la fois quant aux zones érogènes (dans les deux sexes un seul organe génital, le pénis, joue un rôle, le vagin demeurant ignoré) et quant au premier choix d'objet (la mère est pour les deux le premier objet d'amour). Deuxièmement, les grandes différences qui existent néanmoins entre les deux sexes naissent du fait que la similitude de la tendance libidinale ne dépend pas des fondements similaires anatomiques et biologiques. A partir de cette prémisse, il est logique et inévitable que les filles se sentent insuffisamment équipées pour cette orientation phallique de leur libido et qu'elles ne puissent qu'envier aux garçons leur don supérieur à cet égard. A ces conflits avec la mère, que la fille partage avec le garçon, elle ajoute un conflit crucial qui lui est propre : elle rend sa mère responsable de son manque de pénis. Ce conflit est crucial car c'est précisément ce reproche essentiel qui détourne la fille de sa mère et la fait se tourner vers son père.

[1] « Die Verleugnung der Vagina, Ein Beitrag zur Frage de spezifisch weiblichen Genitalangst », *Intern. zeitschr. f. Psychoanal.*, XIX (1933), pp. 372-84 ; *Int. J. Psycho-Anal.*, 14 (1933), pp. 57-70. Réimprimé avec l'autorisation de *The International Journal of Psycho-Analysis*.

Freud a choisi une phrase heureuse pour désigner la période d'épanouissement de la sexualité infantile, période de primauté génitale infantile chez les filles aussi bien que chez les garçons : la *phase phallique*.

Je puis imaginer que l'homme de science qui n'est pas familiarisé avec l'analyse, en lisant ce compte rendu, passerait sur cette phrase comme étant simplement l'une des nombreuses notions étranges et particulières pour lesquelles l'analyse attend du monde qu'il les comprenne. Ceux qui acceptent le point de vue des théories de Freud peuvent seuls jauger l'importance de cette thèse particulière pour la compréhension de la psychologie de la femme en tant que formant un tout. Sa portée globale naît d'une des découvertes les plus importantes de Freud, dont nous pouvons supposer qu'elle durera. Je veux parler de la compréhension de l'importance cruciale pour la vie ultérieure de l'individu des impressions, expériences et conflits de la prime enfance. Si nous acceptons cette proposition dans sa totalité, c'est-à-dire si nous reconnaissons l'influence formative de l'expérience précoce sur l'aptitude du sujet à conduire son expérience ultérieure et la façon dont il le fait, les conséquences suivantes en résultent tout au moins potentiellement quant à la vie psychique spécifique de la femme :

1º Avec le début de chaque nouvelle phase du fonctionnement des organes féminins — la menstruation, le coït, la gestation, la parturition, l'allaitement et la ménopause — même une femme normale, comme l'a affirmé Hélène Deutsch [1], devra maîtriser des pulsions de tendance masculine avant de pouvoir adopter une attitude d'affirmation totale des processus qui s'accomplissent à l'intérieur de son corps.

2º Même chez les femmes normales (sans égard aux conditions de race, aux conditions sociales et individuelles), le fait que la libido adhère ou soit orientée vers des personnes de leur sexe se produit plus facilement que chez les hommes. En un mot, l'*homosexualité* serait incompréhensiblement et sans équivoque plus commune chez les femmes que chez les hommes. Confrontée aux difficultés en relation avec le sexe opposé,

[1] H. Deutsch, « Psychoanalyse der weiblichen Sexualfunktionen ».

une femme retomberait franchement dans une attitude homosexuelle plus aisément qu'un homme. Car, d'après Freud,
non seulement les années les plus importantes de son enfance
sont dominées par un tel attachement à un être de son sexe,
mais lorsqu'elle se tourne pour la première fois vers un homme
(le père), ce n'est en général que par la voie du ressentiment.
« Puisque je ne puis pas avoir de pénis, je veux un enfant en
échange et « pour cela » je me tourne vers mon père. Du fait
que j'en veux à ma mère pour l'infériorité anatomique dont
elle est responsable, je l'abandonne et me tourne vers mon
père. » Précisément parce que nous sommes convaincus de
l'influence formative des premières années de la vie, nous sen-
tirions comme une contradiction si la relation de la femme à
l'homme ne gardait pas toute la vie une certaine nuance de
ce choix imposé d'un substitut pour ce qu'elle désirait vraiment (¹).

3º Le même caractère d'une chose éloignée de l'instinct,
secondaire et indépendante, même chez les femmes normales,
serait lié au *désir de maternité*, ou tout au moins se manifes-
terait plus facilement.

Freud ne manque pas d'admettre la force de ce désir
d'enfants. A son avis, il représente d'une part l'héritage principal de la plus forte relation d'objet instinctuelle de la petite
fille — c'est-à-dire la mère — sous la forme d'un renversement
de la relation enfant-mère originelle. D'autre part, c'est aussi
le principal héritage de l'envie élémentaire, précoce, du pénis.
Le point principal de la notion de Freud est qu'il considère
plutôt le désir de maternité non comme une formation innée
mais comme quelque chose qui peut être psychologiquement
réduit à ses éléments ontogénétiques et qui tire son énergie
originelle de désirs instinctuels homosexuels ou phalliques.

4º Si nous acceptons un deuxième axiome psychanalytique,
à savoir que l'attitude de l'individu en matière sexuelle est
le prototype de son attitude envers le reste de sa vie, il s'ensuivrait en fin de compte que la réaction tout entière de la femme
devant la vie serait fondée sur un ressentiment contraignant
souterrain. Car, d'après Freud, à l'envie de pénis de la petite

(¹) Dans un travail ultérieur, j'espère discuter de la question des
relations d'objet précoces considérées comme le fondement de l'attitude phallique chez les petites filles.

fille correspond le sentiment d'être radicalement désavantagée en regard des désirs instinctuels les plus vitaux et les plus élémentaires. Nous trouvons ici le fondement typique sur lequel peut être édifié un ressentiment général. Il est vrai qu'une telle attitude ne s'ensuivrait pas inévitablement ; Freud dit expressément que *là où le développement se poursuit favorablement,* la fille trouve sa voie vers l'homme et la maternité. Mais là encore ce serait en contradiction avec notre théorie et notre expérience analytiques, si une attitude de ressentiment si précoce et si profondément enracinée ne se manifestait pas très facilement — bien plus facilement comparativement aux hommes dans des conditions semblables — ou tout au moins n'était pas aisément mise en mouvement comme une vague de fond préjudiciable au sentiment vital chez les femmes.

Telles sont les importantes conclusions concernant la psychologie féminine tout entière qui suivent l'étude de Freud sur la sexualité féminine précoce. Lorsque nous les considérons, nous sentons bien qu'il nous incombe d'appliquer sans cesse les preuves de l'observation et de la réflexion théorique aux faits sur lesquels elles sont fondées, pour en tirer les conclusions adéquates.

Il me semble que l'expérience analytique seule ne nous permet pas de juger suffisamment de la solidité de certaines idées fondamentales dont Freud a fait la base de sa théorie. Je pense que leur verdict final doit être retardé jusqu'à ce que nous ayons à notre disposition des observations systématiques d'enfants *normaux*, des observations portant sur une grande échelle et établies par des personnes formées analytiquement. Parmi de telles idées j'inclus l'affirmation de Freud « qu'il est bien connu que la différenciation clairement établie entre le caractère mâle et le caractère femelle s'établit en premier lieu après la puberté ». Les quelques observations que j'ai faites moi-même ne confirment pas cette hypothèse. Au contraire, j'ai toujours été frappée par la manière accusée dont les petites filles (entre deux et cinq ans) exhibent leurs traits féminins spécifiques. Par exemple, elles se conduisent souvent envers les hommes avec une certaine coquetterie féminine spontanée ou manifestent des traits caractéristiques de sollicitude maternelle. Dès le début, j'ai

trouvé difficile de concilier ces impressions avec les conceptions
de Freud sur la tendance masculine initiale de la sexualité de
la petite fille.

Nous pouvons supposer que Freud avait l'intention de
limiter au domaine sexuel sa thèse sur la similitude originelle
de la tendance libidinale dans les deux sexes. Mais alors nous
en viendrions au conflit avec la règle selon laquelle la sexualité
de l'individu sert de modèle pour le reste de son comportement. Pour éclairer ce point nous aurions besoin d'un grand
nombre d'observations précises des différences entre le comportement de garçons normaux et le comportement de filles
normales pendant leurs premières cinq ou six années.

Il est vrai que pendant ces premières années les petites
filles qui n'ont pas été intimidées s'expriment très souvent
par des voies qui permettent leur interprétation par une
envie du pénis précoce ; elles posent des questions, elles
font des comparaisons à leur propre désavantage, elles
expriment l'admiration pour le pénis ou se consolent avec
l'idée qu'elles en auront un plus tard. En supposant que de
telles manifestations puissent se produire très souvent ou
même régulièrement, la question resterait encore en suspens
quant à l'importance et à la place que nous leur accorderions
dans notre schéma théorique. Freud utilise ces manifestations
pour montrer combien la vie instinctuelle de la petite fille
est déjà dominée par l'envie de posséder elle-même un pénis.

Je voudrais faire valoir trois considérations contre cette
opinion :

1º Chez les garçons du même âge nous rencontrons des
expressions parallèles sous forme d'envies de posséder des
seins ou d'avoir un enfant.

2º Dans aucun des deux sexes ces manifestations *n'ont
d'influence sur le comportement de l'enfant considéré comme
un tout*. Un garçon qui désire avec véhémence avoir des seins
comme sa mère peut en même temps se comporter avec
une authentique agressivité de garçon. La petite fille qui
regarde avec admiration et envie les organes génitaux de
son frère peut simultanément se comporter comme une vraie
petite femme. Il me semble que la question reste de savoir
si de telles manifestations à cet âge précoce doivent être
jugées comme des exigences instinctuelles élémentaires ou

si nous devons les placer peut-être dans une autre catégorie.

3º Il peut y avoir une autre catégorie si nous admettons l'affirmation que dans chaque être humain il existe une disposition bisexuelle. Son importance pour notre compréhension a toujours été accentuée par Freud lui-même. Nous pouvons supposer que, quoique à la naissance le sexe définitif de chaque individu soit déjà physiquement fixé, le résultat de notre disposition bisexuelle toujours présente et à peine inhibée au cours de son développement est que *psychologiquement* l'attitude des enfants en face de leur propre rôle sexuel est tout d'abord incertain et provisoire. Ils n'en ont aucune conscience et par conséquent expriment naïvement des désirs bisexuels. Nous pouvons aller plus loin et supposer que cette incertitude ne disparaît qu'à mesure que naissent des sentiments d'amour plus forts dirigés sur des objets.

Pour élucider ce que je viens de dire, je puis mettre l'accent sur la nette différence existant entre ces manifestations bisexuelles diffuses de la première enfance avec leur caractère folâtre, volage, et les manifestations de la période dite de latence. Si à *cet* âge une fille désire être un garçon — mais là encore la fréquence de ces désirs et les facteurs sociaux qui les conditionnent doivent être étudiés — la façon dont cela détermine son comportement tout entier (préférence pour des jeux et des façons de garçon, négation de ses traits féminins) révèle que de tels désirs émanent d'une tout autre profondeur de la psyché. Cette image, si différente de l'image antérieure, représente cependant déjà l'aboutissement de conflits psychiques [1] qu'elle a déjà traversés et ne peut par conséquent, sans affirmations théoriques particulières, être revendiquée comme une manifestation de désirs de masculinité qui auraient été biologiquement fixés.

Freud édifie son point de vue sur une autre prémisse qui se rapporte aux zones érogènes. Il affirme que les premières sensations et activités génitales de la fille se situent essentiellement sur le clitoris. Il considère comme très douteux qu'il y ait une masturbation vaginale précoce et soutient même que le vagin demeure tout à fait « ignoré ».

Pour décider de cette question très importante nous devrions

[1] Horney, « On the Genesis of the Castration Complex in Women », *Int. J. Psycho-Anal.*, vol. V.

une fois encore réunir des observations étendues et précises d'enfants normales. Dès 1925 Josine Muller ([1]) et moi-même exprimions des doutes à ce sujet. En outre, la plupart des renseignements que nous recevons occasionnellement des gynécologues et des pédiatres s'intéressant à la psychologie suggèrent que la masturbation vaginale est, dans les premières années de l'enfance, au moins aussi fréquente que la masturbation clitoridienne. Les différentes données qui étayent cette impression sont les suivantes : l'observation fréquente d'irritations vaginales telles que rougeur et pertes, le fait relativement fréquent d'introduction de corps étrangers dans le vagin, les plaintes assez générales des mères affirmant que leurs enfants introduisent leurs doigts dans le vagin. Le gynécologue bien connu Wilhelm Liepmann a indiqué ([2]) que son expérience l'a conduit à croire que dans la première enfance et même dans les toutes premières années de la prime enfance, la masturbation vaginale est bien plus générale que la masturbation clitoridienne et que c'est seulement dans les premières années de l'enfance que le renversement se produit en faveur de la masturbation clitoridienne.

Ces impressions générales ne peuvent tenir lieu d'observations systématiques et ne peuvent en conséquence conduire à des conclusions définitives. Mais elles montrent que les exceptions que Freud lui-même admet semblent se produire fréquemment.

Notre but le plus normal serait d'essayer de tirer cette question au clair à la faveur de nos analyses, mais cela est difficile. Au mieux, le matériel des souvenirs conscients de nos patientes ou les réminiscences qui naissent de l'analyse ne peuvent être considérés comme des preuves non équivoques car ici, comme partout ailleurs, nous devons prendre en considération le travail du refoulement. En d'autres termes, la patiente peut avoir de bonnes raisons pour ne pas se souvenir de sensations ou de masturbation vaginales, tout comme réciproquement nous devons être sceptiques au sujet de son ignorance des sensations clitoridiennes ([3]).

([1]) Josine Muller, « The Problem of Libidinal Development in the Genital Phase in Girls », *Int. J. Psycho-Anal.*, Vol. V (1924).
([2]) Au cours d'une conversation privée.
([3]) Au cours de la discussion qui a suivi la lecture de mon article

Une autre difficulté gît dans le fait que les femmes qui viennent en analyse sont précisément celles dont on ne peut attendre même un certain naturel à propos des processus vaginaux. Car ce sont des femmes dont le développement sexuel s'est en quelque sorte écarté de la normale et dont la sensibilité *vaginale* est plus ou moins perturbée. Il semble en même temps que même des différences accidentelles dans le matériel jouent un rôle. Dans deux tiers environ de mes cas j'ai trouvé :

1º Un orgasme vaginal net produit par masturbation manuelle antérieur à tout coït. Frigidité sous forme de vaginisme et sécrétion déficiente dans le coït (je n'ai vu que deux cas de cette sorte qui étaient sans équivoque possible). Je crois qu'en général la préférence va à la masturbation manuelle clitoridienne et labiale.

2º Des sensations vaginales spontanées, pour la plupart avec une sécrétion notable, naissant de situations stimulantes inconscientes telles que : audition de musique, automobilisme, balancement, avoir les cheveux peignés et certaines situations de transfert. Pas de masturbation manuelle vaginale ; frigidité dans le coït.

3º Sensations vaginales spontanées produites par masturbation extragénitale, c'est-à-dire par certains mouvements du corps, par un laçage étroit ou par des fantasmes sado-masochiques particuliers. Pas de coït en raison de l'angoisse écrasante qui naît chaque fois que le vagin doit être touché, que ce soit par un homme dans le coït, par un médecin au cours d'un examen gynécologique, soit par le sujet elle-même par masturbation manuelle ou par toute injection prescrite médicalement.

Pour le moment, mes impressions peuvent se résumer comme suit : dans la masturbation génitale manuelle le clitoris est plus souvent choisi, *mais des sensations génitales spontanées résultant d'une excitation sexuelle générale sont beaucoup plus fréquemment localisées dans le vagin.*

D'un point de vue théorique, je crois qu'il faut attacher une grande importance à la fréquence relative des excitations

sur la phase phallique à la Société Psychanalytique allemande, en 1931, Boehm a cité plusieurs cas dans lesquels les sensations et la masturbation vaginales étaient rappelées et dans lesquels le clitoris était apparemment resté ignoré.

vaginales spontanées, même chez des patientes qui ignoraient
l'existence du vagin ou n'en avaient qu'une faible connaissance et dont l'analyse subséquente ne mettait pas en lumière
des souvenirs ou d'autre preuve d'un attrait vaginal quelconque, ni aucune réminiscence de masturbation vaginale. Car
ce phénomène amène la question de savoir *si dès le début les
excitations sexuelles n'ont pas pu s'exprimer de façon percep-
tible par des sensations vaginales.*

Pour répondre à cette question nous devrions attendre
d'avoir un matériel bien plus vaste que ne peut l'avoir un
seul analyste par ses propres observations. En attendant,
un grand nombre de considérations semblent être en faveur
de mon point de vue.

Il y a en premier lieu les fantasmes de viol qui se manifestent avant tout coït et même bien avant la puberté et qui
sont assez fréquents pour qu'on leur accorde un plus grand
intérêt. Je ne vois aucune possibilité de prendre en considération l'origine et le contenu de ces fantasmes si nous devons
affirmer la non-existence de la sexualité vaginale. Car ces
fantasmes, en fait, ne coupent pas court aux idées indéfinies
d'un acte de violence par lequel on a un enfant. Au contraire,
les fantasmes, les rêves, l'angoisse de ce type trahissent habituellement et sans équivoque possible une connaissance instinctive du processus sexuel réel. Le déguisement qu'ils
prennent est si varié que je n'ai besoin que d'en indiquer
quelques-uns : les criminels qui entrent par effraction par les
fenêtres ou les portes ; les hommes armés de fusils qui mena-
cent de tirer ; les animaux qui rampent, volent ou s'introduisent quelque part (serpents, souris, mites) ; animaux ou
femmes frappés de coups de couteaux ; les trains en gare ou
dans des tunnels.

Je parle d'une connaissance « instinctive » des processus
sexuels, car nous rencontrons typiquement des idées de cette
sorte — comme les angoisses et les rêves de la première enfance — à une période où il n'y a pas encore de connaissance
intellectuelle dérivant d'observations ou d'explications fournies par autrui. On peut se demander si une telle connaissance instinctive des processus de pénétration du corps féminin présuppose nécessairement une connaissance instinctive
de l'existence de vagin ou de tout autre organe de réception.

Je pense que la réponse est affirmative, si nous acceptons
le point de vue de Freud « que les théories sexuelles de l'enfant
sont modelées sur la propre constitution sexuelle de l'enfant ».
Car cela peut seulement signifier que la voie prise par les
théories sexuelles des enfants est tracée et conditionnée par
des pulsions et des sensations d'organe expérimentées spontanément. Si nous acceptons cette origine des théories sexuelles
qui personnifie déjà une tentative d'édification rationnelle,
nous devons d'autant plus l'admettre dans le cas d'une
connaissance instinctive qui trouve une expression symbo-
lique dans les jeux, les rêves et différentes formes d'angoisse
et qui n'a manifestement pas atteint la sphère du raisonnement et de la construction qui y prend place. En d'autres
termes, nous devons affirmer que la phobie du viol caractéristique de la puberté et les angoisses infantiles des petites
filles sont fondées sur des sensations vaginales (ou les pulsions instinctuelles issues de celles-ci) qui impliquent que
quelque chose doit pénétrer dans cette partie du corps.

Je crois que nous avons ici la réponse à une objection qui
peut s'élever, à savoir que de nombreux rêves indiquent
l'idée qu'une ouverture n'est créée que lorsque le pénis pénètre
brutalement le corps pour la première fois. Car de tels fantasmes ne naîtraient jamais sans l'existence antérieure des
instincts — les sensations sous-jacentes de l'organe — ayant un
but passif de réception. Parfois, le contexte dans lequel se
produisent des rêves de ce type indique très clairement l'origine de cette représentation particulière. Car il arrive occasionnellement que lorsqu'une angoisse générale au sujet des conséquences préjudiciables de la masturbation apparaît, la patiente
a des rêves dont le contenu typique est le suivant : elle est
occupée à un ouvrage de couture lorsque tout à coup apparaît un trou dont elle a honte ; ou bien elle traverse une rivière
ou un gouffre sur un pont qui soudain se rompt au milieu ;
ou bien elle marche sur une pente glissante et tout à coup
commence à glisser et risque de tomber dans un précipice.
Étant donné de tels rêves, nous pouvons supposer que lorsque
ces patientes étaient enfants et se livraient à l'onanisme, elles
étaient amenées par des sensations vaginales à la découverte
du vagin même et que leur angoisse prenait la forme de la
phobie d'avoir fait un trou où il n'y aurait pas dû y en

avoir. Je voudrais dire ici que je n'ai jamais été entièrement convaincue par l'explication donnée par Freud au fait que les filles répriment la masturbation génitale directe plus facilement et plus fréquemment que les garçons. Comme nous le savons, Freud suppose ([1]) que la masturbation (clitoridienne) devient odieuse à la petite fille parce que la comparaison avec le pénis porte atteinte à son narcissisme. Lorsque nous considérons la force contraignante de la pulsion derrière les pulsions onanistes, une mortification narcissique ne semble pas peser suffisamment pour amener la suppression. D'autre part, la phobie de s'être causé à elle-même un préjudice irréparable dans cette région peut être assez puissante pour empêcher la masturbation vaginale, soit pour la contraindre à restreindre la pratique au clitoris, soit pour la dresser de façon permanente contre toute masturbation génitale manuelle. Je pense que nous avons une autre preuve de cette phobie précoce du préjudice vaginal dans la comparaison envieuse avec l'homme, des patientes de ce type nous disant fréquemment que les hommes sont « si bien fermés en dessous ». De même cette angoisse très profonde née de la masturbation, la phobie qu'elle a rendu la femme incapable d'avoir des enfants, semble relever plutôt de l'intérieur de son corps que de son clitoris.

C'est là un autre point en faveur de l'existence et de l'importance des excitations vaginales précoces. Nous savons que la vision d'actes sexuels a sur les enfants un effet excitant terrifiant. Si nous acceptons le point de vue de Freud, nous devons affirmer qu'une telle excitation produit en général chez les petites filles les mêmes pulsions phalliques de pénétration qui sont évoquées chez les petits garçons. Mais alors nous devons nous demander : d'où vient l'angoisse que nous rencontrons presque universellement dans les analyses de patientes — la phobie du pénis géant qui peut les transpercer ? L'origine de l'idée d'un pénis immense ne peut certainement pas être recherchée ailleurs que dans l'enfance, quand le pénis du père a dû paraître réellement d'un calibre menaçant et terrifiant. Ou bien encore, d'où vient cette compréhension du rôle sexuel féminin, évincée par le symbolisme de l'angoisse

([1]) Freud, « Some Psychological Consequences of the Anatomical Distinction between the Sexes », *Int. J. Psycho-Anal.*, Vol. VIII (1927).

sexuelle, dans laquelle ces excitations précoces vibrent une fois de plus ? Et comment pouvons-nous rendre compte de la fureur jalouse démesurée contre la mère, qui se manifeste communément dans l'analyse de femmes quand les souvenirs de la « scène primitive » sont revécus affectivement ? Comment cela surviendrait-il si à ce moment-là le sujet ne pouvait que partager les excitations du père ?

Permettez-moi de résumer les données précédentes. Nous avons : un puissant orgasme vaginal allant avec la frigidité dans le coït subséquent ; une excitation vaginale spontanée sans stimulus local, mais frigidité dans les rapports sexuels ; réflexions et questions naissant du besoin de comprendre le contenu tout entier des jeux sexuels précoces, rêves et angoisse et, plus tard, fantasmes de viol aussi bien que réactions aux observations sexuelles précoces ; et enfin, certains contenus et conséquences de l'angoisse produite chez la femme par la masturbation. Si je réunis toutes ces données, je ne vois qu'une hypothèse qui soit une réponse satisfaisante à toutes ces questions, à savoir que *dès le début le vagin joue son propre rôle*.

Le problème de la frigidité est étroitement lié à ce cortège de représentations, problème qui à mon sens n'est *pas* dans la question de savoir comment la qualité de sensibilité libidinale se transmet au vagin (¹), mais plutôt comment il se

(¹) En réponse à l'affirmation de Freud que la libido peut adhérer si étroitement à la région clitoridienne qu'il devient difficile ou impossible que la sensibilité soit transférée au vagin, puis-je invoquer Freud contre Freud ? Car c'est lui qui a montré de façon convaincante combien nous sommes prêts à nous emparer de nouvelles possibilités de plaisir et comment même des processus qui n'ont aucune qualité sexuelle — c'est-à-dire mouvements du corps, paroles ou pensées — peuvent être érotisés, et que la même chose est vraie des expériences affligeantes ou désolantes telles que la douleur ou l'angoisse. Devons-nous alors supposer que dans le coït, qui offre les possibilités les plus riches de plaisir, la femme recule devant leur profit ? Comme je pense que c'est un problème qui ne peut vraiment pas se poser, je ne puis suivre H. Deutsch et M. Klein dans leurs hypothèses du transfert de la libido de la zone orale à la zone génitale. Il n'y a pas de doute que dans de nombreux cas il y ait une étroite connexion entre les deux. La seule question qui se pose est de savoir si nous considérons la libido comme étant « transférée » ou s'il est simplement inévitable que lorsqu'une attitude orale a été précocement établie et qu'elle persiste, elle doit *aussi* se manifester dans la sphère génitale.

fait que le vagin, malgré la sensibilité qu'il possède déjà, échoue complètement à réagir ou réagit à un degré disproportionnellement faible aux très fortes excitations libidinales produites dans le coït par tous les stimuli émotionnels et locaux? Il ne peut sûrement y avoir qu'*un* seul facteur plus contraignant que la volonté de plaisir et ce facteur est l'angoisse.

Nous sommes maintenant confrontés directement au problème de ce que l'on entend par cette angoisse vaginale ou plutôt par les facteurs infantiles qui la conditionnent. L'analyse révèle, en premier lieu, les pulsions de castration contre l'homme et, associée à elles, une angoisse dont la source est double : d'une part le sujet a la phobie de ses propres pulsions hostiles, et de l'autre la rétribution qu'elle anticipe de la loi du talion, à savoir que les contenus de son corps seront détruits, volés ou aspirés à l'extérieur. Ces pulsions en elles-mêmes ne sont pas, nous le savons, d'origine récente, pour la plupart, mais peuvent être rattachées à des sentiments de colère et des pulsions de vengeance contre le père, sentiments suscités par les déceptions et les frustrations dont a souffert la petite fille.

L'angoisse décrite par Mélanie Klein est d'un contenu très semblable à ces formes d'angoisse et peut être rapportée aux pulsions destructives précoces dirigées contre le corps de la mère. Une fois de plus, c'est une question de rétribution qui peut prendre des formes différentes, mais dont l'essence est en général que tout ce qui pénètre dans le corps ou qui s'y trouve déjà (nourriture, fèces, enfants) peut devenir dangereux.

Quoique ces formes d'angoisse soient au fond analogues à l'angoisse génitale des garçons, elles tirent un caractère spécifique de cette prédisposition à l'angoisse qui fait partie de l'organisation biologique des filles. Dans cet article et dans d'autres antérieurs, j'ai déjà indiqué quelles sont ces sources d'angoisse et je n'ai besoin ici que de compléter et d'ajouter ce qui a été dit auparavant :

1º Elles procèdent d'abord de la différence de taille terrifiante entre le père et la petite fille, entre les organes génitaux du père et ceux de l'enfant. Nous n'avons pas besoin de nous préoccuper de savoir si la disparité entre pénis et vagin se déduit de l'observation ou si elle est instinctivement ressentie. Le résultat tout à fait compréhensible et inévitable en est que tout fantasme de gratifier la tension produite par les sensations vaginales (c'est-à-dire le désir ardent de prendre en soi, de recevoir) donne naissance à l'angoisse de la part du moi. Comme je l'ai montré dans mon article « The Dread of Women », je crois que dans cette forme d'angoisse féminine biologiquement déterminée nous avons quelque chose de spécifiquement différent de l'angoisse génitale originelle du garçon en relation avec sa mère. Quand il fantasme l'accomplissement de pulsions génitales, il est confronté avec un fait très préjudiciable pour sa dignité personnelle (« mon pénis est trop petit pour ma mère ») ; la petite fille, elle, affronte la destruction d'une partie de son corps. D'où, ramenée à ses ultimes fondements biologiques, la phobie que l'homme a de la femme est génitale-narcissique, tandis que la phobie de la femme pour l'homme est physique.

2° Une seconde source spécifique d'angoisse, dont l'universalité et l'importance ont été démontrées par Daly [1], est l'observation par la petite fille de la menstruation de parentes adultes. Par-dessus tout, les interprétations de castration qu'elle voit démontraient pour la première fois la vulnérabilité du corps féminin. De même, son angoisse est notablement accrue lorsqu'elle observe une fausse-couche ou un accouchement de sa mère. Du fait que dans l'esprit des enfants (quand il y a eu refoulement) et dans l'inconscient des adultes, il y a une relation étroite entre coït et accouchement, cette angoisse peut prendre la forme d'une phobie, non seulement de l'accouchement mais du coït lui-même.

3° Nous avons enfin une troisième source d'angoisse dans les réactions de la petite fille (dues à la structure anatomique de son corps) à ses tentatives précoces de masturbation vaginale. Je crois que les conséquences de ces réactions peuvent être plus durables chez les filles que chez les garçons et cela pour les raisons suivantes : en premier lieu, elle ne peut vérifier les effets de la masturbation. Un garçon, en ressentant l'angoisse à propos de ses organes génitaux, peut toujours

---

[1] Daly, « Der Menstruationskomplex », *Imago*, Bd. XIV (1928).

se convaincre à nouveau qu'ils existent et sont intacts (¹). La petite fille n'a aucun moyen de se prouver que son angoisse est sans fondement dans la réalité. Au contraire, ses tentatives précoces de masturbation vaginale lui rappellent une fois de plus le fait de sa plus grande vulnérabilité physique (²), et j'ai trouvé qu'il n'est pas rare que les petites filles, en se masturbant ou en jouant sexuellement avec d'autres enfants, ressentent des douleurs ou subissent de petits préjudices manifestement causés par des ruptures infinitésimales de l'hymen (³).

Là où le développement général est favorable — c'est-à-dire là où les relations d'objet de l'enfance ne sont pas devenues une source de conflits — cette angoisse est dominée de manière satisfaisante et la route est ouverte pour que le sujet consente à son rôle féminin. Que dans les cas défavorables l'effet de l'angoisse soit plus persistant chez les filles que chez les garçons est, je crois, indiqué par le fait que chez les filles il est relativement plus fréquent que la masturbation génitale directe soit tout à fait abandonnée, ou tout au moins qu'elle soit confinée au clitoris, plus aisément accessible et dont l'angoisse est moins investie. Souvent, tout ce qui touche au vagin — la connaissance de son existence, les sensations vaginales et les pulsions instinctuelles — est écrasé par un refoulement implacable ; en bref, la fiction est conçue et longtemps maintenue que le vagin n'existe pas, une fiction qui en même temps détermine la préférence de la petite fille pour le rôle sexuel masculin.

Toutes ces considérations me semblent être très en faveur

(¹) Ces circonstances réelles doivent très certainement être prises en considération, aussi bien que la contrainte des sources inconscientes de l'angoisse. Par exemple, l'angoisse de castration d'un homme peut être intensifiée par un phimosis.

(²) Il n'est peut-être pas sans intérêt de rappeler que le gynécologue Wilhelm Liepmann (dont l'opinion n'est pas celle de l'analyste), dans son livre *Psychologie der Frau*, dit que la « vulnérabilité » des femmes est une des caractéristiques spécifiques de leur sexe.

(³) De telles expériences viennent souvent au jour dans l'analyse, d'abord sous forme de souvenirs-écrans de préjudices dans la région génitale, maintenus dans la vie ultérieure peut-être à cause d'une chute. A ces réminiscences les patientes réagissent avec une terreur et une honte disproportionnées par rapport à leurs causes. Puis il peut y avoir une terreur écrasante à l'idée qu'un tel préjudice puisse se produire.

de l'hypothèse que *derrière « l'échec à découvrir » le vagin, il y a la négation de son existence.*

Il reste à considérer la question de l'importance de l'existence des sensations vaginales précoces, ou de la « découverte » du vagin, dans la perspective de notre conception globale de la sexualité féminine précoce. Quoique Freud ne le dise pas expressément, il n'en est pas moins clair que si le vagin reste originellement « ignoré », c'est l'un des arguments les plus puissants en faveur soit d'une envie du pénis primitive biologiquement déterminée chez les petites filles, soit d'une organisation phallique originelle. Car si aucune sensation vaginale ou aucun désir n'existait, mais que toute la libido était concentrée sur le clitoris conçu phalliquement, alors et alors seulement nous pourrions comprendre comment les petites filles, par besoin d'une source spécifique de plaisir bien à elles ou de désirs féminins spécifiques, doivent être poussées à concentrer toute leur attention sur le clitoris, pour le comparer au pénis des garçons, puis, du fait qu'elles sont désavantagées par cette comparaison, se sentir définitivement insignifiantes [1]. Si, d'autre part, comme je le suppose, une petite fille expérimente dès le début des sensations vaginales et des pulsions correspondantes, elle doit avoir un sens très vif du caractère spécifique de son propre rôle sexuel ; ainsi, une envie primitive du pénis aussi forte que l'affirme le postulat de Freud serait difficile à prendre en considération.

J'ai montré dans cet article que l'hypothèse d'une sexualité phallique primitive porte en elle des conséquences importantes pour notre conception tout entière de la sexualité féminine. Si nous admettons qu'il y a une sexualité vaginale primitive spécifiquement féminine, la première hypothèse, si elle n'est pas tout à fait exclue, est du moins tellement restreinte que ses conséquences deviennent très problématiques.

[1] H. Deutsch parvient à ce fondement de l'envie du pénis par le moyen d'une argumentation logique. Cf. Deutsch, « The Significance of Masochism in the Mental Life of Women », *Int. J. Psycho-Anal.*, Vol. XI (1930).

X

FACTEURS PSYCHOGÈNES
DANS LES TROUBLES FONCTIONNELS
DE LA FEMME (¹)

Au cours des trente ou quarante dernières années on a
beaucoup discuté dans la littérature gynécologique de l'influence des facteurs psychiques dans les troubles fonctionnels
chez la femme. L'éventail des opinions est très large. Il y a,
d'une part, une tendance à réduire au minimum l'importance
de ces facteurs — et à insister, par exemple, sur le fait qu'il
y a bien entendu des facteurs émotionnels mais qu'il faut
les considérer comme dépendant de conditions constitution-
nelles, glandulaires et physiques.

Nous trouvons d'autre part une tendance à accorder une
très grande influence aux facteurs psychogènes. Les partisans
de cette tendance sont enclins à y voir l'origine essentielle
non seulement des troubles fonctionnels plus ou moins manifestes tels que la grossesse nerveuse, le vaginisme, la frigidité,
les troubles menstruels, l'hyperémèse, etc., mais ils accordent
aussi une influence psychologique qui semble certaine à des
maladies et à des troubles tels que l'accouchement prématuré
ou la grossesse prolongée, certaines formes de métrite, la
stérilité et certaines formes de leucorrhée.

Que des modifications physiques puissent être provoquées

(¹) Lu à la réunion de la Société de Gynécologie de Chicago, le
18 nov. 1932. Réimprimé du *American Journal of Obstetrics and
Gynecology*, 25-694 (1933), publié par C. V. Mosby Cie, St. Louis,
Missouri.

par des stimuli psychiques ne fait aucun doute depuis que
les expériences de Pavlov l'ont établi sur une base empirique.
Nous savons que les sécrétions gastriques peuvent être affectées par un stimulus de l'appétit, que le rythme cardiaque
et la motilité intestinale peuvent être accélérés sous l'influence de la peur, que certaines modifications vaso-motrices
comme la rougeur peuvent exprimer une réaction de honte.

Nous avons aussi une image assez exacte des chemins que
prennent ces stimuli du système nerveux central jusqu'aux
organes périphériques.

Il semble qu'il y ait un grand écart entre ces relations relativement simples et la question de savoir si une dysménorrhée peut être provoquée par des conflits psychiques. Je pense
cependant que l'écart fondamental n'est pas seulement dans
le processus lui-même mais dans l'approche méthodologique.
On peut organiser une situation expérimentale où l'on stimule l'appétit d'une personne et où l'on peut mesurer les
sécrétions des glandes gastriques. On peut mesurer exactement les modifications des sécrétions comme une réaction
à la peur provoquée chez une personne, mais on ne peut organiser une situation expérimentale où serait provoquée une
dysménorrhée. Les processus émotionnels sous-jacents à
une dysménorrhée sont beaucoup trop compliqués pour être
démontrés dans une situation expérimentale ; mais même s'il
était possible de soumettre expérimentalement une personne
à des conditions émotionnelles très compliquées, il ne faudrait
s'attendre à aucun résultat concret, car la dysménorrhée
n'est jamais le résultat d'un conflit émotionnel, mais présuppose toujours une série de préconditions émotionnelles créées
à des périodes différentes.

Il est donc impossible de connaître ces problèmes expérimentalement. La méthode qui peut nous révéler la relation
entre certaines forces émotionnelles et un symptôme, comme
par exemple la dysménorrhée, doit manifestement être une
méthode historique. Elle doit nous permettre de comprendre
la structure émotionnelle spécifique d'une personne et la
corrélation des émotions avec le symptôme à travers l'histoire détaillée de sa vie.

Pour autant que je le sache, il n'y a qu'une discipline psychologique qui puisse nous donner une compréhension ayant

une grande exactitude scientifique — à savoir la psychanalyse. Par la psychanalyse, nous obtenons un tableau de la nature, du contenu et de la force dynamique des facteurs psychiques agissant dans la vie réelle — connaissance indispensable à quiconque veut discuter scientifiquement la question de savoir si oui ou non les troubles fonctionnels peuvent être provoqués par des facteurs émotionnels.

Je n'entrerai pas ici dans les détails de la méthode, je montrerai seulement de façon concise quelques facteurs émotionnels que, par mon travail analytique, j'ai trouvés essentiels à la compréhension des troubles fonctionnels chez la femme.

Je commencerai par le fait qui a attiré mon attention par sa répétition continuelle. Mes patientes venaient en analyse pour les raisons psychiques les plus diverses : états d'angoisse de toutes sortes, névroses compulsives, dépressions, inhibition dans le travail et dans les rapports avec les êtres, difficultés caractérielles. Leur vie psychosexuelle était perturbée dans chaque névrose. Les relations avec les hommes ou les enfants, ou les deux réunis, étaient en quelque sorte entravées. Voici ce qui m'a frappée : dans tous ces types différents de névrose il n'y avait pas un cas sans troubles fonctionnels du système génital — frigidité à tous les degrés, vaginisme, troubles menstruels divers, prurit, douleurs et pertes sans origine organique et disparaissant après la découverte de certains conflits inconscients, diverses phobies hypocondriaques telles que phobie du cancer ou phobie de ne pas être normale, certains troubles de la grossesse et de l'accouchement qui sembleraient indiquer une origine psychogène.

Ici, trois questions se posent :

1º Cette coïncidence entre une vie psychosexuelle perturbée et les troubles fonctionnels féminins peut être très frappante — mais cette coïncidence est-elle une coïncidence régulière ?

Un analyste a l'avantage de connaître un certain nombre de cas de façon très approfondie, mais après tout, même en ayant une large clientèle, l'analyste ne voit que relativement peu de cas. Par conséquent, même si nous trouvons des résultats corroborés par d'autres observations aussi bien que par des faits ethnologiques, la question de la fréquence et de la validité de nos découvertes est une question à laquelle les gynécologues devraient répondre à l'avenir (¹).

Bien entendu, pour qu'ils puissent faire ces investigations, il leur faudrait du temps et une formation psychologique ; mais si une part de l'énergie mise au service du travail de laboratoire était reportée à la formation psychologique, cela aiderait beaucoup à éclaircir le problème.

2° Si nous affirmons que la coïncidence existe régulièrement, les troubles psycho-sexuels et les troubles fonctionnels ne pourraient-ils naître d'une base commune, constitutionnelle ou glandulaire ?

Je ne veux pas entrer maintenant dans une discussion détaillée de ces problèmes très compliqués, mais je veux seulement montrer que d'après mes observations il n'y a pas de coexistence régulière de ces facteurs fonctionnels et de ces troubles émotionnels. Il y a par exemple des femmes frigides avec des attitudes masculines nettes et des sentiments contraignants d'aversion pour leur rôle féminin. Les caractères sexuels secondaires — voix, cheveux, ossature — de certaines femmes de ce groupe tendent vers la masculinité, mais la plupart d'entre elles ont une constitution absolument féminine. On peut trouver dans les deux groupes — le groupe d'allure masculine et le groupe manifestement féminin — les conflits d'où ont débuté les modifications émotionnelles ; mais ce n'est que dans le premier groupe que les conflits ont pu naître d'une origine constitutionnelle. Je crois qu'aussi longtemps que nous n'en saurons pas davantage des facteurs constitutionnels et de leur influence particulière sur des attitudes ultérieures, il est erroné d'affirmer une relation trop précise. En outre, si l'on néglige les facteurs psychiques, une telle affirmation peut conduire à des conséquences thérapeutiques dangereuses. Par exemple, dans le manuel de gynécologie allemand de Halban et Seitz, un collaborateur, Matthes, décrit le cas d'une jeune fille venue se faire traiter pour une dysménorrhée dont elle souffrait depuis un an et demi. Elle lui dit qu'elle

---

(¹) *Note de l'éditeur américain* : Le Dr Horney suggère que les gynécologues devraient pouvoir évaluer leurs découvertes avec plus d'acuité et fournir des statistiques significatives en raison du grand nombre de patientes qu'ils voient en comparaison des psychanalystes.

avait pris froid au cours d'un bal. Il apprit plus tard qu'elle avait des relations sexuelles avec un homme. Elle dit à Matthes qu'elle était sexuellement très excitée par cet homme mais qu'en même temps elle était enragée contre lui. Comme elle représentait pour Matthes ce qu'il appelait un « type inter-sexuel », il lui conseilla de renoncer à l'homme, agissant selon la théorie qu'elle était un type de femme qui ne serait jamais heureuse dans une relation sexuelle. Elle essaya de suivre son conseil et eut deux menstruations sans douleurs. Elle rompit ses liens sentimentaux et les douleurs réapparurent.

Cela me paraît être une thérapeutique plutôt radicale sur la base d'une science réduite et me rappelle la phrase de la Bible : « Si ton œil t'a offensé, arrache-le. »

Du point de vue thérapeutique, il semble plus approprié de considérer le plan psychique des conflits qui peuvent naître d'un facteur constitutionnel, en particulier du fait que nous voyons souvent ces mêmes conflits sans la présence d'un tel facteur.

3º Je vais maintenant discuter de la troisième question. Sa formulation précise serait la suivante : « Y a-t-il une cor-rélation spécifique entre certaines attitudes psychiques de la vie psycho-sexuelle et certains troubles fonctionnels ? » Mal-heureusement, la nature humaine n'est pas aussi simple et notre savoir n'est pas assez avancé pour nous permettre des affirmations nettes et irréfutables. Vous trouverez en fait certains conflits psycho-sexuels chez toutes ces patientes. Ces conflits correspondent au fait qu'une certaine frigidité existe chez toutes ces patientes — tout au moins une frigidité transitoire ; mais dans une corrélation régulière avec certains symptômes fonctionnels, certaines émotions et certains fac-teurs spécifiques jouent un rôle prédominant.

Avec la frigidité comme trouble élémentaire, on trouve invariablement les attitudes psychiques caractéristiques sui-vantes :

Tout d'abord, les femmes frigides ont à l'égard des hommes une attitude très ambivalente, et qui contient invariablement des éléments de suspicion, d'hostilité et des éléments phobiques. Ces éléments sont très rarement manifestes.

Une patiente, par exemple, était consciemment convaincue que tous les hommes étaient des criminels et devaient être tués. Cette conviction était la conséquence naturelle de sa conception de l'acte sexuel comme étant un acte sanglant et douloureux. Elle considérait chaque femme mariée comme une héroïne. On trouve généralement cet antagonisme sous une forme déguisée et on peut avoir un aperçu de l'attitude vraie de la patiente à l'égard des hommes non par ses commentaires mais par son comportement. Les jeunes filles peuvent vous dire franchement combien elles aiment les hommes, combien elles sont portées à les idéaliser, mais on peut voir en même temps qu'elles sont prêtes à laisser tomber grossièrement leur « amoureux » sans aucun motif apparent. Pour donner un exemple typique : j'avais une patiente, X, qui avait des relations sexuelles plutôt amicales avec les hommes. Ces relations ne duraient jamais plus d'une année. Régulièrement, après un certain laps de temps, elle sentait qu'elle s'irritait progressivement contre l'homme jusqu'à ne plus pouvoir le supporter. Elle cherchait alors, et trouvait, un prétexte pour rompre. En fait, ses pulsions hostiles envers les hommes devenaient tellement coercitives qu'elle craignait de leur faire du mal et les évitait.

Vous trouverez quelquefois des patientes qui vous diront combien elles se sentent attachés à leurs maris, mais une investigation plus profonde vous montrera tous ces signes d'hostilité, petits mais très perturbateurs, qui ressortent de la vie quotidienne, tels que l'attitude fondamentale envers le mari, la déconsidération de ses mérites, la désolidarisation d'avec ses intérêts ou ses amis, de trop grandes exigences financières ou une lutte sourde mais conséquente pour le pouvoir.

Vous pouvez retirer de ces cas l'impression plus ou moins nette que la frigidité est une expression directe de courants cachés d'hostilité, mais dans certaines phases plus avancées de l'analyse on peut discerner avec précision comment s'est instaurée la frigidité, quand une nouvelle source d'aversion secrète contre le mari s'est révélée — et comment elle cesse quand ces conflits ont été maîtrisés.

Il y a ici une différence très nette entre la psychologie des hommes et celle des femmes. Dans la moyenne des cas, la sexualité des femmes est plus étroitement liée à la tendresse, aux sentiments, à l'affection, que chez les hommes. En moyenne, l'homme ne sera pas impuissant même lorsqu'il ne sentira pas de tendresse pour la femme. Au contraire, il y a souvent un clivage entre la vie sexuelle et la vie affective de telle sorte que dans les cas pathologiques un tel homme ne peut avoir des relations sexuelles qu'avec une femme qu'il n'aime pas et ne peut éprouver de désirs sexuels pour la femme qu'il aime — ou même être impuissant avec elle.

Chez la plupart des femmes vous trouverez une union plus étroite entre les sentiments sexuels et la vie émotionnelle tout entière, probablement pour des raisons biologiques évidentes. Par conséquent, une attitude d'hostilité secrète s'exprimera très aisément par une incapacité à donner ou à recevoir sexuellement.

Cette attitude défensive à l'égard des hommes n'a pas besoin d'être très profondément enracinée. Dans certains cas, les hommes capables d'éveiller des sentiments tendres chez ces femmes peuvent être parfaitement capables de maîtriser la frigidité ; mais dans d'autres cas, cette attitude hostile de défense est très profonde et ses racines doivent être dévoilées pour que la femme en soit débarrassée.

Dans cette seconde série de cas vous trouverez que ces sentiments d'antagonisme à l'égard des hommes ont été acquis dans l'enfance. Pour comprendre les conséquences lointaines d'expériences précoces il n'est pas nécessaire de connaître beaucoup de la théorie analytique, mais il est nécessaire d'être précis sur deux points : que les enfants naissent avec des sentiments sexuels et qu'ils peuvent ressentir très passionnément, probablement bien plus que nous autres adultes avec toutes nos inhibitions.

Vous verrez dans l'histoire de ces femmes qu'il peut y avoir des déceptions dans leur vie amoureuse précoce, très profondément gravées ; un frère ou un père auxquels elles étaient tendrement attachées et qui les a déçues ; ou un frère qui leur était préféré ; ou une situation tout à fait différente, comme dans le cas suivant : une patiente avait séduit un frère plus jeune quand elle avait onze ans. Quelques années plus tard, ce frère mourut de la grippe. Elle éprouvait des sentiments de culpabilité intenses. Lorsqu'elle vint en analyse trente ans après, elle était encore convaincue d'avoir causé la mort de son frère. Elle était persuadée qu'après qu'elle ait

séduit son frère celui-ci avait commencé à se masturber et
que sa mort était la conséquence de la masturbation. Ce sentiment de culpabilité lui faisait haïr son propre rôle féminin.
Elle voulait être un homme, enviait les hommes assez démons-
trativement, les laissait tomber chaque fois qu'elle le pouvait,
faisait des rêves de castration, avait des fantasmes cruels
et était absolument frigide.

Ce cas éclaire par des faits la psychogenèse du vaginisme.
La patiente n'avait été déflorée que quatre ans après son
mariage — et la défloration avait été faite chirurgicalement
quoique son hymen n'ait rien eu d'anormal et que son mari ait
été puissant. Le spasme était en partie l'expression de son
aversion profonde pour son rôle féminin et en partie un mécanisme de défense contre ses pulsions de castration envers
l'homme envié.

Quelle que soit la manière dont elle débute, l'aversion du
rôle féminin exerce souvent une grande influence. Dans un
cas il y avait un frère plus jeune préféré par les deux parents.
L'envie ressentie par la patiente à son égard empoisonna
toute sa vie et en particulier ses relations avec les hommes.
Elle voulait elle-même être un homme et jouait ce rôle en
fantasmes et en rêves. Au cours des rapports sexuels elle
avait parfois le désir très conscient de changer les rôles.

Vous trouverez chez ces femmes frigides une autre situation
conflictuelle, souvent plus dynamiquement importante encore
— un conflit avec la mère ou avec une sœur aînée. Le sentiment
envers la mère peut être consciemment différent. Parfois les
patientes, au début du traitement, n'admettent — même
vis-à-vis d'elles-mêmes — que le côté positif de leur relation
avec leur mère. Il est possible qu'elles soient déjà frappées
par la constatation qu'en dépit du désir ardent pour l'amour
de la mère, elles ont toujours fait exactement le contraire de
ce que leur mère attendait d'elles. Dans d'autres cas il y a
une haine franche. Mais, même si elles admettent l'existence
d'un conflit, elles n'en connaissent ni la raison essentielle, ni
l'influence sur leur vie psycho-sexuelle. Par exemple, l'un de
ces traits essentiels peut être que la mère continue de représenter pour ces femmes l'agent qui interdit la vie et le plaisir
sexuels. Un ethnologue a récemment rapporté une coutume
d'une tribu primitive qui éclaire l'ubiquité de ces conflits :

A la mort du père, les filles restent dans la maison du mort, mais les fils la quittent de peur que l'esprit du père ne leur soit hostile et leur porte préjudice. A la mort de la mère, les fils restent dans la maison, mais les filles la quittent de peur que l'esprit de la mère ne les tue. Cette coutume exprime le même antagonisme et la même phobie de revanche que l'on trouve dans les analyses de femmes frigides.

Ici, quelqu'un qui ignore le processus analytique peut demander : si les malades ne sont pas conscients de ces conflits, comment pouvez-vous croire si explicitement qu'ils existent et qu'ils jouent ce rôle particulier ? Il existe une réponse à cette question, qui peut cependant être difficile à comprendre pour quelqu'un qui manque d'expérience analytique. Les anciennes attitudes irrationnelles de la patiente sont revécues et réactivées envers l'analyste. La patiente X, par exemple, avait consciemment une attitude affectueuse à mon égard, quoique cette attitude fût toujours mêlée d'une certaine peur. Mais au moment où l'ancienne haine infantile contre sa mère arrivait à la surface, elle tremblait de peur dans la salle d'attente et voyait émotionnellement en moi une sorte d'esprit cruel et néfaste. Il est évident que dans ces situations elle avait transféré sur moi son ancienne phobie de sa mère. Un incident, en particulier, nous donna un aperçu du rôle important que cette phobie de la mère qui interdit jouait dans sa frigidité. A la période de son analyse où ses inhibitions sexuelles avaient déjà diminué, j'étais absente pour quinze jours. Elle me dit par la suite qu'un soir elle avait été avec des amis et qu'elle avait bu de l'alcool — pas plus qu'elle ne pouvait habituellement supporter — et qu'elle n'avait aucun souvenir de ce qui s'était passé après. Mais son amoureux lui avait dit qu'elle avait été excitée, qu'elle avait demandé à avoir des rapports sexuels, qu'elle avait eu un orgasme complet (elle avait été tout à fait frigide jusque-là) et qu'elle s'était exclamée à plusieurs reprises d'une voix triomphante : « Je suis en vacances de Horney ». Moi, en tant que mère qui interdit, dans son fantasme, j'étais absente et elle pouvait donc être sans peur une femme amoureuse.

Une autre patiente, atteinte de vaginisme et plus tard de frigidité, avait transféré sur moi l'ancienne phobie ressentie contre sa mère et en particulier contre une sœur de huit ans son aînée. La patiente avait fait plusieurs tentatives pour avoir des relations avec des hommes, mais avait toujours échoué à cause de ses complexes. Régulièrement, dans de telles situations, elle se sentait furieuse à mon égard et parfois même exprimait l'idée plutôt paranoïde que j'avais tenu l'homme éloigné d'elle. Quoiqu'elle se rendît intellectuellement compte que j'étais celle qui voulait l'aider à s'adapter, l'ancienne phobie de sa sœur reprenait le dessus. Et au moment où elle avait eu sa première expérience sexuelle avec un homme, elle avait eu immédiatement un rêve d'angoisse dans lequel sa sœur la chassait.

Dans chaque cas de frigidité il y a d'autres facteurs psychiques en jeu, dont je citerai maintenant quelques-uns. Mais je ne parlerai pas de leurs relations avec la frigidité et ne montrerai que l'importance qu'ils peuvent avoir sur certains autres troubles fonctionnels.

Il y a par-dessus tout l'influence que les phobies de masturbation peuvent avoir sur les comportements psychiques aussi bien que sur les processus physiques. On sait qu'étant donné de telles phobies concernant la masturbation, chaque maladie peut être considérée comme résultant de ces phobies. La forme particulière que prennent souvent ces phobies chez les femmes est que les organes génitaux soient physiquement lésés du fait de la masturbation. Cette phobie est souvent liée à la représentation fantasmatique que ces femmes avaient été une fois un garçon et qu'elles avaient été châtrées. Une telle phobie peut s'exprimer sous différentes formes :

1º Par une phobie vague mais profonde de ne pas être « normale ».

2º Par des phobies et des symptômes hypocondriaques tels que douleurs et pertes sans cause organique, ce qui les amène à consulter un gynécologue. Elles auront alors un traitement par suggestion ou une réassurance quelconque et se sentiront mieux — mais naturellement la phobie réapparaîtra et elles y retourneront avec les mêmes doléances. Quelquefois cette phobie les pousse à se faire opérer. Elles éprouvent le sentiment que quelque chose de physique est détraqué en elles, qui ne peut être corrigé que par le moyen radical de l'opération.

3º En outre, les phobies peuvent prendre la forme suivante : parce que je me suis blessée je ne pourrai jamais avoir d'enfant. Chez les très jeunes filles, la phobie peut être tout à fait consciente dans cette relation. Mais même ces très jeunes patientes nous diront d'abord qu'elles considèrent comme dégoûtant le fait d'avoir des enfants et qu'elles désirent ne jamais en avoir. Ce n'est que beaucoup plus tard que vous apprendrez que ce sentiment de dégoût représente pour elles une réaction du genre « les raisins sont trop verts », contre leurs désirs précoces d'avoir beaucoup d'enfants et que la phobie mentionnée ci-dessus les a conduites à renier.

Il peut y avoir de nombreuses tendances conflictuelles inconscientes reliées à ce désir d'un enfant. L'instinct maternel naturel peut être contrecarré par certains motifs inconscients. Je n'entrerai pas dans les détails et je ne citerai qu'une possibilité : pour ces femmes qui ont dans un coin de leur esprit un désir intense d'être un homme, la grossesse et la maternité qui représentent l'accomplissement féminin équivalent prennent une importance accrue.

Je n'ai malheureusement jamais vu de cas de grossesse nerveuse, mais elle résulte probablement aussi d'un renforcement inconscient du désir d'un enfant. Une aménorrhée temporaire indiquera certainement le désir d'un enfant à n'importe quel prix. Tout gynécologue connaît des cas de femmes habituellement nerveuses et déprimées qui sont parfaitement heureuses et équilibrées quand elles sont enceintes. Pour elles, la grossesse représente une forme particulière de satisfaction.

Dans le cas que j'ai à l'esprit, ce n'est pas tellement l'idée d'avoir un enfant, de l'allaiter, de le caresser, qui est renforcée, mais l'idée de la grossesse elle-même, de porter un enfant. L'état de grossesse a pour ces femmes une valeur narcissique exquise. Deux de ces cas ont vu des grossesses prolongées. Il est trop tôt pour en tirer des conclusions, mais avec toute la prudence critique possible, on peut tout au moins penser ici à l'éventualité que le désir inconscient de garder l'enfant en soi puisse être une explication pour certains cas de grossesses prolongées, qui seraient autrement inexplicables.

Un autre facteur — la phobie de mourir en couches — joue parfois un rôle important. Cette phobie elle-même peut être consciente ou non. Son origine véritable n'est jamais consciente. Un de ses éléments essentiels, d'après mon expérience, est le vieil antagonisme contre la mère enceinte. Je pense à une patiente qui avait la phobie de mourir en couches ; elle se souvenait qu'enfant elle avait pendant de longues années surveillé anxieusement sa mère pour voir si elle était encore enceinte. Elle ne pouvait jamais voir une femme enceinte dans la rue sans éprouver l'impulsion de lui donner des coups de pieds dans le ventre et avait naturellement la phobie qu'en un juste retour une chose aussi atroce puisse lui arriver.

D'autre part, l'instinct maternel peut être contrecarré par des pulsions hostiles inconscientes dirigées contre l'enfant. Ici interviennent les problèmes très intéressants de l'influence éventuelle de telles pulsions sur l'hyperémèse, l'accouchement prématuré et les dépressions post-partum.

Pour revenir une fois de plus aux phobies de la masturbation, j'ai déjà dit qu'elles peuvent résulter de la représentation par la patiente d'être physiquement blessée et que cette phobie peut conduire à des symptômes hypocondriaques. Ces phobies peuvent s'exprimer d'une autre façon : par l'attitude à l'égard de la menstruation. La représentation d'avoir été blessées fait que ces femmes ressentent leurs organes génitaux comme une sorte de plaie et par conséquent la menstruation est émotionnellement conçue comme une preuve de cette réalité. Pour ces femmes, il y a association étroite entre saignement et plaie. Il en résulte que la menstruation ne peut jamais être un processus normal pour ces femmes et qu'elles en auront toujours un sentiment de dégoût.

Ceci m'amène au problème des ménorragies et des dysménorrhées. Je ne parle bien entendu que des cas où il n'y a aucune cause locale ou organique. La base de la compréhension de tout trouble menstruel fonctionnel est la suivante : l'équivalent psychique des processus physiques dans les organes génitaux à ce moment-là est l'augmentation de la tension libidinale. Une femme bien équilibrée dans son développement psycho-sexuel y fera face sans aucune difficulté particulière. Mais il y a beaucoup de femmes qui parviennent difficilement à maintenir un équilibre précaire et pour lequel cette tension libidinale accrue est la goutte qui fait déborder le vase.

Sous la pression de cette tension, toutes sortes de fantasmes infantiles sont revécus ; particulièrement ceux qui ont quelque rapport avec le processus du saignement. Généralement parlant, ces fantasmes ont pour contenu la notion que l'acte sexuel est un acte cruel, sanglant et douloureux. J'ai trouvé sans exception que des fantasmes de cette sorte jouaient un rôle déterminant chez toutes mes patientes souffrant de ménorragies ou de dysménorrhées. La dysménorrhée débute habituellement sinon à la puberté, du moins au moment où la patiente fait face à des problèmes sexuels d'adulte.

Je vais tenter de donner quelques exemples : une de mes patientes, qui souffrait toujours de ménorragie profuse quand elle pensait aux rapports sexuels, avait une vision de sang. Nous avons trouvé en analyse que des souvenirs d'enfance contenaient des éléments déterminant cette vision, qui apparaissait dans certaines conditions.

Elle était l'aînée de huit enfants et ses souvenirs les plus effrayants concernaient le moment de la naissance d'un nouvel enfant. Elle avait entendu crier sa mère et avait vu emporter de sa chambre des bols de sang. L'association précoce établie entre naissance, sexe et sang était si précise pour elle qu'une nuit où sa mère fit des hémoptysies, elle rapprocha immédiatement les hémorragies des rapports sexuels entre ses parents. La menstruation ravivait pour elle ses anciens sentiments et ses fantasmes infantiles d'une vie sexuelle très sanglante.

La patiente que je viens de mentionner avait une dysménorrhée grave. Elle était elle-même parfaitement consciente que sa vie sexuelle réelle avait à faire avec toutes sortes de fantasmes sadiques. Lorsqu'elle entendait parler de cruautés ou qu'elle en lisait, elle se sentait sexuellement excitée. Elle décrivait ses douleurs de la menstruation comme correspondant à une déchirure de ses intérieurs. Cette forme spécifique était déterminée par des fantasmes infantiles. Elle se souvenait d'avoir eu comme petite fille la représentation qu'au cours des rapports sexuels l'homme déchirait quelque chose du corps de la femme. Dans sa dysménorrhée, elle jouait jusqu'au bout ses vieux fantasmes.

Je suppose qu'un grand nombre de mes affirmations concernant les facteurs psychogènes peuvent sembler complètement extravagantes, quoique peut-être tout cela ne soit pas vraiment extravagant mais seulement étranger à notre pensée médicale habituelle. Si l'on désire obtenir plus qu'un jugement émotionnel, il n'y a qu'une façon scientifiquement irréfutable d'y parvenir — c'est d'examiner les faits. L'idée que le dévoilement amène au jour des racines psychiques spécifiques et que les symptômes disparaissent au cours du processus ne fournit pas la preuve que c'est le processus de dévoilement qui a provoqué la guérison. N'importe quelle suggestion habile aurait pu avoir le même résultat.

La preuve scientifique (¹) devrait être ici la même que dans les autres domaines scientifiques : appliquer la technique psychanalytique des associations libres et voir si les découvertes sont semblables. Tout jugement qui n'a pas été porté dans les conditions requises est sans valeur scientifique.

Il me semble cependant qu'il y a un autre moyen pour les gynécologues d'obtenir au moins le sentiment d'une preuve de la corrélation spécifique entre certains facteurs émotionnels et certains troubles fonctionnels. Si un temps suffisant et une attention suffisante étaient accordés aux patientes, un certain nombre d'entre elles au moins révéleraient très facilement leurs conflits. Je crois que cette façon de procéder peut même avoir une certaine valeur thérapeutique immédiate. Une analyse correcte ne peut être faite que par un médecin qui a reçu une formation psychanalytique appropriée. C'est une procédure qui n'est pas moins incisive qu'une opération. Il n'y a pas que la grande chirurgie, il y a aussi la petite chirurgie. Une petite psychothérapie consisterait à agir sur les conflits les plus récents et à dévoiler leurs liens avec les symptômes. Le travail déjà accompli dans ce domaine pourrait facilement être étendu.

(¹) *Note de l'éditeur américain* : Une reformulation des affirmations de K. Horney peut clarifier davantage ce qu'elle veut dire. Les conditions requises comme critère de valeur scientifique sont qu'un certain nombre de psychanalystes employant la technique des associations libres dans l'investigation de patientes souffrant de troubles fonctionnels et de perturbations psycho-sexuelles devraient trouver de telles configurations psychodynamiques ; que ces patientes devraient répondre à la technique psychanalytique par une amélioration de leurs symptômes et la résolution des conflits psychiques et des défenses spécifiques dévoilés ; et que plus d'analystes encore confirmeraient ces découvertes par un nombre croissant de ce genre de patientes.

Il n'y a qu'une limite à cette possibilité et qu'il faut admettre : il faut avoir une connaissance psychologique profonde si l'on désire éviter les erreurs ; particulièrement celles qui peuvent affecter des émotions avec lesquelles on n'est pas capable de se mesurer.

XI

CONFLITS MATERNELS [1]

Au cours des trente ou quarante dernières années il y a eu des controverses au sujet des capacités éducatives innées des mères. Il y a une trentaine d'années, l'instinct maternel était considéré comme le guide infaillible de l'éducation des enfants. Quand ce guide s'avéra inapproprié, on crut avec non moins d'exagération à la science théorique de l'éducation. Malheureusement, les moyens fournis par les théories pédagogiques scientifiques montrèrent qu'elles n'étaient pas une meilleure garantie contre l'échec que ne l'avait été l'instinct maternel. Et nous en revenons maintenant à une exagération du côté émotionnel des relations mère-enfant. Cette fois cependant non pas avec une vague conception des instincts sur laquelle s'appuyer, mais avec un problème défini : quels sont les facteurs émotionnels qui peuvent perturber une attitude souhaitable et quelles sont leurs origines ?

Sans tenter de discuter de la grande variété des conflits que l'on rencontre en analysant des mères, je vais m'efforcer de présenter ici un type particulier dans lequel la relation de la mère avec ses propres parents est reflétée dans son attitude envers ses enfants. J'ai à l'esprit l'exemple d'une femme qui est venue chez moi à l'âge de trente-cinq ans. Elle était professeur, intelligente, douée, d'une personnalité remarquable et, dans l'ensemble, paraissait très équilibrée. L'un de

[1] Lu en 1933 à la réunion de la Société Américaine d'Orthopsychiatrie. Réimprimé du *Journal of Orthopsychiatry*, n° 4 (octobre 1933). Copyright : The American Orthopsychiatric Association, Inc. Reproduction autorisée.

ses deux problèmes avait trait à une légère dépression dont elle souffrait, après avoir appris que son mari lui était infidèle. Elle était une femme d'une grande valeur morale, encore développée par son éducation et par un penchant naturel, mais elle était tolérante vis-à-vis des autres et de ce fait ses réactions d'hostilité vis-à-vis de son mari lui étaient consciemment difficiles à accepter. La perte de confiance en son mari affectait son attitude devant la vie et la retenait dans ses rets. Son autre problème concernait son fils de treize ans, atteint de névrose obsessionnelle grave et souffrant d'états d'angoisse qui, dans sa propre analyse, se révélaient être liés à son attachement pour sa mère. Les deux problèmes furent éclaircis de façon satisfaisante. Elle revint cinq ans plus tard, cette fois avec une difficulté qui était restée cachée au cours de la première période. Elle avait remarqué que certains de ses élèves masculins montraient plus que des sentiments tendres à son égard — il y avait en fait des preuves que certains garçons étaient passionnément amoureux d'elle et elle se demandait si elle avait fait quelque chose pour attirer une telle passion et un tel amour. Elle se sentait fautive dans son attitude envers ses élèves. Elle s'accusait de répondre émotionnellement à cette passion et à cet amour et se laissait aller à de profonds remords. Elle était fermement convaincue que je la condamnerais et comme je ne le faisais pas, elle était incrédule. Je tentai de la réassurer en lui disant qu'il n'y avait rien d'extraordinaire dans sa situation et que si l'on est capable de travailler aussi intensément dans un domaine au point d'accomplir un travail créateur parfait, il est tout naturel que des instincts plus profonds agissent. Cette explication ne la soulagea pas, aussi avons-nous dû rechercher les sources émotionnelles profondes de ces relations.

Et voici ce qui en ressortit : tout d'abord la nature sexuelle de ses sentiments apparut au jour. Un des jeunes gens la suivait dans la ville où elle était analysée et elle tomba amoureuse de ce jeune garçon de vingt ans. Il était assez frappant de voir cette femme équilibrée et mesurée, luttant contre elle-même, contre la force qui la poussait à avoir une liaison avec un garçon comparativement moins évolué, combattant toutes les barrières conventionnelles dont elle pensait qu'elles étaient la seule entrave à une liaison.

Il apparut que cet amour ne s'appliquait pas vraiment au garçon lui-même. Ce garçon (et d'autres avant lui) représentait manifestement pour elle l'image du père. Tous ces garçons avaient certains traits physiques et psychiques qui lui rappelaient son père et dans ses rêves ces garçons et son père apparaissaient comme une seule et même personne.

Elle s'aperçut consciemment que derrière l'opposition plutôt amère manifestée contre son père pendant son adolescence se cachait un amour passionné pour lui. Dans les cas de fixation au père, le sujet montre habituellement une préférence très nette pour les hommes mûrs, parce qu'ils semblent suggérer le père. Dans ce cas précis, les relations infantiles étaient renversées. Ses tentatives pour résoudre le problème avaient pris dans le fantasme la forme suivante : « Je ne suis pas le petit enfant qui ne peut obtenir l'amour de mon père inaccessible ; mais je suis grande, alors il sera petit, alors je serai la mère et mon père sera mon fils. » Elle se rappelait qu'à la mort de son père elle avait eu le désir de se coucher à côté de lui et de le mettre sur son sein comme une mère le ferait de son enfant.

L'analyse plus avancée fit apparaître que ces jeunes gens représentaient seulement une seconde phase du transfert de son amour pour son père. Son fils était le premier réceptacle de ce transfert, puis l'amour était reporté sur ces garçons qui avaient l'âge de son fils, dans le but d'empêcher son esprit de se concentrer sur un objet d'amour incestueux. Son amour pour ses élèves était une fuite, une seconde forme de l'amour pour son propre fils qui représentait l'incarnation originelle de son père. Aussitôt qu'elle eut conscience de sa passion pour cet autre garçon, la tension monstrueuse ressentie pour son fils diminua. Jusqu'alors elle avait insisté pour recevoir une lettre quotidienne de lui, sans quoi elle était très inquiète. Lorsqu'elle fut la proie de sa passion pour l'autre garçon, la surcharge émotionnelle envers son fils diminua immédiatement ; ce qui prouve combien ce garçon, et les autres avant lui, n'étaient en réalité que des substituts de son propre fils. Son mari aussi était plus jeune qu'elle, d'une personnalité plus faible que la sienne et sa relation avec lui avait distinctement le caractère de mère à enfant. Le lien qui l'unissait à son mari avait perdu sa signification émotionnelle aussitôt après la naissance de son fils. C'est en fait cette surcharge émotionnelle à l'égard de son fils qui avait fait naître chez ce dernier une névrose obsessionnelle grave au début de la puberté.

Une de nos conceptions analytiques fondamentales est que la sexualité ne débute pas à la puberté mais à la naissance ; par conséquent, nos sentiments d'amour précoces ont toujours un caractère sexuel. Comme nous le voyons dans le règne animal, sexualité signifie attraction entre les sexes. Nous le constatons dans l'enfance, par le fait que la fille est plus attirée vers le père et le fils vers la mère. Les facteurs de rivalité et de jalousie relatifs au parent du même sexe sont responsables des conflits naissant de cette source. Dans le cas que je viens de mentionner, nous avons vu l'élaboration tragique du conflit à travers trois générations.

J'ai constaté dans cinq cas un tel transfert d'amour du père au fils. Le réveil des sentiments pour le père demeure habituellement inconscient. La nature sexuelle des sentiments pour le fils n'était consciente que dans deux cas ; ce qui est habituellement conscient n'est que la grande charge émotionnelle de la relation mère-fils. Pour comprendre la physionomie d'une telle relation, il faut prendre conscience du fait que par sa nature même elle sera une relation perturbée. Non seulement les éléments sexuels incestueux sont transférés de la relation infantile au père, mais aussi les éléments hostiles qui y sont nécessairement rattachés. Un certain résidu de sentiments hostiles est inévitable, comme résultat d'affects également inévitables, provoqués par la jalousie, la frustration et les sentiments de culpabilité. Si les sentiments envers le père sont transférés dans leur entité sur le fils, le fils recevra non seulement l'amour mais aussi l'ancienne hostilité. En règle générale, les deux sont refoulés. La forme sous laquelle le conflit entre amour et haine peut ressortir est une attitude de sollicitude exagérée. Ces mères voient leurs enfants constamment en proie à des dangers. Elles ont la phobie que les petits puissent contracter maladies ou infections, ou avoir des accidents. Elles sont fanatiques dans leurs soins. La femme dont nous avons parlé se protégeait en se plongeant totalement dans les soins envers son fils, qu'elle voyait entouré de périls innombrables. Même plus tard, s'il lui arrivait le moin-

dre ennui, elle restait à la maison loin de son école et se consa-
crait à le soigner.

Dans d'autres cas, de telles mères n'osent pas toucher leurs
fils de peur de les blesser. Deux femmes auxquelles je pense
avaient une infirmière exclusivement pour les soins à donner
à leurs fils, quoique cette dépense fût excessive pour leur bud-
get et que du point de vue émotionnel aussi sa présence fût
une grande gêne pour la maisonnée. Cependant, les mères
préféraient supporter la présence des infirmières car leur
fonction de protéger les fils de prétendus dangers était trop
importante.

Il y a encore une autre raison à l'attitude de sollicitude
exagérée de telles mères. Leur amour ayant le caractère d'un
amour incestueux interdit, elles sentent constamment la
menace que leur fils puisse leur être enlevé. Une femme rêva
qu'elle était debout dans une église, son fils dans les bras et
qu'elle devait le sacrifier à une déesse-mère terrifiante.

Dans le cas de fixation au père, un autre complication naît
souvent de la jalousie existant entre mère et fille. Une certaine
rivalité entre une mère et sa fille arrivant à la maturité sexuelle
est une chose naturelle. Mais quand la propre situation œdipienne de la mère a provoqué une rivalité contraignante, elle peut
prendre des formes grotesques et commencer dans la première
enfance de la fille. Une telle rivalité peut se révéler dans une
intimidation générale de la fille, dans des efforts pour la ridi-
culiser et la rabaisser, pour l'empêcher d'être attrayante et
de rencontrer des garçons, etc., toujours dans le but secret
de contrecarrer sa fille dans son développement féminin.
Quoi qu'il soit difficile de détecter la jalousie derrière les
diverses formes par lesquelles elle s'exprime, le mécanisme
psychologique tout entier est d'une structure fondamentale
simple et de ce fait ne demande aucune description détaillée.

Considérons le problème plus compliqué qui naît lorsqu'une
femme a éprouvé un violent attachement pour sa mère au
lieu du père. Certains traits se sont par conséquent détachés
de cas semblables que j'ai analysés. Le cas suivant est typique :
une fille peut avoir des motifs d'être dégoûtée très tôt de son
rôle féminin, soit que sa mère l'ait intimidée, soit qu'un père
ou un frère l'ait profondément déçue ; elle a pu faire des expériences sexuelles précoces qui l'ont effrayée ; ou elle a pu

s'apercevoir que son frère lui était préféré. Comme conséquence de ces motifs, elle se détourne de son rôle sexuel inné
et développe des tendances et des fantasmes masculins. Les
fantasmes masculins une fois établis conduisent à une attitude
compétitive envers les hommes, qui s'ajoute au ressentiment
originel à leur égard. Il est manifeste que de telles femmes ne sont pas faites pour le mariage. Elle sont frigides,
insatisfaites et leurs tendances masculines se révèleront par
exemple dans le désir de domination. Quand ces femmes se
marient et ont des enfants, elles sont portées à leur témoigner
un attachement exagéré, souvent décrit comme une libido
refoulée imposée à l'enfant. Cette description, quoique exacte,
ne permet aucune pénétration des processus particuliers mis
en œuvre. Tenant compte de l'origine d'un tel développement,
nous pouvons comprendre les traits particuliers comme le
résultat de tentatives pour résoudre certains conflits précoces.

Les tendances masculines s'expriment par l'attitude tyrannique de la femme et le désir de commander complètement
les enfants. Ou elle peut avoir peur de cette attitude et être
trop faible avec eux. On peut voir l'un ou l'autre des deux
extrêmes. Elle peut s'immiscer inflexiblement dans les affaires
des enfants ou elle peut avoir peur des tendances sadiques
impliquées et rester passive, n'osant pas intervenir. Le ressentiment envers le rôle féminin peut se manifester dans le
fait d'apprendre aux enfants que les hommes sont des brutes
et les femmes des créatures malheureuses, que le rôle de la
femme est déplaisant et pitoyable, que la menstruation est
une maladie (« malédiction ») et les rapports sexuels un sacrifice au désir lascif du mari. Ces mères seront intolérantes à
toute manifestation sexuelle, particulièrement de la part des
filles, mais très fréquemment aussi de la part des garçons.

Très souvent ces mères viriles seront hyper-attachées à la
fille, comme d'autres mères le sont au fils. La fille répond
parfois par un attachement excessif à la mère. Son rôle de
femme lui devient étranger et, comme conséquence de tous
ces facteurs, elle trouve difficile d'avoir dans sa vie ultérieure
des rapports normaux avec des hommes.

Les enfants peuvent, réellement et directement, faire revivre les images et fonctions des parents d'une autre manière
encore. Les parents ne sont pas seulement des objets d'amour

et de haine pendant l'enfance et l'adolescence, mais aussi des objets de phobies infantiles. Une grande part de la formation de notre conscience, en particulier la part inconsciente que nous appelons surmoi, est due à l'incorporation des images effrayantes des parents dans notre personnalité.

Cette ancienne phobie infantile liée autrefois au père ou à la mère peut être transférée sur les enfants et peut conduire à un sentiment immense mais vague d'insécurité en ce qui les concerne. Cela semble particulièrement vrai dans ce pays, pour des raisons compliquées. Les parents expriment cette phobie de deux façons principales. Ils ont la phobie d'être désapprouvés par leurs enfants, ils ont la phobie que leur propre conduite, le fait de fumer, de boire, leurs relations sexuelles, soient critiqués par leurs enfants. Ou bien ils ont le souci constant de savoir s'ils donnent bien à leurs enfants l'éducation et la formation appropriées. La raison en est un sentiment secret de culpabilité au sujet des enfants et conduit soit à une indulgence exagérée, soit à une hostilité franche — c'est-à-dire à l'usage instinctif de l'attaque comme moyen de défense.

Le sujet n'est pas épuisé. Il y a les nombreux aboutissements indirects de conflits avec les parents de la mère. Mon but est de montrer clairement la manière par laquelle les enfants peuvent très directement représenter d'anciennes images et ainsi stimuler compulsivement les mêmes réactions émotionnelles présentes autrefois.

La question peut se poser : « Quel est l'usage pratique de ces divers aperçus dans nos efforts pour guider les enfants et l'amélioration des conditions d'éducation ? » L'analyse du conflit maternel serait le meilleur moyen d'aider un enfant mais cela ne peut être fait sur une grande échelle. Je pense cependant que la connaissance détaillée acquise par les analyses de ces quelques cas peut faire ressortir l'orientation des facteurs génétiques pour guider le travail futur. Et de plus la connaissance des formes déguisées sous lesquelles apparaissent les facteurs pathogènes peut aider à les détecter plus aisément dans le travail pratique.

XII

LA SURVALORISATION DE L'AMOUR (¹)

Une étude d'un type courant de la femme d'aujourd'hui

Les efforts de la femme pour parvenir à l'indépendance et à l'accroissement de son champ d'intérêts et d'activités rencontrent continuellement un scepticisme qui insiste sur le fait que de tels efforts ne devraient être accomplis que du point de vue économique et qu'ils vont á l'encontre de son caractère inhérent et de ses tendances naturelles. En conséquence, tous les efforts de ce genre sont considérés comme étant sans importance vitale pour la femme, dont en fait chaque pensée devrait être exclusivement centrée sur l'homme ou sur la maternité, comme le dit la fameuse chanson de Marlène Dietrich : « Je ne connais que l'amour et rien d'autre ».

Différentes considérations sociologiques naissent immédiatement dans cette relation : elles sont cependant trop familières et trop évidentes pour nécessiter une discussion. Cette attitude envers la femme, quel que soit son fondement et de quelque façon qu'elle soit exprimée, représente l'idéal patriarcal de la féminité, de la femme dont le seul désir est d'aimer un homme et d'en être aimée, de l'admirer et de le servir et même de se modeler sur lui. Ceux qui défendent ce point de vue concluent d'une manière erronée, à partir d'un comportement extérieur, à l'existence d'une disposition instinctuelle innée ; alors qu'en réalité cette dernière peut être reconnue

(¹) *The Psychoanalytic Quarterly*, Vol. III (1934), pp. 605-38. Réimprimé avec l'autorisation de *The Psychoanalytic Quarterly*.

comme telle pour la raison que les facteurs biologiques ne se manifestent jamais à l'état pur et non dissimulés, mais toujours modifiés par la tradition et le milieu. Comme Briffault l'a récemment montré avec une certaine précision dans *The Mothers*, l'influence modificatrice de la « tradition héritée » non seulement sur les idéaux et les croyances mais aussi sur les attitudes et les prétendus instincts émotionnels ne peut être surestimée [1]. La tradition héritée signifie cependant pour les femmes une restriction de leur participation (qui à l'origine était probablement très importante) aux travaux en général, à un domaine plus étroit de l'érotisme et de la maternité. L'attachement à la tradition héritée répond à certaines fonctions quotidiennes à la fois pour la société et pour l'individu ; nous ne parlerons pas ici de leur aspect social. Considérée du point de vue de la psychologie de l'individu, on peut seulement dire que cette construction mentale a parfois pour l'homme un grand inconvénient et qu'elle constitue cependant pour lui une source dont sa dignité personnelle peut toujours tirer un appui. Pour la femme, au contraire, dont la dignité personnelle a été rabaissée depuis des siècles, elle constitue un havre de paix où lui sont épargnés les efforts et les angoisses associés au développement d'autres talents et à la reconnaissance de ses droits face à la critique et à la rivalité. Il est donc compréhensible — en parlant seulement du point de vue sociologique — que les femmes qui, aujourd'hui, obéissent à l'impulsion de développer leurs capacités, soient capables de le faire seulement au prix d'un combat à la fois contre l'opposition extérieure et contre des résistances qui ont été créées en elles par l'intensification de l'idéal traditionnel de la fonction exclusivement sexuelle de la femme.

Ce n'est pas aller trop loin que d'affirmer que ce conflit existe aujourd'hui pour chaque femme qui se risque dans une carrière pour son propre compte et qui en même temps n'est pas disposée à payer sa propre audace du prix de sa féminité.

[1] Briffault R., *The Mothers* (Londres 1927, vol. II), p. 253 : « La division sexuelle du travail sur laquelle avait été fondé le développement social des sociétés primitives fut abolie par la grande révolution économique agraire. La femme, au lieu d'être le principal producteur, devint économiquement improductive, indigente et dépendante... Une seule valeur économique fut laissée à la femme, son sexe. »

Ce conflit est donc un conflit conditionné par la position modifiée de la femme et limité à ces femmes qui entreprennent ou suivent une carrière, qui poursuivent des intérêts particuliers ou qui aspirent en général à un développement indépendant de leur personnalité.

La compréhension sociologique nous rend pleinement conscients de l'existence de conflits de ce genre, de leur caractère inévitable et dans les grandes lignes des nombreuses formes sous lesquelles ils se manifestent et de leurs effets plus lointains. Elle nous permet — pour ne donner qu'un exemple — de comprendre qu'il en résulte des attitudes variant d'un extrême de complète négation de la féminité à un extrême opposé de refus total d'activités intellectuelles ou professionnelles.

Les limites de ce champ d'investigation sont marquées par les questions telles que la suivante : pourquoi dans un cas donné le conflit prend-il telle forme particulière ou pourquoi sa solution est-elle précisément donnée de telle manière ? Pourquoi certaines femmes tombent-elles malades comme conséquence de ce conflit ou souffrent-elles d'une détérioration considérable du développement de leurs possibilités ? Quels sont les facteurs individuels prédisposant nécessairement à un tel résultat ? Et quels sont les genres de solutions ? Là où se pose le problème du destin de l'individu, on entre dans le domaine de la psychologie individuelle, c'est-à-dire de la psychanalyse.

Les observations qui seront présentées ici ne découlent pas d'un intérêt sociologique, mais naissent de certaines difficultés définies rencontrées au cours d'analyses d'un certain nombre de femmes et qui exigent une étude des facteurs spécifiques responsables de ces difficultés. Le présent rapport s'appuie sur sept de mes analyses et sur un certain nombre de cas qui me sont familiers grâce à des conférences analytiques. La majorité de ces patientes ne présentaient pas en général de symptômes importants ; deux d'entre elles avaient une tendance dépressive et une angoisse hypocondriaque occasionnelle qui n'avait rien de typique ; d'eux d'entre elles souffraient de crises peu fréquentes dont le diagnostic était : crises épileptiformes. Mais dans chaque cas, là où ils étaient présents, les symptômes étaient éclipsés par certaines difficultés rattachées aux relations de la patiente avec des hommes ou liées au travail. Comme il arrive si fréquemment, les difficultés en tant que telles étaient plus ou moins ressenties comme surgissant de leur propre personnalité.

Mais il n'était pas facile de saisir le vrai problème impliqué. La première impression ne fournit guère plus que le fait suivant : ces femmes accordaient une grande importance aux relations avec les hommes, mais n'avaient jamais réussi à établir des relations satisfaisantes durables. Soit que les tentatives pour établir des relations aient carrément échoué, soit qu'il y ait eu une série de relations purement fugitives rompues soit par l'homme, soit par la patiente — relations qui témoignaient souvent d'un manque de sélectivité. Mais si une relation durable et plus profonde était établie, elle échouait invariablement du fait de l'attitude ou du comportement de la femme.

Dans tous les cas, il y avait en même temps une inhibition dans le travail et l'œuvre accomplie, et un fléchissement plus ou moins marqué des intérêts. Jusqu'à un certain point, ces difficultés étaient conscientes et immédiatement évidentes, mais les patientes en étaient partiellement ignorantes (en tant que difficultés) jusqu'à ce que l'analyse les mît en lumière.

Ce ne fut qu'après un travail analytique prolongé que j'ai reconnu dans certains exemples flagrants que le problème central ne consistait pas dans une inhibition de l'amour mais dans une concentration trop exclusive sur les hommes. Ces femmes étaient comme possédées par une seule pensée : « Je dois avoir un homme » — obsédées par une idée surestimée au point d'absorber toute autre pensée, au point qu'en comparaison tout le reste de la vie semblait faussé, plat et inutile. Les capacités et les intérêts que la plupart d'entre elles avaient ou bien ne représentaient rien, ou bien avaient perdu tout sens. En d'autres termes, les conflits affectant leurs relations avec les hommes étaient réels et pouvaient être dissipés dans une grande mesure, mais le vrai problème résidait non pas dans une minimisation mais dans une exagération de leur vie amoureuse.

Dans certains cas, les inhibitions concernant le travail apparurent en premier lieu au cours de l'analyse et augmentèrent alors que les relations avec les hommes s'amélioraient par l'analyse des angoisses associées à la sexualité. Ce changement était différemment valorisé par la patiente et ses collègues. D'une part, il était considéré comme un progrès — comme dans le cas d'un père qui se réjouit du fait que grâce à l'analyse sa fille est devenue si féminine qu'elle veut maintenant se marier et qu'elle a perdu tout intérêt pour les études. D'autre part, au cours des consultations, j'ai maintes fois entendu des doléances affirmant que telle ou telle patiente était parvenue à de meilleures relations avec les hommes grâce à l'analyse, mais qu'elle avait perdu son efficience, son aptitude et son plaisir antérieurs au travail et était maintenant exclusivement préoccupée du désir de camaraderies masculines. Cela donnait à réfléchir. Évidemment, un tel tableau pouvait aussi représenter un « artefact » de l'analyse, un échec du traitement. Toutefois, tel n'était le résultat que pour certaines femmes. Quels étaient les facteurs prédisposants qui déterminaient un résultat ou un autre ? Quelque chose avait-il été omis dans le problème global de ces femmes ?

Enfin, un autre trait caractérisait toutes ces patientes, à un degré plus ou moins frappant — *la phobie de ne pas être normales*. Cette angoisse apparaissait dans le domaine de l'érotisme, en rapport avec le travail ou d'une manière plus abstraite et diffuse comme un sentiment général d'être différentes et inférieures, ce qu'elles attribuaient à une prédisposition inhérente et par conséquent immuable.

Ce problème ne s'est éclairci que progressivement, pour deux raisons. Nous avons d'une part le tableau représentant, dans une grande mesure, notre conception traditionnelle de la femme vraiment féminine, qui n'a d'autre but dans la vie que de prodiguer son attachement à un homme. La seconde difficulté se trouve chez l'analyste lui-même qui, convaincu de l'importance de la vie amoureuse, est de ce fait disposé à considérer la suppression des troubles dans ce domaine comme la tâche essentielle. Il sera donc heureux de suivre les patientes qui, de leur propre gré, exagèrent l'importance de tels facteurs dans les problèmes de ce genre qu'elles présentent. Si une patiente devait dire que la grande ambition de sa vie est un voyage aux Iles des Mers du Sud et qu'elle attend de l'analyste la résolution des conflits intérieurs entravant l'accomplissement de ce désir, l'analyste poserait naturellement la ques-

tion : « Dites-moi, pourquoi ce voyage a-t-il pour vous une
telle importance vitale ? » La comparaison est bien entendu
inappropriée, car la sexualité est d'une importance beaucoup
plus grande qu'un voyage dans les Mers du Sud ; mais elle
sert à montrer que notre discernement, droit et juste par
lui-même quant à l'importance d'une expérience hétérosexuelle, peut à l'occasion nous rendre aveugles quant à la
survalorisation et à l'exagération névrotiques de ce domaine.

Vues sous cet angle, les patientes présentent une double
contradiction. Leur sentiment pour un homme est en réalité
si compliqué — j'aimerais dire descriptivement si libre — que
leur valorisation d'une relation hétérosexuelle comme étant
la seule chose valable de la vie, est sans aucun doute une
survalorisation compulsive. D'autre part, leurs dons, leurs
capacités et leurs intérêts, leur ambition et les possibilités
correspondantes d'accomplissement et de satisfaction sont
bien plus grands qu'elles ne l'affirment. Nous avons donc à
faire à un déplacement au sexe de l'exagération de l'aboutissement ou de la lutte pour l'accomplissement ; en effet, dans
la mesure où l'on peut parler de faits objectifs dans le domaine
des valeurs, nous trouvons ici une falsification objective des
valeurs. Car, quoique dans la dernière analyse le sexe soit
une source extrêmement importante de satisfactions (peut-
être la plus importante), ce n'est certainement pas la seule,
ni la plus digne de foi.

La situation de transfert sur une femme analyste était de
bout en bout dominée par deux attitudes : rivalité et recours
à l'activité dans les relations avec les hommes (¹). Aucune
amélioration, aucun pas en avant ne leur semblait être un
progrès personnel, mais exclusivement un succès de l'analyste.
La représentation par le sujet d'une analyse didactique proje-
tait sur moi l'idée que je n'avais pas réellement le désir de la
guérir ou bien que je lui conseillais de s'établir dans une autre

---

(¹) L'attitude peut être la même envers un analyste homme. Ou le
transfert peut présenter temporairement (ou de façon permanente)
le tableau décrit par Freud comme « la logique de la soupe et des
nouilles ». Dans le premier cas, l'analyste représente de manière prépondérante la mère ou la sœur (en aucune manière toujours, et chaque
situation doit être considérée en elle-même). Dans le second cas,
l'incitation chronique à conquérir un homme, caractéristique de ce
groupe de patientes, est reliée à l'analyste lui-même.

ville parce que j'avais peur de sa concurrence. Une autre patiente réagissait à chaque interprétation (exacte) en faisant remarquer que sa capacité de travail ne s'était pas améliorée. Une autre avait l'habitude de remarquer, chaque fois que j'avais le sentiment d'un progrès, combien elle était désolée de me prendre tant de temps. Des griefs pleins de découragement voilaient à peine le désir obstiné de décourager l'analyste. Ces patientes insistaient sur le fait que chaque amélioration indubitable devait être en réalité attribuée à des facteurs extérieurs à l'analyse, alors que chaque changement défavorable était le fait de l'analyste. Elles éprouvaient fréquemment des difficultés dans les associations libres parce que cela signifiait un don de leur part et un triomphe pour l'analyste et parce que cela aiderait l'analyste à réussir. En un mot, elles voulaient prouver que l'analyste ne pouvait rien faire. Une patiente exprimait cela plaisamment, de la façon suivante : elle s'installerait dans la maison en face de la mienne et apposerait sur ma maison une plaque bien visible dirigée vers son enseigne et portant la légende : « De l'autre côté se trouve la seule bonne analyste-femme ».

L'autre attitude de transfert consiste en ceci : comme dans la vie aussi, la relation avec les hommes est amenée au premier plan et cela avec une fréquence évidente, sous la forme de l'*acting out*. Souvent, un homme après l'autre joue un rôle allant de la simple approche jusqu'aux relations sexuelles, alors que le récit de ce qu'il fait ou non, qu'il aime ou qu'il déçoive et de la manière dont les autres ont réagi contre lui, prend parfois la plus grande partie de la séance et se prolonge infatigablement jusque dans le moindre détail. Le fait que cela représente un *acting out* et que cet *acting out* favorise la résistance n'était pas toujours directement évident. Il était parfois voilé en raison de l'effort de la patiente à démontrer qu'une relation satisfaisante avec un homme (peut-être une relation d'importance vitale) était en train de s'établir — effort qui concordait avec un souhait de même orientation de la part de l'analyste. Je peux dire rétrospectivement qu'avec une connaissance plus exacte du problème spécifique de ces patientes et de leurs réactions spécifiques de transfert, il est en règle générale possible de voir à travers ce jeu et ainsi de limiter considérablement ces *acting out*.

Trois sortes de tendances apparaissent au premier plan dans cette activité. Elles peuvent être décrites comme suit

1º « J'ai peur de dépendre de vous en tant que femme vous une représentation de la mère. Je dois donc éviter de m'attacher à vous par un quelconque sentiment d'amour Car aimer c'est être dépendant. Donc, fuyant cela je dois essayer de fixer mes sentiments ailleurs, sur un homme. » Ainsi un rêve, introduit dans l'analyse d'une femme qui était assurément de ce type, montrait la patiente tendant à venir à l'analyse mais s'échappant avec un homme qu'elle voyait dans le salon d'attente. Cette réserve est souvent rationalisée par l'idée que du fait que l'analyste ne peut lui rendre son amour, il est inutile de laisser ses sentiments entrer en jeu.

2º « Je préférerais vous rendre dépendante de moi (amoureuse de moi). En conséquence je vous recherche et tente de faire naître votre jalousie en faisant attention aux hommes. » Ici s'exprime une conviction préconsciente, profondément enracinée, que la jalousie est souveraine pour faire naître l'amour.

3º « Vous enviez mes relations avec les hommes ; en fait vous tentez de m'empêcher par tous les moyens possibles de les avoir, et ne voulez même pas que je sois attrayante. Mais je vous montrerai, par méchanceté, que je le puis quand même. » L'empressement de l'analyste à aider n'est au mieux reconnu qu'intellectuellement et souvent même pas du tout ; quand enfin la glace est rompue, le franc étonnement témoigné devant le fait que quelqu'un désire réellement aider autrui à atteindre le bonheur dans ce domaine est frappant. D'autre part, même quand une structure intellectuelle de confiance existe, la méfiance vraie et l'angoisse vraie de la patiente, aussi bien que la colère envers l'analyste, viennent au jour quand une tentative pour former un lien avec l'analyste échoue. Cette colère est parfois d'un caractère presque paranoïde, son contenu étant que l'analyste est responsable de ceci ou de cela, et qu'il est même intervenu activement pour la provoquer.

La compréhension de tels aspects nous incite à affirmer que la clé de ce comportement se trouve dans une homosexualité contraignante, en même temps que dans une crainte qui provoque une fuite pathologique vers l'homme — homosexualité à vrai dire dans le sens de « comportement masculin vrai », dont l'effort pour rendre les hommes et les femmes dépendants n'est que l'expression consciente. Ce qui rendrait intelligible la liberté et la non-sélectivité caractéristiques des relations du sujet avec les hommes. L'ambivalence à l'égard des femmes qui caractérise invariablement l'homosexualité expliquerait la nécessité de fuir l'homosexualité et spécifiquement de fuir vers les hommes, aussi bien que la méfiance, l'angoisse et la rage manifestées envers l'analyste au point où cette dernière joue le rôle maternel.

Les découvertes cliniques ne contrediraient pas de prime abord une telle interprétation. Nous trouvons dans les rêves l'expression explicite du désir d'être un homme et dans la vie des exemples de comportement masculin sont déployés sous diverses formes. Le fait est très caractéristique que dans des cas bien définis ces désirs sont vigoureusement rejetés pour la raison que ces femmes considèrent comme identique le désir d'être un homme et le fait d'être homosexuelles. Les rudiments d'une liaison teintée d'homosexualité sont presque toujours présents à une période de la vie. Que de telles liaisons ne dépassent pas le stade rudimentaire est aussi en accord avec l'interprétation précédente, comme le fait que dans la plupart des cas les relations féminines ne jouent qu'un rôle étonnamment faible. Tous ces phénomènes peuvent être considérés comme des mesures de défense contre une homosexualité prononcée.

On est décontenancé de trouver que dans tous ces cas une interprétation fondée sur des tendances homosexuelles inconscientes et la fuite devant ces tendances reste thérapeutiquement inefficace. Une autre interprétation plus exacte doit être possible. Un exemple tiré de la situation de transfert fournit la réponse [1].

Au début de son traitement, une patiente m'envoyait à maintes reprises des fleurs, d'abord anonymement puis franchement. Ma première interprétation, selon laquelle elle se conduisait comme un homme faisant la cour à une femme,

[1] J'ai été maintes fois frappée par le fait que chaque fois que j'ai démontré à ces patientes leur désir d'être un homme libre de toute relation d'objet, elles aient invariablement réagi avec promptitude et naïveté, comme si je leur avais « reproché » d'être homosexuelles.

ne modifia pas son comportement, quoiqu'elle le reconnût
en riant. Ma seconde interprétation selon laquelle les cadeaux
étaient destinés à compenser l'agressivité qu'elle témoignait,
resta également sans effet. Par contre, le tableau changea
comme par magie quand la patiente fournit les associations
qui établissaient sans équivoque possible que par le moyen
des cadeaux une personne peut en rendre une autre dépendante. Le fantasme qui suivit mit en lumière le contenu destructif plus profond de ce désir. Elle aimerait, disait-elle,
être ma femme de chambre et tout faire pour moi à la perfection. Ainsi je deviendrais dépendant d'elle, je lui ferais
totalement confiance et le jour viendrait où elle mettrait
du poison dans mon café. Elle termina son fantasme par
une phrase absolument typique de ce groupe de sujets :
« L'amour est un moyen d'assassiner ». Cet exemple révèle
clairement l'attitude caractéristique de ce groupe tout entier.
Au point où les pulsions sexuelles envers les femmes sont
consciemment perçues, elles sont souvent expérimentées
sub specie criminellement. L'attitude instinctive dans le
transfert, au point où l'analyste représente l'image de la mère
ou de la sœur, est en outre et sans équivoque possible destructive, de telle sorte que le but est de dominer et de détruire ;
en d'autres termes, cette dernière est destructive et non-
sexuelle. Le terme « homosexuel » est donc trompeur, car
par homosexualité on entend généralement une attitude
dans laquelle les visées sexuelles, même si elles sont mêlées
à des éléments destructifs, sont dirigées vers un partenaire
du même sexe. Dans le cas présent, cependant, les pulsions
destructives ne sont que vaguement combinées aux pulsions
libidinales. Les éléments sexuels qui y sont mêlés ont le même
sort qu'à la puberté ; une relation satisfaisante avec un homme
est impossible pour des raisons intérieures et une quantité
de libido librement flottante existe et peut donc être dirigée
vers les femmes. Je montrerai plus loin qu'il y a d'autres
raisons à l'absence d'autres exutoires à la libido tels que le
travail ou l'auto-érotisme. En outre, il y a, comme facteur
positif dans la pulsion envers d'autres femmes, un tournant
— stérile dans tous ces cas — vers leur propre masculinité
aussi bien qu'une tentative également stérile pour rendre
inoffensives les pulsions destructives, par le moyen d'attaches

libidinales. La combinaison de ces facteurs explique en partie l'angoisse à l'égard de l'homosexualité — et pourquoi dans ces cas des sentiments sexuels ou tendres, ou même amicaux, ne sont pas dans une grande mesure dirigés vers les femmes.

Cependant, un seul regard sur ces femmes chez qui s'est produit un tel développement, révèle immédiatement l'insuffisance de cette explication. Car, quoique des tendances hostiles dirigées contre les femmes soient pleinement et abondamment présentes dans ces groupes (comme on peut le voir dans le transfert et dans leurs vies), les mêmes tendances peuvent être trouvées à un non moindre degré chez les femmes inconsciemment homosexuelles (*par* la définition qui vient d'être donnée). L'angoisse à l'égard de ces tendances ne peut donc être un facteur décisif. Il me semble plutôt que chez les femmes dont le développement s'est fait en direction de l'homosexualité, le facteur décisif gît dans une résignation très précoce et de portée lointaine — quelles qu'en aient été les raisons — à l'égard des hommes ; de telle sorte qu'une rivalité érotique avec d'autres femmes recule à l'arrière-plan chez ces sujets et qu'en eux il en résulte non seulement — comme occasionnellement dans ce groupe — *un couplage* des pulsions sexuelles et destructives, mais aussi *un amour qui surcompense* ces tendances destructives.

Dans le type de femme que nous avons à l'esprit, cette surcompensation ou bien ne se produit pas, ou bien est sans grande importance ; et nous voyons en même temps que non seulement la rivalité avec les autres femmes persiste, mais que cette rivalité est très aggravée du fait que le but de la lutte (comme cette dernière, teintée d'une terrible haine), la conquête de l'homme, n'a pas été abandonné. Il existe donc une angoisse quant à la haine et à la phobie de revanche, mais aucun motif pour imposer sa cessation ; à vrai dire, il y a plutôt un intérêt à ce que cela dure. Cette haine monstrueuse des femmes née de la rivalité est accomplie dans la situation de transfert dans d'autres domaines que le domaine érotique, mais est exprimée d'une façon parfaitement claire dans le domaine érotique sous forme de projection. Car, si le sentiment fondamental est que l'analyste (femme) empêche les relations de la patiente avec les hommes, la référence n'est pas seulement à la mère qui interdit, mais en particulier à la mère ou à la sœur jalouses qui ne tolèrent pas un développement du type féminin ou des succès dans le domaine féminin.

Ce n'est que sur cette base qu'on peut pleinement comprendre l'importance qu'il y a à opposer l'homme à la femme-analyste dans la résistance. L'intention est de montrer à la mère ou à la sœur jalouses, par méchanceté, que la patiente peut avoir ou conquérir un homme. Mais cela n'est possible qu'au prix d'une mauvaise conscience ou d'une angoisse. De ce fait dérivent aussi les réactions de rage franches ou cachées contre toute frustration. Une lutte a lieu sous la surface, comme suit : quand l'analyste insiste sur l'analyse au lieu de permettre l'*acting out* des relations avec l'homme, cela est inconsciemment interprété comme une prohibition, comme une opposition de la part de l'analyste. Si d'occasion l'analyste montre que sans l'analyse ces tentatives pour établir une relation avec un homme ne peuvent mener à rien, cela signifie émotionnellement pour la patiente une répétition des tentatives de la mère ou de la sœur pour étouffer l'amour-propre féminin de la patiente — comme si l'analyste avait dit : vous êtes trop petite, ou de trop peu d'importance, ou pas suffisamment attrayante ; vous ne pouvez attirer ou retenir un homme. Et, assez compréhensiblement, sa réaction est de prouver qu'elle le peut. Dans le cas de jeunes patientes, cette jalousie s'exprime directement par leur exagération de leur propre jeunesse et de l'âge plus avancé de l'analyste, de telle sorte que l'analyste est trop âgée pour comprendre qu'il est naturel pour une jeune fille de vouloir un homme par-dessus tout et que ce devrait être plus important pour elle que l'analyse. Il n'est pas rare que la situation familiale, dans le sens du complexe d'Oedipe, soit de nouveau représentée sous une forme pratiquement inchangée, comme par exemple lorsque la patiente sent qu'une relation avec un homme serait déloyale envers l'analyste.

Ce qui se produit ici dans le transfert est, comme toujours, une édition particulièrement claire et non censurée de ce qui se produit dans le reste de la vie de la patiente. Presque toujours, la patiente cherche à conquérir un homme qui est désiré par d'autres femmes ou lié d'une certaine façon à une autre femme — souvent tout à fait indépendamment de ses qualités. Ou bien, dans les cas d'angoisse grave, il existe un tabou absolu à l'égard précisément d'un homme répondant à cette description. Cela peut aller jusqu'au point où tous les hommes sont tabous — car dans la dernière analyse chaque homme est enlevé à une femme. Chez une autre patiente, dont la rivalité se manifestait primitivement à l'égard d'une sœur aînée, un rêve d'angoisse se produisit après ses premiers rapports sexuels, rêve dans lequel la sœur la pourchassait d'une façon menaçante tout autour de la chambre. Les formes que peut prendre la rivalité pathologiquement accrue sont si bien connues que je n'ai pas besoin ici d'entrer dans les détails. Qu'une grande part d'inhibition érotique et de frustration soit causée par l'angoisse associée à la rivalité d'un type destructif, est aussi un fait familier.

Mais la question primitive est : qu'est-ce qui augmente à tel point cette attitude de rivalité et lui donne un caractère destructif tellement monstrueux ?

Nous trouvons dans l'histoire de ces femmes un facteur qui nous frappe par sa régularité et l'affect très net qui le caractérise : dans leur enfance, toutes ces femmes étaient venues en second lieu dans la compétition pour un homme (père ou frère). Exceptionnellement, souvent — dans sept cas sur treize — il y avait essentiellement une *sœur* aînée capable par tous les moyens d'exiger une place au soleil, c'est-à-dire dans la faveur du père, ou un frère aîné dans un cas et un frère plus jeune dans un autre. A l'exception d'un cas où une sœur beaucoup plus âgée était très manifestement la favorite du père et n'avait donc pas à faire d'efforts spéciaux pour empêcher les plus jeunes d'attirer son attention, l'analyse révéla une colère terrible contre ces sœurs. La colère est centrée sur deux points : elle peut se référer à la coquetterie féminine par laquelle la sœur a réussi à conquérir père, frère ou plus tard d'autres hommes. Et dans ce cas elle est telle qu'en protestation elle entrave pour une longue période le développement même de la patiente, dans le sens d'une négation complète des ruses féminines ; ainsi, la patiente s'abstient de porter des vêtements attrayants et, d'une façon générale, d'une participation quelconque dans le domaine érotique. Le second type de colère concerne l'hostilité de la sœur envers la patiente ; sa pleine étendue n'est devinée que par degrés. Réduite à une forme simple, elle peut s'exprimer comme suit : les

sœurs aînées ont intimidé les plus jeunes, soit par des menaces
directes qu'elles étaient capables de mettre à exécution en
raison de leur plus grande force physique et de leur développement psychique plus avancé, soit en ridiculisant les efforts
des jeunes sœurs pour être érotiquement attrayantes, soit —
ce qui était certainement vrai dans trois et peut-être quatre
cas — en rendant les plus jeunes dépendantes d'elles par le
moyen de jeux sexuels. Comme on peut aisément le concevoir,
la dernière méthode laissait l'empreinte la plus profonde,
du fait qu'elle rendait les jeunes enfants sans défense, en partie
du fait de la dépendance sexuelle impliquée, en partie du
fait de sentiments de culpabilité. C'était également dans ces
cas que l'on trouvait la tendance la plus nette à l'homosexualité manifeste. Dans l'un de ces cas, la mère était une femme
particulièrement attrayante, entourée de nombreuses connaissances masculines, et qui gardait le père dans un état de complète dépendance. Dans un autre cas, non seulement la sœur
était la préférée, mais le père avait une liaison avec une pa-
rente vivant dans la maison et très probablement des liaisons
avec d'autres femmes. Dans un autre cas, la mère encore
très jeune et très belle était le centre absolu des attentions
du père aussi bien que des fils et des hommes fréquentant
la maison. Dans ce dernier cas, il y avait un facteur surajouté
de complication, du fait que la petite fille avait eu, entre cinq
et neuf ans, une relation sexuelle intime avec un frère de
quelques années son aîné, quoique celui-ci fût le favori de
la mère et ait continué de lui être plus étroitement attaché
qu'à la petite sœur. Qui plus est, du fait de sa mère, il rompit
soudain ses relations avec sa sœur à la puberté — tout au
moins en ce qui concernait leur caractère sexuel. Dans un
autre cas encore, le père avait fait des avances sexuelles à la
patiente dès l'âge de quatre ans, avances qui devinrent plus
nettes dans leur caractère à l'approche de la puberté. En même
temps il continuait non seulement à être extrêmement dépendant de la mère qui recevait dévotion de toutes parts, mais
aussi était très sensible aux charmes d'autres femmes, de
telle sorte que la fille avait l'impression de n'être qu'un jouet
pour son père, jouet qu'il pouvait mettre de côté à son gré
ou quand des femmes adultes entraient en scène.

Ainsi, pendant toute leur enfance, ces filles avaient expéri-

menté une rivalité intense pour conquérir un homme, ce qui
dès le début était sans espoir ou aboutissait à une défaite.
Cette défaite dans la relation avec le père est, bien entendu,
le destin-type de la petite fille dans la situation familiale.
Mais elle avait dans ces cas des conséquences spécifiques du
fait de l'intensification de la rivalité avec une mère ou une
sœur dominant absolument la situation érotique, ou de l'éveil
d'illusions spécifiques de la part du père ou du frère. Il y a
aussi un facteur additionnel sur l'importance duquel je reviendrai dans un autre contexte. Dans la majorité de ces cas, le
développement sexuel a reçu une impulsion plus précipitée
et plus intense que dans la moyenne des cas, du fait d'une
expérience précoce d'excitation sexuelle provoquée par d'autres personnes et d'autres événements. Cette expérience
prématurée d'une excitation génitale plus grande et plus
intense que le plaisir physique dérivant d'autres sources
(érotisme oral, anal ou musculaire), a non seulement pour
résultat de conférer une plus grande importance à la sphère
génitale, mais aussi de jeter les bases de l'appréciation instinctive plus précoce et plus pleine de l'importance de la lutte
pour la possession d'un homme.

Du fait qu'une telle lutte apporte avec elle une attitude
permanente et destructive de rivalité avec les femmes, la
même psychologie est manifeste dans chaque situation compétitive : le vaincu éprouve une colère durable envers le vainqueur, subit une blessure d'amour-propre et sera par conséquent dans un état psychologique moins favorable dans des
situations compétitives ultérieures, et en fin de compte sentira
consciemment ou inconsciemment que sa seule chance de
succès réside dans la mort de son adversaire. Les mêmes
conséquences peuvent être exactement retracées dans les cas
dont nous discutons : le sentiment d'être piétinée, un sentiment permanent d'insécurité quant à l'amour-propre féminin
et une colère profonde envers leurs rivales plus heureuses.
Comme conséquence, il se produit dans tous ces cas une rési-
liation ou une inhibition partielle ou complète de la rivalité
avec les femmes, ou une rivalité compulsive disproportionnée
— et plus le sentiment d'avoir été vaincue sera grand, plus
la victime aura intensément en vue la mort de sa rivale,
comme pour dire : ce n'est qu'à ta mort que je serai libre.

La haine à l'égard du vainqueur peut finir de deux manières. Si elle demeure largement préconsciente, la responsabilité de l'échec érotique incombe aux autres femmes. Si elle est plus profondément refoulée, la raison de l'échec est recherchée dans la propre personnalité de la patiente ; les griefs auto-torturants qui naissent s'allient au sentiment de culpabilité qui tire son origine de la haine refoulée. On peut souvent observer dans le transfert, non seulement comment une attitude alterne avec l'autre, mais aussi comment la suppression de l'une renforce automatiquement l'autre. Si la colère à l'égard de la mère ou de la sœur est réprimée, les sentiments de culpabilité de la patiente augmentent ; si les remords de la patiente diminuent, la colère contre les autres rejaillit. Quelqu'un doit être responsable de mon malheur ; si je ne le suis pas, ce sont les autres ; si les autres ne le sont pas, alors c'est moi. De ces deux attitudes, c'est le sentiment qu'il s'agit de sa propre faute qui est refoulé de la façon la plus violente.

Ce doute torturant quant à sa responsabilité de ne pouvoir établir une relation satisfaisante avec les hommes n'apparaît généralement pas d'abord sous cette forme dans l'analyse mais s'exprime plutôt par la conviction générale que les choses ne sont pas ce qu'elles devraient être ; les patientes ressentent et ont toujours ressenti une angoisse au fait d'être ou non « normales ». Cela est parfois rationalisé comme une phobie de ne pas être saines constitutionnellement ou organiquement. Occasionnellement, un mécanisme de défense contre de tels doutes est manifeste sous la forme d'une exagération extrême de leur normalité. Si cette exagération de l'aspect défensif existe, l'analyse est souvent considérée comme une chose dont on doit avoir honte, puisqu'elle est la preuve que tout n'est pas comme il devrait être ; par conséquent les patientes tentent de la garder secrète. L'attitude psychique peut, chez la même patiente, varier d'un extrême à l'autre, depuis le désespoir que même l'analyse ne puisse rien changer à ce qui est si fondamentalement détraqué, à la certitude opposée que tout est très bien et que l'analyse n'est donc pas nécessaire.

La forme la plus fréquente que des doutes prennent dans l'inconscient est la conviction que la patiente est laide et ne peut donc être attrayante pour les hommes. Cette conviction est tout à fait indépendante de ce que peut être la réalité ;

elle peut même apparaître chez des filles exceptionnellement jolies. Ce sentiment se rapporte à un défaut réel ou imaginaire — cheveux raides, mains ou pieds trop grands, silhouette trop solidement charpentée, taille trop grande ou trop petite, l'âge, ou un teint médiocre. Ces autocritiques sont invariablement associées à un profond sentiment de honte. Une patiente, par exemple, fut un certain temps perturbée par ses pieds ; elle allait dans les musées pour comparer ses pieds à ceux des statues, sentant qu'elle devrait se suicider si elle devait découvrir que ses pieds étaient laids. Une autre patiente ne pouvait comprendre, à la lumière de ses propres sentiments, comment son mari n'était pas mortellement honteux de ses orteils tordus. Une autre jeûnait pendant des semaines parce que son frère avait fait la remarque que ses bras étaient trop gros. Dans certains cas, le sentiment se rapportait à l'habillement, l'idée étant qu'on ne peut être attrayante sans jolies robes.

Dans la tentative pour tirer le maximum de ces idées torturantes, l'habillement joue un très grand rôle et cependant sans aucun succès permanent, du fait que les doutes envahissent aussi bien ce domaine et en font une affliction perpétuelle. Il devient insupportable de ne pas avoir des vêtements qui ne vont pas parfaitement ensemble ; il en est de même si une robe fait paraître plus forte celle qui la porte ou si elle est trop longue ou trop courte, trop simple ou trop élégante, trop voyante, trop jeune ou pas assez moderne. Concédant que la question vestimentaire est importante pour une femme, il ne peut être ici question que de nouveaux affects tout à fait impropres — affects de honte, d'insécurité et même de colère. Une patiente, par exemple, avait l'habitude de déchirer une robe si elle pensait qu'elle la grossissait ; chez d'autres patientes, la colère était dirigée directement contre la couturière.

Le désir d'être un homme est une autre tentative de défense. Une de ces patientes disait : « En tant que femme je ne suis rien ; je serais plus à mon aise si j'étais un homme », et elle accompagnait cette remarque de gestes masculins. La troisième tentative de défense, et la plus importante, consiste pour la patiente à prouver néanmoins qu'elle peut plaire à un homme. Ici encore nous rencontrons la même gamme d'émotions. Le fait d'être sans homme, de n'avoir jamais rien eu à faire avec un homme, d'être restée vierge, d'être célibataire — tout cela est déshonorant et fait que les gens vous toisent de haut. Avoir un homme — que ce soit un admirateur, un ami, un amant ou un mari — est la preuve qu'on est « normale ». D'où la quête frénétique d'un homme. *Au fond*, il n'a besoin que de remplir la condition d'être un homme. Tant mieux s'il a d'autres qualités qui augmentent la satisfaction narcissique de la femme. On peut voir également une absence frappante de sélectivité de la part de la femme, ce qui contraste nettement avec son propre niveau dans d'autres domaines.

Mais comme la tentative vestimentaire, cette tentative reste aussi sans succès — sans succès tout au moins pour prouver que quelque chose est en cause. Car même lorsque ces femmes réussissent à avoir un homme après l'autre et à en être amoureuses, elles sont capables de faire apparaître des motifs pour déprécier leurs succès — des motifs tels que les suivants : il n'y avait pas d'autre femme auprès de cet homme pour en être amoureuse ; ou bien il n'est pas grand-chose ; ou : « je l'ai poussé de force dans cette situation » ; ou encore : « il m'aime parce que je suis intelligente ou parce que je puis lui être utile de telle ou telle façon ».

L'analyse révèle en premier lieu une angoisse concernant les organes génitaux, le contenu de cette angoisse étant que la patiente s'est mutilée en se masturbant, provoquant ainsi des lésions internes. Ces craintes s'expriment fréquemment par la représentation spécifique que l'hymen a été détruit et que, comme conséquence de la masturbation, elle ne pourra pas avoir d'enfant [1]. Sous la pression de cette angoisse, la masturbation est en général complètement dominée et tout souvenir en est refoulé ; en tout cas, l'allégation de ne s'être jamais masturbée est typique. Dans les cas relativement rares où la patiente s'était laissée aller à la masturbation à

[1] A maintes reprises on a l'impression que cette dernière angoisse est l'angoisse « la plus profonde » en liaison avec la masturbation, mais on hésite à exprimer des jugements quantitatifs de cette sorte sans données précises pour les étayer. De toutes façons, le désir d'avoir des enfants est un désir extrêmement puissant chez toutes les femmes et dans la majorité des cas il est refoulé à l'origine de façon contraignante.

une période plus tardive de la vie, celle-ci était suivie de graves sentiments de culpabilité.

La base essentielle de cette défense extrême contre la masturbation doit être trouvée dans les fantasmes extraordinairement sadiques qui l'accompagnent, fantasmes de blessures infligées de différentes façons à la femme prisonnière, ou avilie, ou torturée ou, en particulier, dont les organes génitaux sont mutilés. Ce dernier fantasme est refoulé le plus violemment, mais semble être dynamiquement l'élément essentiel. Pour m'en tenir à mon expérience personnelle, ce fantasme n'est jamais directement exprimé, même quand les fantasmes onaniques se grisent de cruautés d'autres sortes. Il peut être cependant reconstruit à partir des données suivantes : dans le cas de la patiente qui déchirait ses vêtements quand elle avait l'impression qu'ils la faisaient paraître plus forte, il était évident que, premièrement, ce comportement était un équivalent onanique, deuxièmement, qu'elle avait ensuite le sentiment d'avoir commis un meurtre dont elle devait anxieusement effacer les traces, puisque sa corpulence signifiait pour elle une grossesse et lui rappelait la grossesse de sa mère (elle avait alors cinq ans) ; puis l'idée que les grossesses de l'analyste avaient dû provoquer des larmes intérieures, et finalement le sentiment spontané, pendant qu'elle déchirait sa robe, de déchirer les organes génitaux de sa mère.

Une autre patiente, qui avait complètement maîtrisé l'habitude de se masturber, avait, en rapport avec la douleur de ses règles, le sentiment que ses entrailles étaient arrachées. Elle éprouvait une excitation sexuelle lorsqu'elle entendait parler d'avortement ; elle se souvenait, enfant, d'avoir eu l'idée que le mari retirait quelque chose de sa femme avec une aiguille à tricoter. Des récits de viol et de meurtre l'excitaient. Des rêves différents contenaient l'idée des organes sexuels d'une jeune fille blessée ou opérée par une femme, de telle sorte qu'ils saignaient. Cela arriva une fois à une fille dans une maison de correction, des mains d'un de ses professeurs — le contraire de ce qu'elle aurait aimé faire à l'analyste ou à la mère détestée.

Chez d'autres patientes, on pourrait déduire la présence de ces pulsions de destruction d'une crainte de représailles exprimée de la même façon, c'est-à-dire l'angoisse exagérée que chaque fonction sexuelle féminine soit douloureuse et sanglante, en particulier la défloration et l'accouchement.

En bref, on trouve très manifestement les pulsions de destructions dirigées contre la mère ou la sœur dans la première enfance, pulsions encore opérantes dans l'inconscient, inchangées dans la forme et de force non modifiée ; Mélanie Klein a donné une grande importance à la signification de ces pulsions. En tenant compte de cela, il est facile de croire que c'est la rivalité accrue et aigrie qui ne leur a pas permis de devenir inactives. Les pulsions originelles contre la mère ont le sens suivant : tu ne dois pas avoir de rapports sexuels avec mon père ; tu ne dois pas avoir d'enfants de lui ; si tu le fais quand même, tu seras tellement endommagée que tu ne pourras pas recommencer et tu seras rendue inoffensive à jamais. Ou, de manière plus élaborée : tu apparaîtras hideuse et repoussante à tous les hommes. Mais, selon la loi inexorable du talion qui prévaut dans l'inconscient, cela crée des phobies exactement semblables. Si, dans mes fantasmes de masturbation, je désire que cette blessure te soit infligée, je dois craindre que la même chose m'arrive quand je serai dans la même situation que celle dans laquelle j'ai désiré douleur et blessure pour ma mère. A vrai dire, dans un certain nombre de ces cas, une dysménorrhée apparaît au moment même où ces femmes commencent à jouer avec l'idée d'une relation sexuelle. En outre, cette dysménorrhée est parfois considérée consciemment et explicitement comme une punition pour ces désirs sexuels. Dans d'autres cas, les phobies de la patiente ont un caractère moins spécifique, se manifestant primitivement dans leur effet, qui est d'interdire à l'individu tous rapports sexuels.

Ces angoisses rétributives se réfèrent en partie à l'avenir, comme on l'a indiqué ; mais en partie aussi au passé, de la manière suivante : parce que j'ai vécu jusqu'au bout ces pulsions de destruction dans la masturbation, la même chose m'est arrivée ; je suis blessée de la même manière qu'elle. Ou, de manière plus élaborée : je suis aussi hideuse qu'elle. Cette relation était tout à fait consciente et nette chez une de mes patientes ; des approches sexuelles positives de la part de son père avaient engendré une rivalité d'une intensité inhabituelle : antérieurement à l'analyse elle osait à peine se regarder dans un miroir car elle se croyait laide, alors qu'en fait elle était très jolie. Ici, après élaboration des conflits avec la mère et après qu'ils aient été vécus dans l'analyse, dans un moment d'affects libérés elle se vit dans un miroir sous les traits de sa mère.

Des pulsions de destruction envers les hommes sont également présentes dans chaque cas. Elles sont exprimées dans les rêves comme des pulsions de castration, dans la vie sous les diverses formes familières du désir de blesser, ou sous la forme de défense contre ces pulsions. Cependant, ces pulsions dirigées contre les hommes ne sont manifestement que peu reliées à l'idée de ne pas être normale, leur dévoilement en analyse ne rencontre que peu de résistance et le tableau n'en est pas modifié. D'autre part, l'angoisse disparaît avec la découverte et l'élaboration des pulsions de destruction dirigées contre les femmes (mère, sœur, analyste), et réciproquement persiste sans modification aussi longtemps qu'un excès d'angoisse entrave la maîtrise des graves sentiments de culpabilité liés à ces pulsions. Les défenses qui sont instituées ici — et dont l'apparence est une résistance contre l'analyste — sont dirigées contre le sentiment de culpabilité avec un sens approchant de ceci : je ne me suis blessée en aucune façon, je suis faite ainsi. C'est en même temps un grief contre le sort qui fait qu'on est ainsi et pas autrement ; ou contre la prédisposition héréditaire qui fait que ce qui est, l'est une fois pour toutes ; ou, comme dans deux cas, contre une sœur qui avait fait quelque chose aux organes génitaux de la patiente ; ou contre l'oppression dans l'enfance, pour laquelle des compensations n'avaient pas été accordées. Il apparaît clairement ici que la fonction que servent les griefs et la raison de leur rétention est la défense contre les sentiments de culpabilité de l'individu.

J'ai supposé à l'origine que l'adhésion à l'idée de ne pas être normale était déterminée par l'illusion de la masculinité, le sentiment concomitant de honte à l'idée d'avoir été dépossédée du pénis ou la possibilité de le faire pousser par masturbation ; je considérais la quête de l'homme comme déterminée en partie par une exagération secondaire de la féminité et en partie par un désir d'être complétée par un homme si l'on ne pouvait être soi-même un homme. Mais des dynamiques du cours des événements, comme on l'a vu ci-dessus, je suis parvenue à la conviction que les fantasmes de masculinité ne représentent pas *l'agent dynamiquement effectif*, mais sont simplement *une expression des tendances secondaires* qui ont leurs racines dans la rivalité avec les femmes (telle que décrite ci-dessus), étant en même temps une accusation contre le sort injuste ou contre la mère, rationalisée d'une façon ou d'une autre, pour ne pas être née homme, ou une expression du besoin de créer en rêves ou en fantasmes un moyen de fuir le supplice des conflits féminins.

Il y a bien entendu des cas dans lesquels l'adhésion à l'illusion d'être un homme joue un rôle dynamique, mais ces cas semblent être d'une structure tout à fait différente du fait qu'en eux il se produit une certaine identification avec un homme déterminé — généralement le père ou le frère — sur la base de laquelle s'opère une évolution vers l'homosexualité ou vers la formation d'une attitude et d'une orientation narcissiques.

La survalorisation des relations avec les hommes, au point où nous en avons discuté, a son origine non pas dans une contrainte inhabituelle des pulsions sexuelles, mais dans des facteurs extérieurs à la relation homme-femme, à savoir le rétablissement de la dignité personnelle blessée et la défiance envers la rivale victorieuse. Il devient donc nécessaire de rechercher si — et dans quelle mesure — le désir de gratification sexuelle joue un rôle essentiel dans la quête du mâle. Que la lutte pour cette quête soit consciente, c'est certain, mais est-ce aussi vrai du point de vue instinctuel?

Il est essentiel de garder présent à l'esprit que dans ce contexte le fait important n'est pas que cette gratification soit recherchée avec un zèle moyen, mais qu'elle soit surestimée avec certitude et sans équivoque. Cette attitude était à certains moments tout aussi importante sur un plan conscient, mais au début j'ai été tentée de la sous-estimer, du fait de la contrainte des inhibitions sexuelles d'une part, et d'autre part du fait de la force de la poussée vers le mâle dérivant d'autres sources ; d'où le fait que j'ai considéré cette attitude comme étant, dans une large mesure, une rationalisation servant à dissimuler les motifs inconscients et à représenter le désir pour les hommes comme une chose « tout à fait normale et naturelle ». A vrai dire, cette exagération sert indubitablement ces fins ; mais nous trouvons ici aussi confirmation de la vieille notion que le malade a — en quelque sorte — toujours raison. Étant donné le désir naturel de gratification sexuelle et considérant tous les éléments extra-sexuels, il reste encore néanmoins un excès de désir sexuel et plus spécifiquement pour des rapports hétéro-sexuels. Cette impression est fondée sur la considération que si, chez ces femmes, il s'agissait *par essence* simplement, d'une part de protestation contre les femmes, et d'autre part d'auto-affirmation (« compensation narcissique »), il ne serait pas facile d'expliquer qu'en réalité, souvent sans en être conscientes et souvent en contradiction avec leur attitude consciente, elles recherchent passionnément les rapports sexuels avec le partenaire en question. On trouve souvent qu'elles entretiennent l'idée que sans cela elles ne peuvent être en bonne santé ou efficientes dans leur travail. Cela est rationalisé d'un point de vue analytique à demi compris, ou d'après une théorie hormonale, ou simplement au moyen de l'idéologie masculine de la nocivité de l'abstinence. L'importance des rapports sexuels apparaît pour ces femmes dans les efforts (quelque différemment déterminés qu'ils soient sous d'autres aspects) qui ont comme dénominateur commun d'assurer des rapports sexuels, c'est-à-dire de ne pas les laisser en état d'en être brusquement privées. Ces efforts cherchent à se réaliser sous trois formes aussi intrinsèquement différentes que possible et cependant interchangeables grâce à leur motivation sous-jacente commune : fantasmes de prostitution, désir de se marier et désir d'être un homme. Les fantasmes de prostitution et le désir du mariage signifient sur cette base qu'il y aura toujours un homme disponible. Le désir d'être un homme (ou le ressentiment contre le mâle) découle dans cette relation de l'idée qu'un homme peut toujours avoir des rapports sexuels quand il veut.

Je pense que les trois facteurs suivants contribuent à cette survalorisation de la sexualité :

1°) Du point de vue économique, il y a dans la configuration psychologique de ces femmes beaucoup d'éléments pour les pousser dans le domaine de la sexualité, parce que la voie vers d'autres possibilités de satisfaction leur a été rendue

extrêmement difficile. Les pulsions homosexuelles sont rejetées
parce qu'elles sont couplées avec des pulsions de destruction
et du fait de l'attitude de rivalité envers d'autres femmes.
La masturbation est peu satisfaisante, si elle n'a pas été complètement réprimée comme il est vrai dans la plupart des
cas. Mais, pour une grande part, toutes les autres formes de
gratification autoérotique (dans le sens large du terme), qu'elles
soient directes ou sublimées, tout ce que chacun fait et dont
il se réjouit « seulement par lui-même », comme le plaisir
de manger, de gagner de l'argent, le plaisir de l'art ou de la
nature, sont inhibées et cela surtout parce que ces femmes,
comme tous ceux qui se sentent nettement désavantagés,
nourrissent un désir violent de tout avoir pour elles seules,
de ne laisser personne d'autre jouir de la plus petite chose —
désir refoulé du fait de la réaction d'angoisse à laquelle il
donne naissance et du fait de son incompatibilité avec les
modèles individuels de comportement à d'autres égards. Il
y a en outre l'inhibition présente dans toutes les sphères de
l'activité et qui, lorsqu'elle est couplée avec l'ambition, aboutit
à une grande insatisfaction intérieure.

2º Le premier facteur pourrait expliquer une réelle intensification du besoin sexuel ; mais un facteur supplémentaire
peut constituer la racine de cette survalorisation — un facteur
basé sur la défaite originelle de l'individu dans le domaine
de la rivalité féminine et aboutissant à la phobie profondément ancrée que d'autres femmes puissent constamment
être un élément perturbateur des activités hétérosexuelles,
ce qui se manifeste assez clairement dans la situation de transfert. C'est en fait quelque chose comme « l'aphanisis » décrite
par Ernest Jones, sauf qu'ici ce n'est pas une question d'angoisse concernant la perte de sa propre capacité pour l'expérience sexuelle, mais plutôt la crainte d'en être tout le temps
frustrée par un agent extérieur. Cette angoisse est détournée
par les tentatives mentionnées ci-dessus pour trouver la sécurité et contribue à la survalorisation de la sexualité au point
où n'importe quel fait devenant un objet de controverse
est toujours survalorisé.

3º Le troisième facteur me semble le moins bien établi,
du fait que je n'ai pu détecter sa présence dans tous les cas ;
par conséquent, je ne puis répondre de sa pertinence dans

chaque cas. Comme on l'a déjà dit, certaines de ces femmes se souviennent d'avoir fait dans leur première enfance l'expérience d'une excitation sexuelle semblable à l'orgasme. On peut, chez d'autres, conclure, avec une certaine justification, au fait d'une telle expérience sur la base de phénomènes ultérieurs tels que la phobie de l'orgasme, couplée quoi qu'il en soit avec la connaissance d'une trahison dans les rêves. L'excitation expérimentée de bonne heure était terrifiante, soit du fait des conditions spécifiques dans lesquelles elle avait eu lieu, soit simplement du fait de sa force accablante pour l'immaturité du sujet, de telle sorte qu'elle s'est trouvée refoulée. L'expérience a cependant laissé certaines traces dans son sillage — celles d'un plaisir plus excessif que celui né de toute autre source, en même temps que d'une chose étrangement revitalisante pour tout l'organisme. Je pense que ces traces obligent ces femmes — plus souvent que dans la moyenne des cas — à concevoir la gratification sexuelle comme une sorte d'élixir de vie que les hommes seuls sont capables de fournir et sans lequel on doit se dessécher et dépérir, alors que son absence rend impossible tout accomplissement dans d'autres domaines. Cependant, ce point doit être davantage explicité.

Malgré cette fixation multiforme de la quête intensive des hommes et malgré les efforts acharnés pour atteindre ce but, toutes ces tentatives sont vouées à l'échec. Les causes de cet échec se trouvent en partie dans ce que nous avons déjà dit. Elles ont leurs racines dans le sol même qui a engendré la défaite dans la compétition pour le mâle, ce sol qui donne aussi naissance aux efforts particuliers pour le conquérir.

L'amertume de la rivalité oblige bien entendu les femmes à toujours démontrer leur supériorité érotique, mais en même temps leurs pulsions de destruction envers les autres femmes font que leur rivalité au sujet d'un homme doit être inévitablement investie d'une angoisse profonde. Conformément à la contrainte de cette angoisse et peut-être plus encore conformément à la réalisation subjective de la défaite et à l'abaissement parallèle de l'amour-propre, le conflit entre le besoin croissant d'entrer en rivalité avec d'autres femmes et l'angoisse croissante engendrée de ce fait aboutit extérieurement, soit à l'évitement d'une telle rivalité, soit à des efforts croissants dans le même sens. Le tableau qui se révèle peut parcourir toute la gamme, depuis les femmes complètement inhibées pour faire des avances en vue d'établir des relations avec les hommes, tout en les désirant intensément à l'exclusion de tout autre désir, jusqu'aux femmes présentant un véritable type donjuanesque. La justification du fait de réunir toutes ces femmes dans une seule catégorie, malgré leurs dissemblances extérieures, ne gît pas seulement dans la similitude de leurs conflits fondamentaux, mais aussi bien dans la similitude de leur orientation émotionnelle, en dépit de l'extrême différence extérieure — et cela plus précisément avec une référence particulière à une attitude concernant le domaine de l'érotisme. Le facteur déjà mentionné, d'après lequel le « succès » avec les hommes n'est pas évalué émotionnellement comme tel, contribue dans une grande mesure à cette similitude. En outre, aucune relation satisfaisante avec un homme, soit intellectuellement, soit physiquement, n'est en aucun cas réalisée.

L'insulte faite à leur féminité pousse ces femmes (à la fois directement et *via* la phobie de ne pas être normales) à se prouver à elles-mêmes leur puissance ; mais puisque ce but n'est jamais atteint du fait de l'auto-dépréciation qui se produit instantanément, une telle technique conduit nécessairement à un changement rapide d'une relation à une autre. L'intérêt porté à un homme, même s'il se résume à l'illusion d'être amoureuse de lui, s'évanouit en règle générale aussitôt qu'il est « conquis » — c'est-à-dire aussitôt qu'il est devenu dépendant d'elles.

La tendance à rendre une personne dépendante par amour (je l'ai déjà décrite comme une caractéristique du transfert) a encore un autre déterminant. Elle est provoquée par une angoisse qui suggère que la dépendance est un danger qui doit être évité à tout prix, que l'amour ou tout autre lien émotionnel étant ce qui crée la plus grande dépendance, ces liens constituent le mal même qu'il faut éviter. En d'autres termes, la phobie de la dépendance est une phobie des déceptions et des humiliations que ces femmes s'attendent à voir résulter du fait d'être amoureuses, humiliations qu'elles ont elles-mêmes expérimentées dans l'enfance et qu'elles voudraient postérieurement passer à d'autres. L'expérience ori-

inelle qui a ainsi laissé derrière elle un sentiment violent
de vulnérabilité était vraisemblablement provoquée par un
homme, mais le comportement qui en est résulté est dirigé
également contre les hommes et contre les femmes. Par
exemple, la patiente qui voulait me rendre dépendante au
moyen de cadeaux, exprime une fois le regret de ne pas avoir
été chez un analyste-homme, car on peut plus facilement
rendre un homme amoureux — et alors le jeu est gagné.

La protection de soi-même contre une dépendance émotionnelle correspond ainsi au désir d'être invulnérable, comme le
Siegfried de la saga allemande qui pour y parvenir se baignait
dans le sang du dragon.

Dans d'autres cas encore, le mécanisme de défense se manifeste dans une tendance au despotisme aussi bien que dans
la vigilance à s'assurer que le partenaire restera plus dépendant de la femme qu'elle de lui ; et cela s'accompagne, bien
entendu, de violentes réactions de rage franches ou refoulées
chaque fois que le partenaire donne des signes d'indépendance.

L'inconstance doublement déterminée envers les hommes
sert en outre à gratifier un désir bien établi de vengeance, un
désir qui s'est développé pareillement sur la base de sa défaite
originelle ; le désir est de prendre le meilleur de l'homme,
d'écarter l'homme, de le rejeter, exactement comme elle a été
elle-même une fois écartée et rejetée. Il ressort de ce qui a
déjà été dit que les chances d'un choix d'objet approprié sont
très minimes, pour ne pas dire inexistantes; pour des motifs liés
à leurs relations avec d'autres femmes, avec leur amour-propre,
ces femmes s'aggrippent aveuglément à un homme. En outre,
ces chances, dans deux tiers des cas cités ici, étaient encore
plus réduites par une fixation au père, la personne sur laquelle
était primitivement centrée la lutte de l'enfance. Au premier
abord, ces cas donnaient en fait l'impression que ces femmes
recherchaient le père ou une image du père et que plus tard
elles laissaient tomber les hommes rapidement parce qu'ils
ne correspondaient pas à cet idéal ou parce qu'ils devenaient
les bénéficiaires de la vengeance répétitive primitivement
destinée au père ; ou, en d'autres termes, que la fixation au
père constituait le noyau des difficultés névrotiques de ces
femmes. Quoique, à vrai dire, cette fixation aggrave les difficultés chez beaucoup de ces femmes, il est néanmoins certain

que ce n'est pas un facteur spécifique dans la genèse de ce type. Tout au moins, elle ne constitue pas le noyau dynamique du problème spécifique dont nous nous occupons, car dans le tiers environ des cas il n'y avait rien à cet égard qui dépassait l'ordinaire par son intensité ou par une caractéristique particulière. Je ne mentionne le fait ici que pour des raisons techniques. Car on apprend par expérience que quand on étudie ces fixations précoces sans avoir d'abord élaboré le problème dans son ensemble, on aboutit facilement à une impasse.

Pour la patiente, il n'y a qu'une issue possible pour sortir d'une situation totalement insatisfaisante : à savoir la réussite, l'estime, l'ambition. Ces femmes cherchent sans exception cette issue en ce qu'elles développent toutes une ambition démesurée. Elles sont motivées par des pulsions puissantes émanant de leur amour-propre féminin blessé et d'un sens exagéré de la rivalité. On peut édifier son amour-propre sur la réussite et le succès (si ce n'est dans la sphère érotique, alors dans tout autre domaine d'effort dont le choix est déterminé par les aptitudes particulières de l'individu) et aussi triompher des rivales.

Ces femmes sont cependant vouées d'avance à l'échec dans cette voie comme dans le domaine érotique. Nous devons maintenant considérer les causes du caractère inévitable de l'échec. Nous pouvons le faire brièvement, car les difficultés dans le domaine de la réussite sont essentiellement les mêmes que celles que nous avons trouvées dans le domaine érotique et tout ce qu'il y a lieu de considérer ici c'est la forme sous laquelle elles se manifestent. C'est, bien entendu, en matière de rivalité que le parallélisme entre le comportement de l'individu dans le domaine de l'érotisme et le comportement dans le domaine de la réussite est le plus clairement discernable. Chez celles qui ont un besoin presque pathologique de chasser les femmes de leur champ d'action, une ambition consciente et un désir également conscient de considération dans toutes les activités compétitives existent, mais l'insécurité sous-jacente est bien entendu manifeste. Cette insécurité apparaissait dans trois cas qui montraient ce canevas particulier dans l'échec absolu à poursuivre avec persévérance un but donné, malgré une terrible ambition. Même une critique bienveillante les décourage et il en est de même des louanges. La critique déclenche la peur secrète d'être inapte à rivaliser avec succès et les louanges la peur de toute rivalité, et particulièrement d'une rivalité couronnée de succès. Un second élément, leur donjuanisme, se reproduisait dans ces cas avec une régularité monotone. De même qu'elles ont un besoin constant de nouveaux hommes, elles sont incapables de s'attacher à un travail quelconque. Elles aiment démontrer que le fait de s'attacher à un genre particulier de travail les prive de la possibilité de poursuivre d'autres buts. Le fait que cette phobie soit une rationalisation se trahit par le fait qu'en réalité elles ne poursuivent aucun but avec la plus petite énergie.

Chez celles qui évitent toute rivalité dans le domaine de l'érotisme, sous l'influence de l'obsession de leur inaptitude à plaire, l'ambition en tant que telle est aussi presque toujours refoulée. En présence de celles qui ne donnent que l'apparence d'être capables de faire mieux qu'elles-mêmes, elles se sentent complètement reléguées à l'arrière-plan, se sentent superflues et réagissent à de telles situations par de terribles déchaînements de rage — exactement comme dans la situation de transfert — et réagissent facilement par une dépression.

Quand on en vient au mariage, leur ambition personnelle refoulée est souvent transférée au mari, de telle sorte qu'elles exigent, avec toute la force de leur ambition, qu'il réussisse. Mais ce transfert d'ambition n'a qu'un succès partiel, car du fait de leur propre attitude continue de rivalité, elles espèrent un échec de sa part. L'attitude qui prédominera dépendra de la force de leur propre besoin de maximiser la sexualité. Ainsi, dès le début, le mari peut être lui-même considéré comme un rival et, par rapport à lui, elles tombent dans l'abysse de sentiments d'incompétence, accompagnés des sentiments les plus profonds de ressentiment à son égard — de la même façon qu'elles évitent toute rivalité érotique.

Dans tous ces cas, une difficulté supplémentaire, primordiale, surgit du désaccord frappant entre leur ambition accrue et leur confiance en soi affaiblie. Selon leurs dons personnels, toutes ces femmes seraient capables d'un travail productif comme écrivains, savants, peintres, médecins, organisatrices. Il est parfaitement évident que pour toute activité féconde une certaine confiance en soi est une nécessité préalable, de même qu'un manque sensible a un effet paralysant. Cela est vrai ici aussi. Étroitement lié à leur ambition excessive, il y a, dès le début, un manque de courage résultant de leur mauvais moral. En même temps, la majorité de ces patientes ignorent la tension terrible due à l'ambition sous la pression de laquelle elles peinent.

Ce désaccord a en outre un résultat pratique. Sans en être conscientes, ces femmes s'attendent à atteindre la consécration dès le départ — par exemple acquérir la maîtrise du piano sans études, peindre avec brio sans technique, parvenir au succès scientifique sans un travail acharné ou diagnostiquer un souffle cardiaque et des râles pulmonaires sans formation appropriée. Elles n'imputent pas leur échec inévitable à leurs espoirs irréalistes et excessifs, mais le considèrent comme résultant de leur manque d'aptitude. Elles sont alors enclines à abandonner leur travail du moment ; elles ne parviennent pas à comprendre que le savoir et l'habileté obtenus par un patient labeur sont indispensables à la réussite et provoquent ainsi une nouvelle et permanente augmentation de la contradiction entre leur ambition accrue et leur confiance en soi affaiblie.

Ce sentiment d'inaptitude à accomplir quelque chose, tout aussi torturant ici que dans le domaine de l'érotisme dont il tire son origine, est en général maintenu avec une égale ténacité. La patiente est déterminée à se prouver à elle-même et à prouver aux autres (et par-dessus tout à l'analyste) qu'elle est incapable de faire quelque chose, que précisément elle est maladroite ou stupide. Elle écarte toute preuve du contraire et prend chaque louange pour une flatterie trompeuse.

Qu'est-ce qui maintient ces tendances ? D'une part, la conviction en sa propre incapacité fournit une excellente protection contre la réalisation d'une chose valable et assure ainsi contre les dangers d'une compétition heureuse. L'adhésion à cette incapacité de faire quelque chose favorise bien moins cette défense que l'effort positif qui domine tout le tableau, à savoir celui d'obtenir un homme, ou plutôt d'extorquer un homme au destin malgré toutes les puissances qui soient — et le faisant en donnant des preuves de sa propre faiblesse, de sa dépendance et de son impuissance. Cette « combinaison » est toujours entièrement inconsciente, mais pour cette raison elle est poursuivie avec d'autant plus d'obs-

ination ; et ce qui paraît dépourvu de sens se trahit comme
un effort concerté et réfléchi vers une fin définie quand elle
est considérée du point de vue de cette attente incon-
ciente.

Cela apparaît en surface de différentes manières, par exemple
certaines conceptions vagues mais néanmoins persistantes
impliquant qu'il existe une alternative entre l'homme et le
travail, que la voie du travail et de l'indépendance contre-
carre ou bloque la voie vers les hommes. Inculquer à ces
patientes que de telles conceptions sont sans fondement dans
la réalité les laisse complètement impassibles. La même chose
est vraie de l'interprétation de l'alternative supposée entre
masculin et féminin, pénis et enfant. Leur obstination devient
intelligible si on la considère comme une expression même
incomprise de la combinaison que l'on a décrite. Une patiente
chez qui cette idée de l'alternative mentionnée ci-dessus jouait
un très grand rôle dans sa résistance extrême à tout travail,
montrait pendant le transfert un désir sous-jacent dans le
fantasme suivant : en réglant les honoraires de l'analyse, elle
perdrait progressivement tout son argent et serait appauvrie.
L'analyse ne pourrait cependant pas l'aider à vaincre ses
inhibitions dans son travail. Elle serait alors dépourvue de
tous moyens d'existence et serait incapable de gagner sa vie.
Dans ce cas, ses analystes devraient la prendre en charge
— en particulier son premier analyste (homme). La même
patiente essayait d'amener l'analyste à lui interdire de travailler, en mettant en avant avec insistance non seulement
son incapacité à travailler mais aussi les conséquences néfastes
qui s'y rattachaient. Quand elle fut poussée à travailler sous
un prétexte de convenance et de compétence, elle réagit en
fait très logiquement — par une colère jaillie de la frustration
de sa combinaison secrète, alors que le contenu conscient
était que l'analyste la considérait comme apte seulement au
travail et désirait frustrer son développement féminin.

Dans d'autres cas, l'expectative fondamentale s'exprime
par l'envie d'être une femme entretenue par un homme ou
aidée dans son travail par un homme. Des fantasmes de même
signification se produisent en abondance, fantasmes de recevoir d'un homme soutien et dons, enfants ou gratification
sexuelle, aide intellectuelle ou support moral. Des fantasmes

sadiques-oraux correspondants apparaissent dans les rêves
Dans deux cas, c'était le père lui-même que les patientes
contraignaient à les entretenir, en démontrant leur incapacité
à s'entretenir elles-mêmes.

Leur attitude tout entière demeure inchangée quant à ses
dynamiques jusqu'à ce qu'on l'ait intégrée dans le cadre de
leur expectative secrète, ce qui donne : si je ne puis obtenir
l'amour de mon père — c'est-à-dire d'un homme — d'une
manière normale, je l'extorquerai par le moyen de mon impuissance. C'était un appel magique à la pitié. Le rôle de cette
attitude masochique est donc un moyen névrotiquement
déformé pour atteindre un but hétérosexuel, que ces patientes
sont convaincues de ne pouvoir atteindre autrement (¹).

Pour exprimer simplement les faits, on peut dire que la
solution du problème de leur sentiment d'inhibition concernant le travail se trouve, dans de tels cas, dans l'inaptitude
à consacrer un intérêt suffisant au travail en question. En fait,
l'expression « inhibition concernant le travail » n'embrasse pas
convenablement le sujet, car dans la plupart des cas, une
complète aridité psychique survient finalement. Les buts
restent fixés dans le domaine de l'érotisme, les conflits existant
dans ce domaine sont transférés au domaine du travail et
finalement l'inhibition concernant le travail est elle-même
utilisée par le désir d'extorquer l'amour — tout au moins par
ce moyen détourné — sous la forme de commisération et de
soins attendris.

Du fait que le travail doit nécessairement rester non seulement improductif et insatisfaisant, mais réellement pénible,
ces malades sont secondairement repoussées avec une force
redoublée dans le domaine de l'érotisme. Ce processus secondaire peut être mis en mouvement par une expérience sexuelle
personnelle telle que le mariage, par d'autres faits similaires
dans l'entourage. Cela peut également servir à expliquer la
possibilité déjà mentionnée que l'analyse peut aussi devenir

(¹) L'enchaînement des idées est ici le même, dans son ensemble,
que celui exprimé par Reich dans « Der masochistische Charakter »,
Intern. Zeitschr. (1932), au point où lui aussi a pu démontrer le comportement masochique comme favorisant finalement la réalisation
du plaisir.

un facteur d'excitation, à savoir quand l'analyste méjugeant de l'état réel des choses, accorde dès le début trop d'importance au domaine sexuel.

Les difficultés augmentent naturellement avec l'âge. Une jeune personne se console facilement d'échecs érotiques et espère un « sort » meilleur. L'indépendance économique, du moins dans les classes moyennes, n'est pas encore un problème urgent. La limitations des sphères d'intérêt n'est pas encore gravement ressentie. Avec les années, disons à la trentaine environ, l'échec continuel en amour commence à être considéré comme une fatalité ; en même temps, les possibilités d'établir une relation satisfaisante deviennent progressivement plus désespérées, surtout pour des raisons intérieures : insécurité grandissante, retard du développement général et de ce fait faillite dans le développement du charme caractéristique de la maturité. Le manque d'indépendance économique devient progressivement un fardeau. Finalement, le vide qui s'empare de la sphère du travail et de la réussite est ressenti de façon accrue, de même qu'avec l'âge le sujet — ou le milieu — accorde à la réussite une importance exagérée. De plus en plus, la vie semble manquer de sens et l'amertume s'installe progressivement, ces êtres se perdant nécessairement dans leur double illusion. Ces femmes croient ne pouvoir être heureuses que par l'amour, alors que du fait de leur constitution elles ne pourront jamais l'être — et elles ont en outre une confiance à jamais réduite dans la valeur de leurs capacités.

Chaque lecteur aura vraisemblablement remarqué que le type de femme décrit ici se retrouve aujourd'hui sous une forme moins exagérée, tout au moins dans les milieux intellectuels de la bourgeoisie. Dès le début, j'ai exprimé l'opinion que cela est en grande partie déterminé par les conditions sociales, qui reposent sur la limitation sociale du domaine du travail des femmes. Cependant, dans les cas décrits ici, l'enchevêtrement névrotique particulier naît évidemment d'un développement individuel perturbé.

Cette description peut donner l'impression que les deux jeux de forces, sociale et individuelle, sont distincts l'un de l'autre. Ce n'est certainement pas le cas. Je crois pouvoir montrer dans chaque exemple que le type de femme décrit ne peut aboutir à cet état sur la base de facteurs individuels et je présume que la *fréquence* de ce type est expliquée par le fait que, les facteurs sociaux étant donnés, des difficultés relativement minimes dans le développement individuel suffisent à pousser les femmes vers ce type de féminité.

XIII

LE PROBLÈME DU MASOCHISME
CHEZ LA FEMME (¹)

L'intérêt du problème du masochisme chez la femme s'étend au-delà des sphères purement médicales et psychologiques, car pour ceux qui étudient tout au moins la culture occidentale il atteint les racines mêmes de l'estimation de la femme dans sa définition culturelle. Les faits semblent montrer que dans notre culture les phénomènes masochiques sont plus fréquents chez la femme que chez l'homme. Il y a deux approches pour expliquer cette observation. L'une est une tentative pour savoir si les tendances masochiques sont inhérentes à l'essence même de la nature féminine ou si elles lui sont apparentées. L'autre entreprend d'évaluer l'importance des conditions sociales dans la genèse de toute particularité limitée au sexe dans la distribution des tendances masochiques.

Dans la littérature psychanalytique — en prenant les points de vue de Rado et de Deutsch comme représentatifs — le problème n'a été abordé que du point de vue considérant le masochisme chez la femme comme une conséquence psychique des différences sexuelles anatomiques. Ainsi la psychanalyse a étayé la théorie d'une parenté entre le masochisme et la biologie féminine. La possibilité d'un conditionnement social

(¹) Développé à partir d'un article présenté à la réunion de l'Association Américaine de Psychanalyse à Washington, le 26 décembre 1933. *The Psychoanalytic Review*, Vol. XXII, n° 3 (1955), pp. 241-57. Réimprimé avec l'autorisation de *The Psychoanalytic Review*.

n'a pas été jusqu'ici prise en considération du point de vue
psychanalytique.

Le but de cet article est de contribuer aux efforts faits pour
déterminer l'importance des facteurs biologiques et culturels
dans ce problème ; d'examiner soigneusement la validité des
données psychologiques fournies dans cette direction et de
poser la question de savoir si une connaissance psychanalytique peut être utilisée pour la recherche d'une relation possible avec le conditionnement social.

On peut résumer les vues psychanalytiques à peu près
comme suit :

Les satisfactions spécifiques recherchées et trouvées dans
la vie sexuelle féminine et la maternité sont de nature masochique. Le contenu des désirs sexuels et des fantasmes précoces
concernant le père est le désir d'être mutilée, c'est-à-dire
châtrée par lui. La menstruation a l'implication cachée d'une
expérience masochique. Ce qu'une femme désire secrètement
dans les rapports sexuels, c'est le viol et la violence, ou dans
le domaine psychique l'humiliation. Le processus de l'accouchement lui donne une satisfaction masochique inconsciente,
comme le fait également la relation mère-enfant. En outre,
pour autant que les hommes se laissent aller à des fantasmes
ou à des performances masochiques, ceux-ci représentent une
expression de leur désir de jouer le rôle féminin.

Deutsch [1] suppose un facteur génétique de nature biologique qui, inévitablement, conduit à une conception masochique du rôle de la femme. Rado [2] indique un facteur génétique faisant entrer de force le développement sexuel dans
une voie masochique. Il y a des opinions différentes quant
au problème de savoir si ces formes de masochisme spécifiquement féminin naissent ou non de déviations du développement féminin ou si elles représentent l'attitude féminine
« normale ».

Il est supposé, du moins implicitement, que les tendances à
caractère masochique de toutes sortes sont également beaucoup plus fréquentes chez les femmes que chez les hommes.

[1] H. Deutsch, « Der feminine Masochismus und seine Beziehung
zur Frigidität », Inter. Zeitschr. f. Psychoanal., 11 (1930).
[2] Rado, S., « Fear of Castration in Woman », Psychoanalytic
Quarterly, III-IV (1933).

Cette conclusion est inévitable si l'on s'en tient à la théorie psychanalytique fondamentale selon laquelle le comportement dans la vie est calqué sur le comportement sexuel qui, chez les femmes, est jugé masochique. Il s'ensuit que si la plupart des femmes ou toutes les femmes sont masochiques dans leur attitude quant à la sexualité, la reproduction, elles laisseraient apparaître des tendances masochiques dans leur attitude non sexuelle dans la vie, plus fréquemment que ne le feraient les hommes.

Cette considération démontre que les auteurs traitent en fait d'un problème de psychologie féminine normale et non d'un problème de psychopathologie. Rado affirme qu'il ne traite que de phénomènes pathologiques, mais de sa déduction quant à l'origine du masochisme chez la femme on ne peut que conclure que la vie sexuelle de la grande majorité des femmes est pathologique. La différence entre ses vues et celles de Deutsch, qui affirme qu'être femme c'est être masochique, doit être considérée comme théorique plutôt que positive.

Il n'est pas besoin de mettre en question le fait que les femmes peuvent rechercher et trouver une satisfaction masochique dans la masturbation, la menstruation, les rapports sexuels et l'accouchement. Cela se produit sans aucun doute. Ce qu'il reste à discuter, c'est la genèse et la fréquence du fait. Deutsch et Rado, en traitant du problème, omettent complètement de discuter de la fréquence, parce qu'ils maintiennent que les facteurs psycho-génétiques sont si puissants et omniprésents que considérer la fréquence est superflu.

En ce qui concerne la genèse, les deux auteurs supposent que le tournant décisif du développement féminin est la conscience qu'a la petite fille de ne pas avoir de pénis, la supposition étant que le choc de cette découverte a une influence durable. Il y a deux sources de données pour cette hypothèse : les découvertes faites dans les analyses de femmes névrotiques concernant les fantasmes et les envies de posséder ou d'avoir possédé un pénis ; et l'observation de petites filles exprimant l'envie d'avoir un pénis quand elles découvrent son existence chez d'autres.

Mes observations précédentes sont suffisantes pour construire une hypothèse dans le sens que des désirs de masculinité, d'une origine ou d'une autre, jouent un rôle dans la vie sexuelle de la femme et cette hypothèse peut être utile dans la recherche d'explications pour certains phénomènes névrotiques chez les femmes. Mais il faut cependant se rendre à l'évidence que c'est là une hypothèse, non un fait ; et qu'en tant qu'hypothèse, elle n'est même pas indiscutablement utile. Quand, de plus, on proclame que le désir de masculinité n'est pas seulement un facteur dynamique primaire chez les femmes névrotiques mais chez toute femme, indépendamment des conditions individuelles ou culturelles, il faut noter qu'aucune donnée n'existe pour justifier cette revendication. Malheureusement, on sait peu ou rien des femmes psychiquement saines, ou de femmes dans différentes conditions culturelles, et cela en raison de nos connaissances historiques et ethnologiques limitées.

Par conséquent, du fait qu'il n'y a pas de données sur la fréquence, les conditions et l'importance des réactions observées chez la petite fille à la découverte du pénis, l'hypothèse que c'est là un tournant dans le développement de la femme est stimulante mais ne peut être utilisable dans un enchaînement de preuves. Pourquoi, en effet, la fillette deviendrait-elle masochique quand elle se rend compte de son manque du pénis ? Deutsch et Rado en rendent compte de deux manières différentes. Deutsch croit que « la libido sadique-active attachée jusque-là au clitoris, ricoche de la barrière de la réalisation intérieure du sujet au manque du pénis... et le plus fréquemment est détournée régressivement au masochisme ». Cette oscillation vers le masochisme « fait partie de la destinée anatomique de la femme ».

Demandons-nous encore : quelles sont les données ? Aussi loin que je puisse voir, le fait seul qu'il peut exister chez de jeunes enfants des fantasmes sadiques primitifs. Cela ressort en partie d'observations psychanalytiques directes d'enfants névrotiques (M. Klein) et en partie de reconstructions à partir d'analyses d'adultes névrotiques. Il n'y a pas de preuve de l'omniprésence de ces fantasmes sadiques précoces et je me demande, par exemple, si des petites filles indo-américaines ou des petites filles trobriandaises les connaissent. Cependant, même en tenant pour acquise l'omniprésence de ce phénomène, il faut encore trois hypothèses pour compléter le tableau :

1° Que ces fantasmes sadiques soient engendrés par l'investissement de libido active-sadique du clitoris.

2º Que la fillette renonce à la masturbation clitoridienne comme suite à la blessure narcissique de ne pas avoir de pénis.

3º Que la libido active-sadique se retourne automatiquement vers l'intérieur et devienne masochique.

Ces trois hypothèses semblent très théoriques. On sait que des individus peuvent être effrayés de leur agressivité hostile et par conséquent préférer le rôle de souffrance, mais comment l'investissement libidinal d'un organe peut-il être sadique puis se tourner vers l'intérieur ? Cela semble mystérieux.

Deutsch voulait « examiner la genèse de la féminité », ce qui pour elle signifie : « la disposition féminine passive-masochique de la vie psychique de la femme ». Elle affirme que le masochisme est la puissance la plus constitutive de la vie psychique de la femme. Il n'y a pas de doute que ce soit le cas chez de nombreuses femmes névrosées, mais supposer qu'il soit psycho-biologiquement essentiel chez toutes les femmes n'est pas convaincant.

Rado va plus loin. Il ne commence pas par tenter de montrer « la genèse de la féminité », mais veut rendre compte de certains tableaux cliniques que l'on peut voir chez des malades névrosés et fournit des données précieuses sur différentes défenses contre les tendances masochiques chez les femmes. En outre, il ne considère pas l'envie de possession du pénis comme un fait déterminé, mais reconnaît qu'il peut y avoir là un problème. On se souvient que j'ai soulevé auparavant la même question, comme l'ont fait par la suite Jones et Lampl-de-Groot. Les différentes solutions proposées ne sont nullement conformes. Jones, Rado et moi-même sommes d'accord jusqu'au point de voir une défense dans le désir de masculinité, ou la fiction de masculinité ; Jones suggère que c'est une défense contre le danger d'aphanisis ; Rado contre les tendances masochiques et moi-même contre les désirs incestueux pour le père (¹). Lampl-de-Groot suggère que le désir de masculinité est dû aux désirs sexuels précoces pour la mère. Cela dépasserait le cadre de cet article que de discuter

(¹) Je ne suis plus d'accord avec ce point de vue pour des raisons qui seront expliquées dans un article ultérieur. Je suis en fait portée à être d'accord avec l'opinion de Rado, quoique j'arrive à mes conclusions pour d'autres motifs.

ici des ramifications de ce problème ; bref, à mon avis, le problème n'est pas encore résolu.

Rado propose la formule suivante pour expliquer le développement masochique de la femme après la découverte du pénis : il est d'accord avec Freud que cette découverte est inévitablement un choc narcissique pour la fillette, mais il pense que l'effet varie selon les différentes conditions émotionnelles. Si cette découverte se produit dans la période d'efflorescence sexuelle précoce, elle représente d'après Rado, en plus du choc narcissique, une expérience particulièrement douloureuse parce qu'elle éveille chez la fillette la croyance que le garçon peut tirer de la masturbation un plaisir plus grand que le sien. Il pense que cette expérience est si douloureuse qu'elle détruit à jamais le plaisir que la fillette trouvait jusque-là dans la masturbation. Avant que nous ne voyions comment Rado déduit la genèse du masochisme féminin de cette réaction supposée, il est nécessaire de discuter de la prémisse sous-jacente : que la conscience de la possibilité d'un plaisir plus grand détruit définitivement la jouissance d'un plaisir considéré comme inférieur.

Comment cette présomption coïncide-t-elle avec les données de la vie quotidienne ? Cela signifierait, par exemple, qu'un homme trouvant Greta Garbo plus attrayante que d'autres femmes mais n'ayant aucune chance de la rencontrer, perdrait en conséquence de cette « découverte » de ses charmes supérieurs, tout plaisir dans des relations avec d'autres femmes disponibles pour lui. Cela impliquerait qu'un individu aimant la montagne aurait son plaisir complètement gâché à la pensée qu'un site marin pourrait lui donner un plaisir plus grand. Bien entendu, des réactions de cette sorte peuvent apparaître occasionnellement, mais seulement chez des individus d'un certain type, à savoir chez des êtres excessivement ou pathologiquement avides. Le principe auquel se réfère Rado n'est certainement pas le principe de plaisir, mais pourrait mieux être appelé principe d'avidité et, comme tel, quoique valable pour expliquer certaines réactions névrotiques, ne peut guère être présumé à l'œuvre chez des enfants ou des adultes « normaux » — et en fait est contraire au principe de plaisir. Ce dernier implique qu'un individu est contraint à rechercher la satisfaction dans toute situation donnée, même quand elle

ne fournit pas les possibilités maximales de plaisir, et même
si les possibilités sont minimes. Le fait normal de cette réaction se justifie par deux facteurs : la grande adaptabilité et
la souplesse de nos efforts pour rechercher le plaisir, que Freud
a indiquées comme les caractéristiques d'un être sain, en
contraste avec l'être névrosé ; et un processus de preuve de la
réalité automatique, qui aboutit à l'enregistrement automatique conscient et inconscient de ce qui est accessible ou non.
Même en admettant que ce dernier processus fonctionne plus
lentement chez les enfants que chez les adultes, la petite fille
qui aime sa poupée de chiffons, quoiqu'elle puisse un moment
désirer ardemment la poupée élégante du magasin de jouets,
continuera gaiement à jouer avec sa poupée après avoir compris l'impossibilité d'avoir la poupée plus belle.

Cependant, acceptons pour un instant la supposition de
Rado selon laquelle la fillette, jusqu'ici satisfaite de ses exutoires sexuels, voit son plaisir de masturbation détruit par la
découverte du pénis. Comment ce fait peut-il contribuer au
développement de ses pulsions masochiques ? Rado soutient
ce qui suit. La grande douleur psychique provoquée par la
découverte du pénis excite sexuellement la fillette et lui fournit
un substitut de gratification. Ayant été volée ainsi de ses
moyens naturels de satisfaction, elle n'a désormais plus qu'à
solliciter la satisfaction par la souffrance. Ses luttes sexuelles
deviennent et demeurent masochiques. Plus tard, elle peut
alors, concevant que le but de ses luttes est dangereux, édifier
diverses défenses, mais les luttes sexuelles elles-mêmes sont
déplacées définitivement et de façon permanente vers le masochisme.

Une question intervient ici. En admettant que la fillette
souffre réellement et profondément de l'inaccessibilité d'une
source majeure de plaisir, pourquoi cette souffrance l'excite-
t-elle sexuellement ? Cette réaction supposée étant la pierre
angulaire sur laquelle l'auteur fonde une attitude ultérieurement masochique dans la vie, on aimerait avoir une preuve
de sa réalité positive.

Comme la preuve n'a pas encore été donnée, on cherche des
réactions analogues qui puissent rendre cette présomption
plausible. Un exemple correspondant devrait offrir les mêmes
conditions préalables que celles données dans le cas de la

fillette : une interruption brusque des exutoires sexuels habituels provoquée par un événement douloureux quelconque. Considérons, par exemple, le cas d'un homme qui jusqu'à présent a mené une vie sexuelle satisfaisante ; il est emprisonné et mis sous une surveillance tellement étroite que tous les exutoires sexuels lui sont interdits. Un tel homme deviendra-t-il masochique ? C'est-à-dire deviendra-t-il sexuellement excité par le fait d'être témoin de rossées, du fait de les imaginer ou d'être réellement rossé et maltraité ? Se laissera-t-il aller à des fantasmes de persécution et de souffrances infligées ? De telles réactions masochiques peuvent sans aucun doute se produire. Mais sans doute aussi, cela représente une des nombreuses réactions possibles et de telles réactions masochiques ne se produiront que chez un homme qui avait *auparavant* des tendances masochiques. D'autres exemples conduisent à la même conclusion. Une femme abandonnée par son mari et sans aucun exutoire sexuel immédiat ou en perspective peut réagir masochiquement ; mais plus elle sera équilibrée et mieux elle sera capable de renoncer temporairement à la sexualité et de trouver des satisfactions auprès d'amis, d'enfants, dans le travail ou dans le plaisir. Encore une fois, une femme mise dans une telle situation ne réagira masochiquement que si elle possède déjà un canevas précis de tendances masochiques.

Si je puis risquer une opinion quant à la prémisse implicite qui a amené l'auteur à considérer comme allant de soi une hypothèse tellement contestable, je dirais que c'est une surestimation de l'urgence des besoins sexuels — comme s'il répondait à l'urgence sexuelle par la même avidité impatiente qu'il attribuait aux luttes pour la recherche du plaisir ; ou plus concrètement, comme si l'exécutoire sexuel étant barré on saisissait immédiatement la première occasion disponible pour l'excitation et la satisfaction sexuelles.

En d'autres termes, des réactions semblables à celle dont Rado suppose l'existence, existent certainement, mais en aucune manière comme allant de soi ou comme inévitables ; quand elles se produisent, elles présupposent des tendances masochiques existant antérieurement ; *elles sont une expression de tendances masochiques, mais n'en sont pas l'origine.*

Suivant le raisonnement de Rado, n'est-il pas curieux, en

effet, que les petits garçons ne deviennent pas masochiques ? Presque chaque petit garçon peut apercevoir un pénis d'adulte bien plus grand que le sien. Il comprend que l'adulte — le père — puisse obtenir un plaisir plus grand. La représentation d'une possibilité de plaisir plus grand que le sien devrait gâcher son propre plaisir de masturbation. Il devrait renoncer à la masturbation. Il devrait souffrir d'une grave douleur psychique qui l'exciterait sexuellement et il devrait prendre cette douleur comme un substitut de gratification et devenir ainsi masochique. Cela semble se produire très rarement.

J'en arrive au dernier point critique. Admettant que la fillette réagisse à la découverte du pénis par une souffrance psychique grave ; admettant l'idée d'un plaisir plus grand détruisant le plaisir à sa portée ; admettant que la souffrance psychique produise chez elle une excitation sexuelle et qu'elle y trouve un substitut de satisfaction sexuelle ; admettant pour les besoins de l'argumentation toutes ces considérations sujettes à discussion : pourquoi devrait-elle être *durablement* poussée à rechercher la satisfaction dans la souffrance ? Il semble y avoir discordance ici entre la cause et l'effet. Une pierre tombée sur le sol y restera à moins d'être déplacée par une force extérieure. Un organisme vivant frappé par un événement traumatisant s'adapte à la nouvelle situation. Alors que Rado admet les réactions de défense consécutives érigées comme une protection contre les pulsions masochiques dangereuses, il ne met pas en question le caractère durable des luttes elles-mêmes qui, une fois établies, sont supposées garder immuable leur force de motivation. C'est un des grands mérites scientifiques de Freud d'avoir insisté avec force sur le caractère tenace des impressions de l'enfance ; l'expérience psychanalytique montre également qu'une réaction émotionnelle produite une fois dans l'enfance est maintenue toute la vie si elle continue d'être étayée par diverses pulsions dynamiquement importantes. Si Rado n'admet pas qu'un seul choc traumatique puisse avoir une influence durable sans être étayé par des besoins inhérents à la personnalité, alors il doit admettre que, quoique le choc soit passé, le fait supposé douloureux du manque du pénis demeure, avec pour conséquence l'abandon de la masturbation et le fait que la libido sexuelle se trouve de façon permanente réorientée vers le masochisme.

Mais l'expérience clinique montre que l'absence de masturbation n'est en aucune façon invariable chez les enfants masochiques (¹). Cette chaîne de causalités hypothétiques échoue donc aussi.

Quoique Rado n'affirme pas (comme le fait Deutsch) que ce fait traumatisant se produise régulièrement, inévitablement, dans le développement féminin, il affirme correctement qu'il est contraint de se produire avec « une fréquence frappante » et en fait une fillette ne pourrait échapper, d'après ses hypothèses, qu'exceptionnellement au destin de la déviation masochique. En parvenant à cette conclusion que les femmes sont presque universellement masochiques, il a commis la même erreur que les médecins ont tendance à commettre lorsqu'ils s'efforcent de faire cas de phénomènes pathologiques sur une base plus large — à savoir une généralisation sans garantie à partir de données limitées. C'est en principe la même erreur que des psychiatres et des gynécologues ont commise avant lui : Krafft-Ebing, observant que des hommes masochiques jouent souvent le rôle de la femme qui souffre, parle de phénomènes masochiques comme représentant une sorte d'hypertrophie anormale des qualités féminines ; Freud, partant de la même observation, admet une relation étroite entre masochisme et gent féminine ; le gynécologue russe Nemilov, impressionné par la souffrance des femmes dans la défloration, la menstruation et l'accouchement, parle de « la tragédie sanglante de la femme » ; le gynécologue allemand Liepman, impressionné par la fréquence des maladies, accidents et souffrances de la vie des femmes, admet que la vulnérabilité, l'irritabilité et la sensibilité forment la triade fondamentale des qualités féminines.

Une seule justification pourrait être invoquée pour de telles généralisations, à savoir l'hypothèse de Freud selon laquelle il n'y a pas de différence fondamentale entre les phénomènes pathologiques et « normaux » ; que les phénomènes pathologiques montrent simplement avec plus de netteté, comme

---

(¹) Dans une communication de David M. Lévy, celui-ci donne des exemples de fillettes ayant des fantasmes d'être rossées, et se masturbant tout en se laissant aller à ces fantasmes. Il établit qu'il ne connaît aucune relation directe entre les phénomènes masochiques et l'absence de manipulation génitale.

au travers d'une loupe, les processus qui se déroulent chez tous les êtres humains. Il n'y a pas de doute que ce principe ait élargi l'horizon, mais on devrait être conscient de ses limitations. Celles-ci ont dû être prises en considération à propos du complexe d'Œdipe. Tout d'abord, son existence et ses implications étaient considérées distinctement dans les névroses. Cette connaissance aiguisa l'observation des psychanalystes de telle sorte que des indications plus minimes en étaient fréquemment observées. On en tira donc la conclusion que c'était un facteur omniprésent, qui n'était qu'accentué chez les névrosés. Cette conclusion est discutable, car des études ethnologiques ont montré que la configuration particulière dénotée par la terminologie : complexe d'Œdipe, est probablement inexistante dans des conditions culturelles très différentes (¹). On doit donc ramener cette présomption à l'affirmation que ce canevas émotionnel particulier dans les relations entre parents et enfants naît seulement dans certaines conditions culturelles.

Le même principe peut en fait être appliqué à la question du masochisme chez la femme. Deutsch et Rado ont été impressionnés par la fréquence avec laquelle ils ont trouvé une conception masochique du rôle féminin chez les femmes névrosées. Je suppose que chaque analyste aura fait les mêmes observations ou que leurs découvertes les auront aidés à les faire avec plus de précision. Les phénomènes masochiques chez les femmes peuvent être détectés comme l'aboutissement d'une observation orientée et aiguisée là où ils auraient pu passer inaperçus, comme dans des rencontres sociales avec des femmes (tout à fait en dehors de la clientèle psychanalytique), dans des descriptions littéraires de caractères féminins, ou en examinant des femmes de mœurs étrangères, telles que la paysanne russe qui ne croit pas que son mari l'aime à moins qu'il ne la batte. En présence de cette évidence, le psychanalyste conclut qu'il est ici en présence d'un phénomène omniprésent fonctionnant sur une base psycho-biologique avec la régularité d'une loi de la nature.

La partialité ou les erreurs manifestes dans les résultats

(¹) F. Boehm, « Zur Geschichte des Ödipuskomplexes », Int. Zeitschr. f. Psychoanal. I (1930).

obtenus par un examen partiel du tableau sont dues à une négligence des facteurs culturels ou sociaux — une exclusion du tableau de femmes vivant dans des civilisations aux coutumes différentes. La paysanne russe du régime tsariste et patriarcal était invariablement citée dans les discussions tendant à prouver combien le masochisme est enraciné profondément dans la nature féminine. Cependant, la paysanne a donné naissance à la Soviétique autoritaire qui serait sans doute étonnée que les rossées soient administrées comme un gage d'affection. Le changement s'est fait dans les tendances culturelles plutôt que chez les femmes.

Plus généralement parlant, chaque fois que la question de la fréquence entre dans le tableau il y a des implications sociologiques et refuser d'en tenir compte sous l'angle psychanalytique n'exclut pas leur existence. Omettre ces considérations peut conduire à une estimation erronée des différences anatomiques et leur construction personnelle comme facteurs provoquant des phénomènes de fait résultant partiellement ou totalement du conditionnement social. Seule la synthèse des deux séries de conditions peut conduire à une compréhension complète.

Les données concernant les questions suivantes peuvent être pertinentes pour les approches sociologique et ethnologique :

1º Quelle est la fréquence des attitudes masochiques concernant les fonctions féminines dans différentes conditions sociales et culturelles ?

2º Quelle est la fréquence des attitudes masochiques ou des manifestations générales chez les femmes, en comparaison avec les hommes, dans différentes conditions sociales et culturelles ?

Si ces deux enquêtes étayaient la notion que dans toutes les conditions sociales il y a une conception masochique du rôle féminin et s'il y avait aussi une prépondérance nette des phénomènes masochiques généraux chez les femmes en comparaison avec les hommes, alors et alors seulement serait-on justifié à rechercher plus avant des causes psychologiques à ce phénomène. Si, cependant, un tel masochisme féminin omniprésent n'apparaissait pas, on demanderait à l'enquête socio-ethnologique la réponse aux questions suivantes :

1º Quelles sont les conditions sociales particulières requises pour un lien fréquent entre masochisme et fonctions féminines ?

2º Quelles sont les conditions sociales particulières requises pour que les attitudes masochiques générales soient plus fréquentes chez les femmes que chez les hommes?

La tâche de la psychanalyse dans une telle investigation serait de fournir à l'anthropologue des données psychologiques. A l'exception des perversions et des fantasmes masturbatoires, les tendances et gratifications masochiques sont inconscientes. L'anthropologue ne peut les explorer. Ce dont il a besoin, ce sont des critères qui lui permettent d'identifier et d'observer les manifestations qui très probablement indiquent l'existence des pulsions masochiques.

Fournir ces données est relativement simple, comme dans la question 1, concernant les manifestations masochiques dans les fonctions féminines. Sur la base de l'expérience psychanalytique, on peut présumer avec prudence de tendances masochiques :

1º Quand il y a une grande fréquence de troubles menstruels fonctionnels, tels que dysménorrhée et ménorragie.

2º Quand il y a une grande fréquence de troubles psychogènes dans la grossesse et l'accouchement, tels que phobie de l'accouchement, tracas à propos de l'accouchement, des douleurs et des moyens compliqués pour éviter la douleur.

3º Quand il y a fréquence, en ce qui concerne les rapports sexuels, d'attitudes telles que celle revenant à dire qu'ils sont déshonorants pour les femmes ou qu'ils constituent une exploitation des femmes.

Ces indications ne doivent pas être prises comme étant absolues, mais plutôt avec les deux considérations restrictives suivantes :

a) Il semble qu'il soit devenu habituel dans la pensée psychanalytique d'accepter que la douleur, la souffrance ou la phobie de souffrir soient le fait de pulsions masochiques ou aboutissent à des gratifications masochiques. Il est donc nécessaire de dire que de telles suppositions demandent des preuves. Alexander, par exemple, dit que les individus qui font de l'alpinisme en portant de lourds havresacs sont masochiques, en particulier quand un car ou un train pourrait les amener au sommet plus facilement. C'est peut-être vrai, mais les motifs pour porter de lourds havresacs sont plus souvent des motifs réalistes.

b) La souffrance ou même la douleur que l'on s'inflige à soi-même peuvent être, dans les tribus primitives, une expression magique destinée à écarter le danger et peuvent ne rien avoir à faire avec le masochisme individuel. En conséquence, on ne peut interpréter une telle donnée qu'en relation avec une connaissance fondamentale de la structure globale de l'histoire de la tribu concernée.

La tâche de la psychanalyse quant à la question 2 (données concernant les indications pour les attitudes masochiques générales) est une tâche plus difficile, car la compréhension du phénomène tout entier est encore limitée. En fait, elle n'a pas beaucoup avancé au-delà de l'affirmation de Freud que le masochisme est lié à la sexualité et à la morale. Il y a pourtant ces questions en suspens : est-ce primitivement un phénomène sexuel qui se prolonge jusque dans le domaine moral, ou est-ce un phénomène moral se prolongeant aussi dans le domaine sexuel ? Le masochisme moral et le masochisme érogène sont-ils deux processus séparés ou seulement deux jeux de manifestations naissant d'un processus commun sous-jacent ? Ou le masochisme est-il un terme collectif pour des phénomènes très complexes ?

On se sent justifié à employer le même terme pour des manifestations opposées parce qu'elles ont toutes des tendances communes : tendances à arranger en fantasmes, en rêves, ou dans le monde réel des situations impliquant la souffrance ; ou de ressentir la souffrance dans des situations qui n'auraient pas cet accompagnement pour un individu ordinaire. La souffrance peut concerner le domaine physique ou le domaine psychique. Il y a une certaine gratification ou un certain soulagement de la tension liés à la souffrance et c'est pourquoi elle est recherchée. La gratification ou le soulagement de la tension peuvent être conscients ou inconscients, sexuels ou non sexuels. Les fonctions non-sexuelles peuvent être différentes : réassurances contre les phobies, réparations pour des péchés commis, autorisations d'en commettre d'autres, stratégie se rapportant à des buts inaccessibles autrement, formes indirectes d'hostilité.

La réalisation de cette vaste étendue de phénomènes masochiques est plus déconcertante et plus contestable qu'encourageante et ces affirmations générales ne peuvent certainement pas beaucoup aider les anthropologues. Cependant, des données plus concrètes sont à disposition si tous les aléas scientifiques concernant les conditions et les fonctions sont balayés et que seules ces attitudes superficielles observées dans la situation analytique chez les patientes ayant des tendances masochiques distinctes et étendues servent de base aux investigations. Dans ce but, il est peut-être suffisant d'énumérer ces attitudes sans les retracer en détail dans leurs conditions individuelles. Il est superflu de dire qu'elles ne sont pas toutes présentes chez chaque patiente appartenant à cette catégorie ; cependant le syndrome tout entier est tellement typique (comme chaque analyste le reconnaîtra) que si certaines de ces tendances sont apparentes au début du traitement, on peut en toute sécurité prédire le tableau tout entier (quoique bien entendu les détails varient). Les détails concernent l'ordre d'apparition, la répartition de l'importance des tendances séparées et particulièrement la forme et l'intensité des défenses édifiées comme protection contre ces tendances.

Considérons les données spécifiques qui peuvent être trouvées chez ces patientes ayant des tendances masochiques très étendues. Telles que je les vois, les lignes principales de la structure de surface sont à peu près les suivantes dans de telles personnalités :

L'individu peut trouver de plusieurs manières une réassurance contre les phobies profondes. La renonciation en est une ; l'inhibition une autre ; refuser la phobie et devenir optimiste, une troisième ; et ainsi de suite. Être aimé est un moyen spécifique de réassurance employé par un masochiste. Du fait qu'il éprouve une angoisse flottant librement, il a besoin de signes constants d'attention et d'affection et comme il ne croit que momentanément à ces signes, il a un besoin excessif d'attention et d'affection. Il est donc très émotif dans ses rapports avec autrui ; il s'attache facilement car il attend des autres la réassurance nécessaire ; il est facilement déçu, car il n'obtient pas et ne peut jamais obtenir ce à quoi il s'attend. L'attente ou l'illusion du « grand amour » jouent souvent un rôle important. La sexualité étant un des moyens les plus courants d'obtenir l'affection, il tend à la surestimer et se cramponne à l'illusion qu'elle est la solution de tous les problèmes de la vie. Le point où tout cela est conscient, la facilité avec laquelle il connaît des relations sexuelles réelles, dépendent de ses inhibitions à ce sujet. Son histoire révèle des « amours malheureuses » fréquentes lorsqu'il a eu des relations sexuelles ou qu'il a tenté d'en avoir ; il a été abandonné, déçu, humilié, maltraité. La même tendance apparaît à chaque degré dans les relations non-sexuelles, depuis le fait d'être ou de se sentir incompétent, immolé et soumis, jusqu'au fait de jouer le rôle de martyr, de se sentir ou d'être réellement humilié, exploité et abusé. Alors qu'autrement il sent (comme une réalité déterminée) qu'il *est* incompétent ou que la vie *est* brutale, on peut voir dans la situation analytique que ce ne sont pas les faits mais que c'est une tendance obstinée qui le pousse à voir ou à arranger les choses de cette manière. En outre, cette tendance est révélée dans la situation psychanalytique comme un arrangement inconscient le poussant à provoquer les agressions, à se sentir détruit, lésé, maltraité, humilié, sans cause réelle.

Comme l'affection et la sympathie d'autrui sont pour lui d'une importance vitale, il devient facilement très dépendant et cette dépendance exagérée se révèle nettement dans les relations avec l'analyste.

La prochaine raison discernable au fait de ne pouvoir jamais croire en une forme quelconque d'affection qu'il puisse réellement recevoir (au lieu de s'y cramponner comme représentant la réassurance convoitée), gît dans l'abaissement de l'amour-propre ; il se sent inférieur, totalement incapable d'inspirer l'amour et indigne d'amour. D'autre part, ce manque de confiance en soi lui fait précisément sentir qu'en appeler à la pitié, en ayant ou en dévoilant des sentiments d'infériorité, de faiblesse, de souffrance, est le seul moyen de gagner l'affection dont il a besoin. On voit que la détérioration de son amour-propre est enracinée dans la paralysie de ce qu'on pourrait appeler « l'agressivité appropriée ». Je veux dire par là les capacités de travail englobant les attributs suivants : prendre des initiatives, faire des efforts, aller jusqu'au bout des choses, réussir, insister sur ses droits, se défendre contre les agressions, former et exprimer des opinions autonomes, reconnaître ses buts et être capable d'organiser sa vie d'après eux ([1]). Chez les êtres masochiques, on trouve habituellement des inhibitions très étendues qui, dans leur ensemble, justifient le sentiment d'insécurité et d'impuissance dans la lutte pour la vie et expliquent la dépendance subséquente à l'égard d'autrui et une prédisposition à demander aide et secours.

La psychanalyse révèle la tendance à reculer devant n'importe quelle compétition comme une raison de plus à l'incapacité de s'imposer. Leurs inhibitions sont ainsi le résultat d'efforts pour se contrôler dans le but d'éviter tout risque de compétition.

Les sentiments hostiles inévitablement engendrés sur la base de ces tendances à la mise en échec de soi ne peuvent non plus être librement exprimés, car ils sont conçus comme mettant en danger la réassurance dépendant du fait d'être aimé, qui est le mobile principal de la protection contre l'angoisse. La faiblesse et la souffrance qui servaient déjà plusieurs fonctions, agissent maintenant comme véhicule à l'expression indirecte de l'hostilité.

L'emploi. de ce syndrome d'attitudes observables pour l'investigation anthropologique est susceptible de provoquer une erreur majeure, à savoir que les attitudes masochiques ne sont pas toujours apparentes comme telles, car elles sont fréquemment dissimulées derrière des défenses et souvent elles n'apparaissent clairement qu'après que les défenses aient été écartées. Comme une analyse de ces défenses est nettement au-delà du domaine d'une telle investigation, les défenses doivent être prises à leur valeur nominale et le résultat en sera que ces cas d'attitudes masochiques doivent échapper à l'observation.

Passant alors en revue les attitudes masochiques observables, je propose que l'anthropologie recherche des données concernant des questions telles que celles-ci : dans quelles conditions sociales ou culturelles trouvons-nous plus fréquemment chez les femmes que chez les hommes :

1º Les inhibitions se manifestant par l'expression directe de revendications et d'agressions ?

([1]) Dans le domaine de la littérature psychanalytique, Schultz-Hencke (« Schicksal und Neurose ») a particulièrement souligné l'importance pathogène de ces inhibitions.

2º La considération de soi-même comme faible, impuissant ou inférieur et sur cette base les revendications implicites ou explicites d'estime et de profits ?

3º Un devenir dépendant émotionnellement de l'autre sexe ?

4º Des tendances ostentatoires à s'immoler, à être soumis, à se sentir épuisé ou à être exploité, à mettre les responsabilités sur l'autre sexe ?

5º Un usage de la faiblesse et de l'impuissance comme moyen de solliciter et de subjuguer l'autre sexe (¹) ?

A côté de ces formulations, qui sont des généralisations directes d'expériences psychanalytiques, je puis également présenter certaines généralisations quant aux facteurs prédisposant à l'apparition du masochisme chez les femmes. Je m'attendrais à ce que ces phénomènes apparaissent dans n'importe quel complexe culturel qui comprendrait un ou plusieurs des facteurs suivants :

1º Blocage des exutoires de l'expansibilité et de la sexualité.

2º Restriction du nombre des enfants, d'autant plus qu'avoir des enfants et les élever donne aux femmes de nombreux exutoires de gratification (tendresse, réussite, amour-propre) et cela devient d'autant plus important quand le fait d'avoir des enfants et de les élever est l'étalon mesurant l'estime sociale.

3º L'opinion que les femmes sont dans l'ensemble des êtres inférieurs aux hommes, à tel point que cela conduit à une détérioration de la confiance en soi chez la femme.

4º Le fait que les femmes dépendent économiquement des hommes ou de la famille à tel point que cela engendre une adaptation émotionnelle à une dépendance émotionnelle.

(¹) Cela peut étonner le lecteur psychanalyste que, dans cette énumération des facteurs, je ne m'en sois pas tenue à ceux qui sont influents dans l'enfance seulement. On doit cependant considérer que 1º) l'enfant est tenu de sentir l'influence de ces facteurs indirectement par le milieu familial et particulièrement par l'influence qu'ils ont exercée sur les femmes de l'entourage ; 2º) quoique les attitudes masochiques (comme d'autres attitudes névrotiques) soient engendrées primitivement dans l'enfance, les conditions de la vie ultérieure déterminent le cas moyen (c'est-à-dire les cas où les conditions de l'enfance n'ont pas été graves au point de modeler définitivement les caractéristiques).

5º Le fait de restreindre l'activité des femmes aux domaines de la vie édifiés surtout sur des liens émotionnels, tels que la vie de famille, la religion, les œuvres de charité.

6º L'excédent de femmes nubiles, surtout quand le mariage signifie la principale occasion de gratification sexuelle, d'avoir des enfants, de la sécurité et de la considération sociale (¹). Cette condition est utile dans la mesure où elle favorise (comme le font 3º et 4º) la dépendance émotionnelle à l'égard des hommes et en général un développement qui n'est pas autonome, mais accommodé et modelé par des idéologies masculines existantes. Elle est pertinente dans la mesure où elle crée chez les femmes une rivalité particulièrement forte — et le recul devant cette rivalité est un facteur important pour l'apparition des phénomènes masochiques.

Tous les facteurs énumérés se chevauchent ; par exemple, une rivalité sexuelle chez les femmes sera plus puissante si d'autres exutoires de rivalité (comme la prééminence professionnelle) sont concurremment bloqués. Il semblerait qu'aucun facteur ne soit seul responsable de la déviation du développement, mais que ce soit plutôt un enchaînement de facteurs.

On doit en particulier considérer le fait que si tous les éléments suggérés sont présents dans le complexe culturel, certaines idéologies fixes concernant la « nature » de la femme peuvent apparaître, telles que celle-ci : de naissance, la femme est faible, émotive, elle jouit d'être dépendante, ses aptitudes à un travail indépendant et à la pensée autonome sont restreintes. On est tenté d'y inclure la croyance psychanalytique que la femme est masochique par nature. Il est tout à fait évident que ces idéologies fonctionnent non seulement pour réconcilier la femme avec son rôle subordonné, en le

---

(¹) Il faut cependant garder en mémoire que les règles sociales, telles que le mariage arrangé par la famille, réduiraient grandement l'efficacité de ce facteur. Cette considération met en lumière l'affirmation de Freud que les femmes sont plus jalouses que les hommes. Cette affirmation est probablement exacte dans la mesure où elle concerne les cultures allemande et autrichienne actuelles. Mais cependant déduire cela de sources purement anatomo-physiologiques (désir du pénis) n'est pas convaincant. Alors qu'il peut en être ainsi dans des cas individuels, la généralisation — indépendant des conditions sociales — est sujette à la même objection fondamentale que celle antérieurement mentionnée.

présentant comme immuable, mais aussi à enraciner la croyance qu'il représente un but pour lequel elles languissent ou un idéal pour lequel il est louable et désirable de lutter. L'influence que ces idéologies exercent sur les femmes est matériellement renforcée par le fait que les femmes présentant ces traits spécifiques sont le plus souvent choisies par les hommes. Cela implique que les possibilités érotiques des femmes dépendent de leur conformité à l'image de ce qui constitue leur vraie « nature ». Il ne semble donc pas exagéré de dire que dans de telles organisations sociales les attitudes masochiques (ou plutôt des expressions plus bénignes du masochisme) sont favorisées chez les femmes alors qu'elles sont découragées chez les hommes. Des qualités telles que la dépendance émotionnelle de l'autre sexe (crampon), la concentration dans « l'amour », l'inhibition du développement étendu, autonome, etc., sont considérées comme très désirables chez les femmes, mais sont traitées avec réprobation et dérision quand elles sont trouvées chez les hommes.

On voit que ces facteurs culturels exercent une profonde influence sur les femmes ; et cela à un point tel qu'en fait il est difficile de voir dans notre culture comment les femmes peuvent éviter de devenir masochiques à un degré quelconque par les effets de la culture seule, sans avoir recours aux facteurs déterminants des caractéristiques anatomo-physiologiques et à leurs effets psychiques.

Certains écrivains cependant — et parmi eux H. Deutsch — ont généralisé à partir d'expériences psychanalytiques avec des femmes névrosées et ont affirmé que les complexes culturels auxquels je me suis référée sont eux-mêmes l'effet de ces caractéristiques anatomo-physiologiques. Il est inutile de discuter de cette généralisation excessive jusqu'à ce que l'investigation de type anthropologique que nous avons suggérée ait été effectuée. Considérons cependant les facteurs qui dans l'organisation somatique des femmes contribuent effectivement à leur faire accepter le rôle masochique. Les facteurs anatomo-physiologiques qui, chez les femmes, prédisposent au développement de phénomènes masochiques me semblent être les suivants :

a) La force physique, qui est en moyenne plus grande chez les hommes que chez les femmes. D'après les ethnologues c'est une différence sexuelle acquise. Elle existe néanmoins aujourd'hui. Quoique la faiblesse ne soit pas identique au masochisme, la découverte de sa force physique inférieure peut donner lieu à une conception émotionnelle du rôle féminin masochique.

b) La possibilité d'un viol peut de même faire naître chez la femme le fantasme d'être attaquée, domptée, blessée.

c) La menstruation, la défloration et l'accouchement, dans la mesure où ce sont des processus sanglants et douloureux, peuvent facilement servir d'exutoires aux luttes masochiques.

d) Les différences biologiques dans les rapports sexuels servent aussi à la formulation masochique. Sadisme et masochisme n'ont fondamentalement rien à voir avec les rapports sexuels, mais le rôle féminin dans les rapports sexuels (le fait d'être pénétrée) *se prête* plus aisément à une erreur d'interprétation personnelle (quand nécessaire) d'un acte masochique ; le rôle viril est interprété comme actif-sadique.

Ces fonctions biologiques n'ont en elles-mêmes aucune implication pour les femmes et ne conduisent pas à des réactions masochiques ; mais si des besoins masochiques d'une autre origine (¹) sont présents, ils peuvent aisément être englobés dans des fantasmes masochiques qui, à leur tour, les déterminent à fournir des gratifications masochiques. En dehors du fait d'admettre la possibilité chez les femmes d'une certaine prédisposition à concevoir leur rôle comme masochique, chaque assertion supplémentaire quant à un rapport constitutionnel avec le masochisme est hypothétique ; des faits tels que la disparition de toutes tendances masochiques après une psychanalyse réussie, et toutes les observations de femmes masochiques (qui après tout existent), nous mettent en garde contre la surestimation de l'élément prédisposant.

En résumé : les problèmes du masochisme chez la femme ne peuvent être reliés aux facteurs inhérents aux caractéristiques psycho-anatomo-physiologiques de la femme seulement, mais doivent être considérés comme conditionnés dans une grande mesure par le complexe culturel, ou l'organisation sociale, dans lequel s'est développée la femme masochique. L'impor-

---

(¹) Je communiquerai ultérieurement ce que je veux dire par sources d'attitudes masochiques.

tance précise de ces deux groupes de facteurs ne peut être estimée avant d'examiner les conclusions des investigations anthropologiques utilisant les critères psychanalytiques irréfutables dans différentes zones de cultures très différentes de la nôtre. Il est cependant clair que sur ce sujet l'importance des facteurs psycho-anatomo-physiologiques a été grandement surestimée par certains auteurs.

XIV

MODIFICATIONS DE LA PERSONNALITÉ
CHEZ LES ADOLESCENTES ([1])

En analysant des femmes présentant des troubles névrotiques ou des troubles caractériels, on trouve fréquemment
ces deux conditions : 1) Quoique dans tous les cas les conflits
déterminants soient apparus dans la première enfance, les
premières modifications de la personnalité se sont produites
dans l'adolescence. Très souvent, à cette époque, elles n'ont
pas paru présenter de gravité pour l'entourage et n'ont pas
donné l'impression d'être des modifications pathologiques
mettant en danger le développement futur ou nécessitant un
traitement, mais ont été considérées comme des troubles
passagers naturels à cette période de la vie et ont même été
considérées comme des signes désirables et prometteurs.
2) Le début de ces modifications coïncide approximativement
avec le début de la menstruation. Cette relation n'a pas été
apparente, soit que les patientes n'aient pas été conscientes
de la coïncidence, soit qu'ayant observé une coïncidence temporelle, elles ne lui aient attribué aucune importance, n'ayant
pas remarqué ou ayant « oublié » les implications psychiques
de la menstruation. En contraste avec les symptômes névrotiques, les modifications de la personnalité se développent
progressivement et cela aide à dissimuler et à voiler aussi la
relation véritable. Ce n'est généralement qu'après avoir péné-

([1]) Lu en 1934 à la réunion de l'Association d'Orthopsychiatrie
américaine. Réimprimé du *American Journal of Orthopsychiatry*,
Vol. V, n° 1 (janvier 1935), pp. 19-26. Reproduit avec autorisation.

tré l'effet émotionnel de la menstruation, que les patientes voient spontanément la relation. Avec une certaine hésitation, je distinguerais les quatre types suivants de modifications :

1º La fille s'absorbe dans des activités sublimées ; elle développe une aversion envers le domaine érotique.

2º La fille s'absorbe dans le domaine érotique (folie des garçons) ; elle perd son intérêt et son aptitude au travail.

3º La fille est émotionnellement « détachée », acquiert une attitude « j' m'en fichiste » ; elle est incapable d'apporter de l'énergie à quoi que ce soit.

4º La fille développe des tendances homosexuelles.

Cette classification est incomplète et ne couvre certainement pas l'éventail des possibilités existantes (par exemple, le développement de la prostituée ou de la criminelle) ; elle se réfère uniquement aux modifications que j'ai eu l'occasion d'observer directement ou par déduction chez les patientes qui venaient incidemment pour traitement. En outre, la division est arbitraire, comme le sont les divisions de types de comportements, impliquant la fiction que des types précis apparaissent toujours, alors qu'en réalité toutes sortes de transitions et de mélanges sont fréquemment présents.

Le premier groupe est composé de filles qui ont montré une curiosité naturelle à l'égard des questions concernant les différences anatomiques et fonctionnelles des deux sexes, les énigmes de la procréation, qui se sont senties attirées par les garçons et ont aimé jouer avec eux. Vers la puberté, elles se sont brusquement absorbées dans des problèmes intellectuels, des problèmes religieux, des problèmes éthiques, des problèmes artistiques ou scientifiques, perdant tout intérêt pour le domaine érotique. La fille qui subit habituellement ces modifications ne vient pas pour un traitement, la famille étant enchantée de son sérieux et de son manque de goût pour le flirt. Les difficultés ne sont pas apparentes. Elles n'apparaissent qu'ultérieurement, en particulier après le mariage. Il est facile de ne pas voir la nature pathologique de ce changement et cela pour les deux raisons suivantes : pendant ces années, le développement d'un intérêt pour quelque activité intellectuelle est souhaité. La plupart du temps, la fille n'est elle-même pas consciente de ressentir une aversion pour la sexualité. Elle sent seulement qu'elle perd tout intérêt pour les garçons et qu'elle déteste plus ou moins les bals, les rendez-vous et les flirts et qu'elle s'en détache progressivement.

Le deuxième cas présente l'image inverse. Des filles très douées, qui promettent beaucoup, perdent leur intérêt pour tout sauf pour les garçons, ne peuvent se concentrer et abandonnent toute activité intellectuelle peu de temps après l'avoir entreprise. Elles s'absorbent complètement dans le domaine érotique. Exactement comme la transformation inverse, cette transformation est considérée comme « natu-relle » et défendue comme telle par la rationalisation similaire qu'il est « normal » pour une fille de cet âge de tourner son attention vers les garçons, les bals et les flirts. Il en est certai-nement ainsi, mais *quid* des tendances consécutives ? La fille tombe compulsivement amoureuse d'un garçon après l'autre, sans vraiment les aimer et, sûre de les avoir conquis, les quitte ou les pousse à la quitter. Elle se sent peu séduisante malgré la preuve du contraire et recule habituellement devant des relations sexuelles vraies, rationalisant cette attitude sur la base d'exigences sociales, quoique la vraie raison soit sa fri-gidité, comme la preuve en est finalement fournie quand elle s'y risque. Elle est déprimée ou anxieuse quand il n'y a pas d'homme près d'elle pour l'admirer. D'autre part, son attitude en ce qui concerne le travail n'est pas celle que la défense voudrait, l'aboutissement « naturel » du fait que ses autres intérêts ont été relégués à l'arrière-plan parce qu'elle ne se souciait que des garçons ; la fille est en réalité très ambitieuse et souffre intensément d'un sentiment d'inaptitude à accom-plir quoi que ce soit.

Le troisième type est inhibé aussi bien dans le travail qu'en amour. Encore une fois, cela n'est pas nécessairement apparent en surface. Considérée superficiellement, la fille peut donner l'impression d'être bien équilibrée. Elle n'a aucune difficulté à établir des contacts sociaux, elle a des camarades filles et garçons, elle est sophistiquée, parle ouvertement de tout ce qui touche à la sexualité, prétend ne souffrir d'aucune inhibi-tion et a parfois des relations sexuelles d'un genre ou d'un autre, sans être émotionnellement impliquée dans aucune d'elles. Elle est détachée, lointaine ; elle s'observe elle-même et observe les autres ; elle est une spectatrice de la vie. Elle peut se tromper elle-même sur son attitude distante, mais à certains moments tout au moins elle est âprement consciente qu'aucun lien émotionnel profond ne la rattache à quiconque ou à quoi que ce soit. Rien n'a beaucoup d'importance. Il y a contradiction nette entre sa vitalité, ses dons et son manque d'expansivité. Elle a habituellement le sentiment que sa vie est creuse et ennuyeuse.

Le quatrième groupe est le plus facile à caractériser et le mieux connu. Ici, la fille se détourne complètement des garçons, elle a pour des filles des emballements et des amitiés intenses, dont le caractère sexuel peut être conscient ou non. Si une telle fille devient consciente du caractère sexuel de ces tendances, elle peut souffrir de profonds sentiments de culpabilité, comme si elle était une criminelle. Son attitude dans le travail peut varier. Ambitieuse et par moments très capable, elle éprouve souvent des difficultés à s'affirmer et fait des « dépressions nerveuses » entre deux périodes d'efficience.

Ces quatres types sont très différents ; cependant, une observation même superficielle, si elle est assez précise, montre qu'ils ont néanmoins des tendances communes : insécurité concernant la confiance en soi, attitudes conflictuelles ou antagonistes à l'égard des hommes et incapacité d' « aimer », quel que soit le sens du terme. Si elles n'esquivent pas complètement leur rôle féminin, elles se révoltent contre lui ou l'exagèrent en le déformant. Il y a dans tous ces cas plus de culpabilité liée à la sexualité qu'elles ne veulent l'admettre. « Ceux qui tournent leurs chaînes en dérision ne sont pas tous libres (¹). »

L'observation psychanalytique montre une similitude encore plus nette, tellement nette que pour un moment on est porté à oublier les différences apparues dans les attitudes des adolescentes devant la vie :

Elles ressentent toutes un antagonisme général contre tous, hommes et femmes ; cependant, il y a une différence entre leur attitude vis-à-vis des hommes et leur attitude vis-à-vis des femmes. L'antagonisme vis-à-vis des hommes varie en intensité et en motivation ; il est provoqué avec une facilité relative ; envers les femmes, c'est une hostilité absolument

(¹) « *Es sind nicht alle frei, die ihrer Ketten spotten* » (Schiller).

destructive et, de ce fait, très profondément enfouie. Elles peuvent être vaguement conscientes de son existence, mais ne se rendent jamais compte de sa véritable étendue, de sa violence et de son caractère impitoyable, non plus que de ses implications futures.

Toutes ont une attitude défensive à l'égard de la masturbation. Elles se souviennent tout au plus de s'être masturbées toutes jeunes ou nient souvent que la masturbation ait joué un rôle. Sur le plan conscient, elles sont tout à fait sincères. Elles ne s'y livrent vraiment pas, ou alors sous une forme déguisée et n'ont aucun désir conscient de s'y livrer. Comme on le verra plus loin, des pulsions puissantes de cette sorte existent, mais sont complètement dissociées du reste de leur personnalité et sont ainsi dissimulées parce qu'elles sont mêlées à des sentiments monstrueux de culpabilité et des phobies.

Qu'est-ce qui justifie l'extraordinaire hostilité à l'égard des femmes ? Une partie seulement de l'historique de leur vie est compréhensible. Certains reproches à l'encontre de la mère apparaissent : manque de chaleur, de protection, de compréhension, préférence pour un frère, des exigences exagérément sévères quant à la pureté sexuelle. Tout ceci est plus ou moins étayé par des faits, mais elles sentent elles-mêmes que l'hostilité est disproportionnée à la somme de suspicion, de mépris et de haine existant.

Cependant, les implications réelles apparaissent dans leurs attitudes à l'égard de l'analyste-femme. En laissant de côté les détails techniques et non seulement les différences individuelles mais aussi les différences dans les défenses caractéristiques de ces types, le tableau suivant se développe progressivement : elles sont convaincues que l'analyste les a prises en aversion ; elles soupçonnent l'analyste d'être réellement malveillante à leur égard, qu'elle s'offense de leur bonheur et de leur réussite et en particulier qu'elle condamne leur vie sexuelle, qu'elle s'y immisce ou désire le faire.

Alors que cela se révèle comme une réaction aux sentiments de culpabilité et comme une expression de phobie, on s'aperçoit qu'elles ont quelques motifs pour être anxieuses car leur comportement vrai à l'égard de l'analyste dans la situation analytique est dicté par un mépris terrible et une tendance à vaincre l'analyste, même si en le faisant elles ruinent leurs buts propres.

Ce comportement vrai n'est cependant qu'une expression de l'hostilité existant sur le plan de la réalité. Sa portée tout entière n'est divulguée que si l'on entre dans la vie fantasmatique telle qu'elle apparaît dans les rêves nocturnes et les rêves diurnes. Là, l'hostilité est vécue dans ses formes les plus cruelles et les plus archaïques.

Ces pulsions brutes primitives, vécues dans les fantasmes, permettent une compréhension de la profondeur des sentiments de culpabilité envers la mère et les images de la mère. En outre, elles peuvent permettre éventuellement une compréhension du motif pour lequel la masturbation a été complètement refoulée et est encore présentement un objet d'horreur. Les fantasmes ont accompagné la masturbation et de ce fait ont provoqué des sentiments de culpabilité à cet égard. En d'autres termes, les sentiments de culpabilité n'intéressaient pas le processus physique de la masturbation mais les fantasmes. Cependant, seuls le processus physique de la masturbation et son désir pouvaient être refoulés. Les fantasmes ont continué à vivre dans les profondeurs et, ayant été refoulés à un âge précoce, ont gardé leur caractère infantile. Quoique n'étant pas conscient de leur existence, l'individu continue à réagir avec des sentiments de culpabilité.

Cependant, le rôle physique de la masturbation n'est pas non plus sans importance. Des phobies intenses en ont découlé, dont l'essence est la phobie d'être endommagée, d'être détériorée au-delà de toute réparation possible. Le contenu de cette phobie n'a pas été conscient, mais il a trouvé de nombreuses expressions déguisées de toutes sortes de phobies hypocondriaques concernant tous les organes, depuis la tête jusqu'aux pieds — phobie que quelque chose soit détraqué en elles en tant que femmes, phobie de ne pas pouvoir se marier et avoir des enfants, et enfin, commune à tous les cas, phobie de ne pas être attrayantes. Quoique toutes ces phobies remontent à la masturbation physique, elles ne sont compréhensibles elles aussi qu'à partir des implications psychiques de la masturbation.

La phobie sous-entend réellement : « Parce que j'ai des fantasmes cruels et destructifs à l'égard de ma mère et des

utres femmes, je devrais avoir la phobie qu'elles ne veuillent me
étruire de la même façon. « Œil pour œil, dent pour dent. »

La même phobie de représailles est responsable de leur
malaise à l'égard de l'analyste. En dépit de la confiance cons-
iente qu'elles ont en son équité et dans la certitude qu'elle est
igne de foi, elles ne peuvent s'empêcher d'être profondément
iquiètes que l'épée suspendue au-dessus de leurs têtes ne
mbe, inévitablement. Elles ne peuvent s'empêcher d'avoir
 sentiment que l'analyste veut méchamment et intention-
ellement les tourmenter. Elles doivent choisir un sentier
roit entre le danger de la mécontenter et le danger de dévoi-
r leurs pulsions hostiles.

Du fait qu'elles ont constamment la phobie d'une agression
iévitable, il est assez facile de comprendre pourquoi elles
essentent la nécessité vitale de se défendre. Elles le font en
:ant évasives et en essayant de vaincre l'analyste. Leur hos-
lité a donc, dans une couche supérieure, le sens de la défense.
e même, la plus grande partie de leur haine à l'égard de la
ère a le même sens de culpabilité à son égard et celui de
arer à la phobie liée à la culpabilité en se tournant contre elle.

Quand ceci a été élaboré, les sources primitives de l'anta-
nisme contre la mère sont émotionnellement accessibles.
eurs traces ont été visibles dès le début grâce au fait qu'à
exception du groupe 2 — rivalité avec d'autres filles quoi-
ie avec une grande appréhension — toutes évitent soigneu-
ment une rivalité avec d'autres filles. Elles battent immé-
iatement en retraite quand une autre femme se trouve dans
ur champ d'action. Convaincues de leur manque d'attraits
les se sentent inférieures aux autres filles. Dans cette lutte,
1 peut les voir satisfaire aux mêmes tendances à éluder une
pparence de rivalité à l'égard de l'analyste. La lutte compé-
tive réellement existante est cachée par leur sentiment irré-
édiable d'infériorité par rapport à elle. Même si elles doivent
ventuellement admettre leurs intentions compétitives, elles
 le font que sur le plan de l'intelligence et de l'aptitude dans
 travail, fuyant toutes comparaisons indiquant une compé-
tivité sur le plan féminin. Par exemple, elles refoulent toutes
ensées de discrédit quant à l'apparence et à l'habillement de
analyste et sont terriblement embarrassées si de telles pensées
montent à la surface.

La compétitivité doit être évitée parce qu'il y a eu dan
l'enfance une rivalité coercitive avec la mère ou une sœu
aînée. Habituellement, l'un ou l'autre des facteurs suivant
a accru la compétitivité naturelle de la fille avec la mère o
la sœur aînée : développement et connaissances sexuelles pré
maturées ; intimidations précoces entravant la confiance e.
soi ; conflits conjugaux entre les parents obligeant la fille
prendre parti pour l'un ou l'autre parent ; rejet franc o
déguisé de la part de la mère ; démonstrations d'une attitud
exagérément affectueuse du père à l'égard de la petite fille
démonstrations qui peuvent aller du choix par des prévenance
jusqu'aux approches sexuelles franches. Résumant schéma
tiquement les faits, nous voyons qu'un cercle vicieux a ét
provoqué : jalousie et rivalité à l'égard de la mère ou de l
sœur, pulsions hostiles fantasmées, culpabilité et phobie d'êtr
agressée et punie, hostilité défensive, phobie et culpabilit
renforcées.

La culpabilité et la phobie issues de ces sources sont, je l'a
dit, fermement ancrées dans les fantasmes de masturbation
Cependant, elles ne restent pas limitées à ces fantasmes, ma
s'étendent plus ou moins à tous les désirs sexuels et aux rela
tions sexuelles. Elles sont reportées aux relations sexuelle
avec les hommes et les entourent d'une atmosphère de culpa
bilité et de crainte. Elles sont pour une grande part respon
sables du fait que les relations avec les hommes restent insa
tisfaisantes.

D'autres raisons justifient aussi ce résultat, raisons qui on
plus directement à voir avec leur attitude envers les homme
eux-mêmes. Je ne les citerai que brièvement, car elles n'on
que peu de rapport avec les points que je veux démontre
dans cet article. Elles peuvent éprouver contre les homme
un vieux ressentiment né d'anciennes déceptions et aboutis
sant à un désir secret de vengeance. En outre, sur la base d
leur sentiment d'être indignes d'amour, elles anticipent d'êtr
rejetées par les hommes et réagissent par antagonisme contr
eux. Du fait qu'elles se sont détournées de leur rôle fémini
parce qu'il est trop lourd de conflits, elles exploitent des ten
dances masculines et reportent leurs tendances compétitive
à leurs relations avec les hommes, faisant alors concurrenc
aux hommes dans les domaines masculins au lieu de fair

concurrence aux femmes. Si ce rôle masculin leur paraît très désirable, elles peuvent éprouver une envie contraignante à l'égard des hommes, avec une tendance à discréditer leurs facultés.

Que se passe-t-il quand une fille possédant cette structure arrive à la puberté ? Il y. a une tension libidinale accrue au moment de la puberté ; les désirs sexuels deviennent plus exigeants et rencontrent nécessairement la barrière des réactions de culpabilité et de crainte. Celles-ci sont renforcées par la possibilité d'expériences sexuelles réelles. Pour la fille qui a la phobie d'avoir été endommagée par la masturbation, le début de la menstruation a le sens émotionnel d'une preuve précise que le dommage s'est en fait produit. La connaissance intellectuelle de la menstruation n'apporte aucune modification parce que la compréhension en est située sur un plan superficiel, les phobies sont profondes et elles ne peuvent se rencontrer. La situation devient critique. Désirs et tentations, de même que les phobies, sont coercitifs.

Il semble que nous ne puissions supporter longtemps de vivre sous le *stress* d'une angoisse consciente — « Je préférerais mourir plutôt qu'avoir une crise d'angoisse », disent les patientes. Par conséquent, dans des situations telles que celle-ci, la nécessité vitale nous contraint à rechercher des moyens de protection, c'est-à-dire que nous tentons automatiquement de modifier notre attitude envers la vie, de façon à éviter l'angoisse ou d'établir des remparts contre elle.

Considérant les conflits fondamentaux présents dans ces quatre types dont nous discutons, nous voyons qu'ils représentent plusieurs moyens de parer à l'angoisse. Le fait que plusieurs moyens sont choisis justifie des différences à l'intérieur des groupes. Ils exploitent des caractéristiques opposées et des tendances opposées, quoiqu'ils aient en commun le but de parer à la même sorte d'angoisse. La fille du groupe 1 se protège contre les phobies en évitant toute compétitivité avec les femmes et en esquivant presque complètement le rôle féminin. Sa tendance compétitive est déracinée de son terrain originel et transplantée dans un domaine intellectuel. La compétition pour le meilleur caractère, pour les idéaux les plus élevés ou pour être la meilleure étudiante, est déplacée si loin de la compétitivité pour un homme que ses phobies sont aussi très atténuées. Sa lutte pour atteindre la perfection l'aide en même temps à maîtriser ses sentiments de culpabilité.

La solution radicale a de grands avantages temporaires. La fille peut se sentir tout à fait satisfaite pour plusieurs années. L'inverse n'apparaît que si elle vient éventuellement en contact avec des hommes et en particulier si elle se marie. On observe alors que le contentement et l'équilibre s'effondrent brusquement et que la fille gaie, capable et indépendante, se mue en une femme insatisfaite, perturbée par des sentiments d'infériorité, facilement déprimée et se gardant de prendre une part active aux responsabilités qui incombent au mariage. Elle est frigide et, à la place d'une attitude aimante à l'égard du mari, c'est une attitude compétitive qui prévaut.

La fille du groupe 2 n'abandonne pas son attitude compétitive à l'égard des autres femmes. Sa protestation consciente contre les autres femmes la pousse à les combattre chaque fois qu'en naît l'occasion, aboutissant, en opposition à la fille du groupe 1, à une angoisse flottant librement. Sa façon de parer à cette angoisse est de se cramponner aux hommes. Alors que les premières se retirent du combat, ces dernières recherchent des alliés. Leur soif insatiable d'admiration de la part des hommes n'est pas une indication qu'elles aient constitutionnellement un plus grand besoin de gratification sexuelle. En fait, elles se révèlent frigides elles aussi à l'occasion de relations sexuelles réelles. Le fait que les hommes aient pour elles une fonction de réassurance apparaît aussitôt qu'elles ne parviennent pas à avoir un ou plusieurs amoureux ; leur angoisse arrive alors à la surface, elles se sentent abandonnées, inquiètes et perdues. Conquérir l'admiration des hommes leur sert aussi de réassurance contre leur phobie de ne pas être « normales », phobie qui est, comme je l'ai indiqué, un exutoire pour leur phobie d'avoir été endommagées par la masturbation. Il y a trop de culpabilité et de phobies rattachées à la sexualité pour permettre à ces filles d'avoir une relation satisfaisante avec les hommes. C'est pourquoi seule une reconquête éternelle des hommes peut servir leur volonté de réassurance [1].

Le quatrième groupe (les homosexuelles en puissance) tent-

(1) Une description plus précise du mécanisme à l'œuvre dans c type de femme est fournie dans l'article sur « La Survalorisation d l'Amour », dans le présent volume.

le résoudre le problème par la surcompensation de l'hostilité destructive à l'égard des femmes. « Je ne vous hais pas,
je vous aime. » On pourrait décrire ce changement comme un
refus complet, aveugle, de la haine. Le succès dépend des
facteurs individuels. Les rêves révèlent à un degré extrême la
violence et la cruauté à l'égard de la fille vers laquelle elles se
sentent consciemment attirées. Un échec dans leurs relations
avec des filles les plonge dans les affres du désespoir et les
amène souvent au bord du suicide, ce qui indique une réver-
sibilité de l'agression contre elles-mêmes.

Comme les filles du groupe 1, elles rejettent complètement leur
rôle féminin, avec la seule différence qu'elles développent plus
définitivement la fiction d'être un homme. Sur le plan non sexuel,
leurs relations avec les hommes sont souvent sans conflits.
En outre, alors que le groupe 1 abandonne la sexualité tout
entière, ces filles n'abandonnent que leurs intérêts hétérosexuels.

La solution vers laquelle le groupe 3 est conduit est fondamentalement différente des autres. Alors que les autres tendent
à la réassurance en se cramponnant émotionnellement à
quelque chose — la réussite, les hommes, les femmes — leur
principal moyen est de stopper leur vie émotionnelle et ainsi
de diminuer leurs phobies. « Ne t'engage pas émotionnellement
et tu ne seras pas blessée. » Ce principe de se détacher est
peut-être la protection la plus efficace et la plus durable contre
l'angoisse, mais le prix en paraît très élevé dans la mesure où
il signifie habituellement une atténuation de la vitalité et de
la spontanéité et une détérioration considérable du montant
de l'énergie accessible.

Aucun individu familiarisé avec la complexité des dynamiques psychiques conduisant à un résultat *apparemment*
simple ne prendra ces affirmations à propos des modifications
de la personnalité de ces quatre groupes pour une révélation
de leurs dynamiques. L'intention n'était pas de donner une
« explication » du phénomène homosexualité ou du phénomène
détachement, par exemple, mais de les considérer d'un seul
point de vue, comme représentant différentes solutions ou
pseudo-solutions à des conflits similaires sous-jacents. La solution choisie ne dépend pas de la libre volition des filles, comme
pourrait le signifier le terme « choisie », mais est déterminée
strictement par l'enchaînement des événements de l'enfance

et les réactions des filles à ces événements. L'effet des circonstances peut être si contraignant qu'une seule solution soit possible. Alors, on affrontera le type dans sa forme pure, clairement délimitée. Poussées par leurs expériences de l'adolescence et de la période post-adolescente, d'autres abandonnent une voie pour en essayer une autre. Une fille qui sera à une époque du type Don Juan femme, par exemple, développera plus tard des tendances ascétiques. On peut trouver différentes tentatives simultanées pour une solution, comme par exemple la fille-folle-de-garçons peut montrer des tendances au détachement à la manière du groupe 3. Ou bien, il peut y avoir des transitions imperceptibles entre les groupes 1 et 4. Les modifications apportées dans le tableau et le mélange des tendances typiques n'offrent aucune difficulté particulière pour notre compréhension, à la condition que nous ayons compris la fonction de base de ces diverses attitudes telles qu'elles sont révélées dans les types précis.

Encore quelques remarques à propos de la prophylaxie et du traitement : je pense qu'il est évident, même d'après cette esquisse grossière, que tout effort prophylactique à la puberté, tel qu'un éclaircissement à propos de la menstruation, vient trop tard. L'éclaircissement est reçu sur le plan intellectuel et n'atteint pas les phobies infantiles profondément barricadées. La prophylaxie ne peut être efficace que si elle a lieu dès les premiers jours de la vie. Je crois qu'il est justifié de formuler son but comme suit : apprendre aux enfants le courage et l'endurance, au lieu de les bourrer de phobies. De telles formulations générales peuvent cependant être plus trompeuses que salutaires, car leur valeur dépend entièrement des implications spéciales et précises qu'on peut en tirer, ce qui nécessiterait une discussion détaillée.

Concernant le traitement : des difficultés mineures peuvent être guéries par des circonstances favorables de la vie. Je doute que des modifications nettes de la personnalité de cette sorte soient accessibles à tout psychothérapeute utilisant un instrument moins délicat que la psychanalyse car, contrastant avec tout symptôme névrotique simple, ces perturbations témoignent d'un fondement d'insécurité dans la personnalité tout entière. Nous ne devons pas oublier cependant que même ainsi la vie peut être le meilleur thérapeute.

XV

LE BESOIN NÉVROTIQUE D'AMOUR [1]

Le sujet dont je veux vous entretenir aujourd'hui est le besoin névrotique d'amour. Je ne vous présenterai probablement pas d'observations nouvelles, car vous connaissez le matériel clinique, maintes fois décrit sous une forme ou sous une autre. Le thème est si vaste et si complexe que je dois me limiter à quelques points. Je serai aussi brève que possible en décrivant les phénomènes pertinents, mais plus explicite en discutant de leur importance.

Dans ce contexte, j'entends par « névrose » non pas la névrose de situation mais la névrose de caractère, qui débute dans la première enfance et cerne plus ou moins la personnalité tout entière.

Quand je parle du besoin névrotique d'amour, je veux parler de ce phénomène rencontré sous différentes formes et à divers degrés de conscience chez presque chaque névrosé de notre époque, ce phénomène qui apparaît comme un besoin accru du névrosé d'être aimé, estimé, apprécié, d'être aidé, soutenu, conseillé — et comme une sensibilité accrue à la frustration de ces besoins.

Quelle est la différence entre le besoin d'amour normal et le besoin d'amour névrotique? J'appelle normal ce qui est habituel dans une culture donnée. Nous voulons tous aimer et nous jouissons tous d'être aimés. Cela enrichit notre vie et

[1] Conférence faite à la réunion de la Deutsche Psychoanalytische Gesellschaft, le 23 décembre 1936. « Das neurotische Liebesdürfnis », *Zentralbl. f. Psychother.* 10 (1937), pp. 69-82. Réimprimé en traduction avec l'autorisation de la Société Karen Horney.

nous donne un sentiment de bonheur. Jusqu'à un certain point, le besoin d'amour — ou plus précisément le besoin d'être aimé — n'est pas un phénomène névrotique. Chez le névrosé, le besoin d'amour est accru. Si un serveur ou un marchand de journaux est moins amical qu'à l'accoutumée, cela peut gâcher sa journée. Cela peut aussi se produire dans une réception, si tous les gens présents ne sont pas amicaux. Je n'ai pas besoin de donner davantage d'exemples, ces phénomènes étant bien connus. La différence entre le besoin normal d'amour et le besoin névrotique d'amour peut être formulée comme suit :

Alors qu'il est important pour un être sain d'être honoré, estimé par ceux qu'il estime ou dont il dépend, le besoin névrotique d'amour est compulsif et s'exerce sans discrimination.

Ces réactions sont le mieux observées en analyse, du fait que dans la relation patient-analyste il y a une caractéristique qui la distingue de toutes les autres relations humaines. En analyse, le manque relatif d'engagement émotionnel du médecin et la libre association du patient permettent l'observation de ces réactions plus facilement que dans la vie quotidienne. Quelle que soit la manière dont les névroses diffèrent, on observe toujours combien l'analysé est prêt à sacrifier pour obtenir l'approbation de l'analyste et combien il est sensible à tout ce qui peut provoquer le déplaisir de ce dernier.

Parmi toutes les manifestations du besoin névrotique d'amour, je veux mettre l'accent sur l'une d'elles, très courante dans notre culture. C'est la survalorisation de l'amour. Je me réfère tout particulièrement à un type de femmes névrotiques qui se sentent malheureuses, inquiètes, déprimées aussi longtemps qu'elles n'ont pas quelqu'un qui soit à leur dévotion, qui les aime ou qui éprouve de la sympathie pour elles. Je me réfère aussi aux femmes dont le désir de se marier a pris un caractère compulsif. Comme hypnotisées, elles gardent les yeux fixés sur cet événement de leur vie — le mariage — même si elles sont elles-mêmes absolument incapables d'aimer et que leurs rapports avec les hommes sont notoirement médiocres. De telles femmes sont incapables de développer leurs potentialités créatrices et leurs dons.

Une caractéristique importante du besoin névrotique d'amour est l'insatiabilité qui se révèle par une jalousie extrême : « Vous ne devez aimer que moi seul ! » Nous pouvons observer ce phénomène dans de nombreux mariages, liaisons et amitiés. La jalousie au sens où je l'entends ici n'est pas une réaction basée sur des facteurs rationnels, elle est insatiable et exige que ces êtres soient aimés exclusivement.

Une autre expression de l'insatiabilité du besoin névrotique d'amour est le besoin d'amour inconditionnel qui s'exprime ainsi : « Vous devez m'aimer, quel que soit mon comportement. » Cela est un facteur important, particulièrement au début de l'analyse. Nous pouvons avoir l'impression que les patients se conduisent d'une manière provocante, non par agressivité primaire, mais plutôt pour supplier : « M'accepterez-vous encore, même si je me conduis abominablement ? » Ces patients se froissent de la plus petite nuance dans la voix de l'analyste, comme pour dire : « Vous voyez, finalement, vous ne pouvez pas me supporter. » Le besoin inconditionnel d'amour se révèle aussi dans leur exigence d'être aimés sans avoir à rien donner, comme pour dire : « Il est simple d'aimer quelqu'un qui vous le rend, mais voyons si vous m'aimerez si vous n'avez rien en retour. » Même le fait que le patient doive payer l'analyste est la preuve que l'intention primitive du médecin est de ne pas aider ; autrement il ne tirerait aucun bénéfice de soigner le patient. Cela peut aller si loin que même dans leur vie sexuelle ces sujets peuvent ressentir : « Tu ne m'aimes que parce que tu obtiens de moi ta satisfaction sexuelle. » Le partenaire doit prouver la véracité de son amour en sacrifiant ses valeurs morales, sa réputation, son argent, son temps, etc. Tout ce qui reste en deçà de cette exigence absolue est considéré comme un refus.

Observant l'insatiabilité du besoin névrotique d'amour, je me suis demandé si c'était une affection réelle à laquelle aspirait le névrosé ou s'il n'était pas en quête d'un gain matériel. L'exigence d'amour peut-elle être une façade pour le désir secret d'obtenir quelque chose d'une autre personne — que ce soit une simple faveur, un sacrifice de temps, de l'argent, des cadeaux, etc. ?

On ne peut répondre à cette question en termes généraux. Il y a un large éventail de différences individuelles, depuis ceux qui effectivement languissent pour l'affection, l'estime, l'aide, etc., jusqu'aux névrosés qui ne semblent pas du tout être intéressés par l'affection, mais qui veulent exploiter et prendre tout ce qu'ils peuvent. Entre ces deux extrêmes il y a toutes sortes de transitions et de nuances.

Parvenus à ce point, le commentaire suivant peut être opportun. Ces individus qui consciemment ont complètement renié l'amour diront : « Cette discussion sur l'amour est une absurdité. Donnez-moi quelque chose de vrai ! » Ces individus ont été profondément blessés à une époque précoce de leur vie et sont convaincus que l'amour n'existe pas. Ils l'ont complètement effacé de leur vie. La véracité de cette présomption paraît confirmée par les analyses de ces sujets. S'ils poursuivent leur analyse assez longtemps, ils commencent à croire que la bonté, l'amitié et l'affection existent vraiment. Alors, comme dans un système de vases communicants ou un système d'échelles, leurs désirs et leur soif insatiables pour des choses matérielles disparaissent. Un désir sincère d'être aimé apparaît subtilement puis de plus en plus vigoureusement. Il y a des cas où la relation entre le désir insatiable d'amour et l'avidité générale peut être clairement observée. Quand ces individus, présentant le trait de caractère névrotique d'insatiabilité, ont des relations amoureuses et quand par la suite ces relations sont rompues pour des motifs intérieurs, ils peuvent se mettre à manger insatiablement et peuvent prendre dix kilos de poids ou davantage. Ils perdent cet excédent de poids avec de nouvelles relations amoureuses et le cercle peut se reformer à l'infini.

Un autre signe du besoin névrotique d'amour est l'extrême sensibilité au refus, sensibilité très fréquente chez les êtres présentant des caractéristiques hystériques. Ils perçoivent beaucoup de choses comme des rejets et réagissent par un haine intense. Un de mes patients avait un chat qui occasionnellement refusait de répondre à ses démonstrations d'affection. Dans un accès de rage, il lança une fois le chat contre le mur. C'est un exemple typique de la rage qui peut être déclenchée par un refus, quelle que soit sa forme.

La réaction à un refus réel ou imaginaire peut ne pas être évidente ; elle est le plus souvent cachée. En analyse, la haine cachée peut apparaître comme un manque de productivité, sous la forme de doutes au sujet de la valeur de l'analyse ou sous toute autre forme de résistance. Le patient peut être résistant parce qu'il prend une interprétation comme un refus. Alors que nous croyons lui donner un aperçu réaliste, il n'y voit que critique et mépris.

Les malades chez lesquels on trouve la conviction inébranlable, quoique inconsciente, que l'amour n'existe pas, ont habituellement souffert de déceptions profondes dans leur enfance, déceptions qui leur ont fait effacer de leur vie une fois pour toutes amour, affection et amitié. Une telle conviction sert en même temps`de protection contre un refus réel. En voici un exemple : j'ai dans mon cabinet de consultation une sculpture de ma fille. Une patiente m'a demandé une fois si j'aimais cette sculpture — admettant qu'elle avait voulu me poser la question depuis longtemps. J'ai répondu : « Je l'aime, puisqu'elle représente ma fille. » La patiente fut très émue par ma réponse, du fait que — sans en être consciente — amour et affection étaient pour elle des mots creux auxquels elle n'avait jamais cru.

Alors que des patients se protègent contre l'expérience réelle d'être repoussés par la supposition pré-établie qu'ils ne peuvent être aimés, d'autres se protègent contre les déceptions par une surcompensation. Ils déforment le refus réel en une expression d'estime. J'ai eu récemment l'expérience suivante avec trois de mes patients : l'un avait sollicité à contre-cœur une situation et il lui fut répondu que l'emploi ne lui convenait pas — manière américaine typiquement polie de dire non. Il interpréta ce refus comme une manière de dire qu'il était supérieur à l'emploi proposé. Une patiente avait le fantasme qu'après les séances j'allais à la fenêtre pour la voir partir. Elle admit plus tard une peur coercitive que je la refuse. Le troisième était un des très rares êtres que je ne respecte pas en tant qu'être humain. Bien qu'il ait eu des rêves révélant clairement sa conviction que je le méprisais, il réussit à se convaincre consciemment que j'avais beaucoup de sympathie pour lui.

Si nous nous rendons compte de l'ampleur de ce besoin névrotique d'amour, des sacrifices que le névrosé est disposé à faire et jusqu'où il ira dans son comportement irrationnel dans le but d'être aimé, estimé, de recevoir bonté, conseils et aide, nous devons nous demander pourquoi il lui est si difficile d'obtenir tout cela.

Car il ne réussit pas à obtenir le degré et la quantité d'amour dont il a besoin. Une raison en est l'insatiabilité de son besoin d'amour : à de rares exceptions, rien n'est suffisant. Si nous avançons plus profondément, nous trouvons une autre raison sous-entendue dans la première. C'est l'incapacité du névrosé à aimer.

Il est difficile de définir l'amour. Ici, nous pouvons nous contenter de le décrire dans des termes très généraux et non-scientifiques, comme la capacité de donner spontanément de soi-même, soit aux autres, soit à une cause, soit à une idée — au lieu de tout retenir égocentriquement pour soi-même. Le névrosé en est en général incapable, en raison de son angoisse et de nombreuses hostilités latentes ou manifestes, habituellement acquises précocement dans la vie du fait qu'il a été lui-même mal traité. Ces hostilités ont considérablement augmenté au cours de son développement. Par peur, il les a cependant refoulées sans cesse. Par conséquent, il est incapable de donner de lui-même, de céder, soit en raison de ses phobies, soit en raison de son hostilité. Pour les mêmes motifs, il est incapable d'estime vraie pour les autres. Il ne prend guère en considération la somme d'amour, de temps et d'aide qu'une autre personne peut donner ou veut donner. Il considère donc comme un refus injurieux le fait que quelqu'un éprouve parfois le besoin d'être seul ou ait besoin de consacrer son temps et son intérêt à d'autres problèmes ou à d'autres personnes.

Le névrosé n'est en général pas conscient de son inaptitude à aimer. Il ne sait pas qu'il ne peut pas aimer. Il existe cependant divers degrés de conscience. Certains névrosés disent franchement : « Non, je ne peux pas aimer. » Plus communément, cependant, le névrosé vit avec l'illusion qu'il est un grand amoureux et qu'il a une capacité particulièrement grande à donner de lui-même. Il nous dira : « Il est assez facile pour moi de donner aux autres, mais il m'est impossible de le faire pour moi-même. » Cela n'est pas dû à une attitude maternelle et sympathique envers les autres, comme il le croit, mais c'est le résultat d'autres facteurs. Ce peut être le résultat de son désir intense de puissance ou de sa phobie de ne pas être accepté par les autres à moins qu'il ne leur soit nécessaire. Il y a en outre en lui une inhibition profondément enracinée du désir conscient de quelque chose pour lui-même ou du désir d'être heureux. Ces tabous, ajoutés au fait que, pour les raisons exposées ci-dessus, le névrosé peut occasionnellement faire quelque chose pour autrui, renforce l'illusion qu'il peut aimer et qu'il aime réellement et profondément. Il tient à cette illusion car elle a l'importante fonction de justifier sa propre revendication à l'amour. Il lui serait insoutenable d'exiger l'amour des autres s'il était conscient que fondamentalement il n'éprouve aucun sentiment pour les autres.

Ces idées nous aident à comprendre l'illusion du « grand amour » — problème dans lequel je ne veux pas entrer aujourd'hui.

Nous avons commencé à discuter des raisons pour lesquelles il est si difficile pour le névrosé d'obtenir affection, aide, amour, etc., pour lesquels il languit tellement. Nous avons jusqu'à présent trouvé deux raisons : insatiabilité et incapacité d'aimer. La troisième raison est sa phobie d'être refusé. Sa phobie peut être telle, qu'elle l'empêche d'approcher d'autrui pour poser une question ou même pour avoir un geste de bonté, car il vit dans la phobie constante d'être repoussé. Il peut même avoir peur de faire un cadeau, dans la phobie qu'il soit refusé.

Comme nous l'avons vu, un refus réel ou imaginaire provoque une hostilité intense chez un névrosé de ce type. La phobie d'être repoussé et sa réaction hostile au refus le poussent à s'éloigner de plus en plus. Dans des cas moins graves, la bonté et l'amitié peuvent faire que le névrosé se sente mieux pour un temps. Des névrosés plus graves ne peuvent accepter aucun degré de chaleur humaine. Ils peuvent être comparés à des êtres affamés dont les mains sont liées derrière le dos. Ils sont convaincus qu'ils ne peuvent être aimés — et cette conviction est immuable. Voici un exemple : un de mes patients voulait garer sa voiture en face d'un hôtel ; le portier vint pour l'aider. Mais quand le patient vit le portier s'approcher il s'effraya, pensant : « Oh mon Dieu, j'ai dû me garer au mauvais endroit! » Ou si une fille était amicale, il interprétait son amitié comme un sarcasme. Vous savez tous que lorsque nous faisons un compliment sincère à un patient — c'est-à-dire qu'il est intelligent — il est convaincu que nous agissons thérapeutiquement et que par conséquent nous ne le pensons pas sincèrement. Cette défiance peut être plus ou moins consciente.

L'amitié peut provoquer une angoisse grave dans des cas proches de la schizophrénie. Un de mes amis, qui a une grande expérience des schizophrènes, m'a raconté qu'un patient lui demandait occasionnellement une séance supplémentaire. Mon ami prenait un air ennuyé, regardait son livre de rendez-vous et finalement grommelait : « Très bien, s'il doit en être ainsi, venez. » Il agissait ainsi parce qu'il était conscient de l'angoisse que l'amitié pouvait provoquer chez ces êtres. Ces réactions se produisent fréquemment aussi dans les névroses.

Ne confondez pas amour et sexualité. Une patiente me dit une fois : « Je n'ai aucune phobie du sexe, mais j'ai la phobie de l'amour. » En fait, elle pouvait à peine prononcer le mot « amour » et elle faisait tout ce qui était en son pouvoir pour rester intérieurement à l'écart des autres. Elle avait facilement des rapports sexuels et parvenait à l'orgasme complet. Émotionnellement, cependant, elle restait distante à l'égard des hommes et leur parlait avec une sorte d'objectivité comme si elle parlait de voitures.

Cette peur de l'amour sous n'importe quelle forme mérite une discussion détaillée. Essentiellement, ces êtres se protègent contre leur phobie de vivre, contre leur angoisse fondamentale, en se gardant enfermés en eux-mêmes et ils maintiennent leur sentiment de sécurité en se taisant.

Une partie du problème consiste en leur phobie de la dépendance. Du fait que ces êtres sont réellement dépendants de l'affection des autres et qu'ils en ont autant besoin que d'oxygène pour vivre, le danger est très grand de se trouver dans un état de dépendance torturante. Ils ont d'autant plus peur d'une dépendance qu'ils sont convaincus que les autres leur sont hostiles.

Nous pouvons fréquemment observer combien la même personne est totalement et irrémédiablement dépendante à une période de sa vie et combien à une autre période elle résiste de toutes ses forces à tout ce qui peut ressembler à la dépendance. Une jeune fille, avant d'entrer en analyse, avait eu plusieurs relations amoureuses d'un caractère plus ou moins sexuel et qui s'étaient toutes terminées par une grande déception. A ces moments-là, elle était profondément malheureuse, elle se complaisait dans sa détresse et sentait qu'elle ne pouvait vivre que pour cet homme en particulier, comme si sa vie tout entière n'avait aucun sens sans lui. Elle n'avait en fait aucun lien avec ces hommes et n'éprouvait aucun sentiment réel pour aucun d'eux. Après quelques expériences telles que celles-là, son attitude changea en son contraire, c'est-à-dire celle d'un refus exagérément angoissé de toute dépendance possible. Pour éviter tout danger provenant de cette origine, elle coupa court à ses sentiments. Tout ce qu'elle voulait maintenant, c'était avoir les hommes en son pouvoir. Avoir des sentiments ou les montrer était pour elle une preuve de faiblesse et par conséquent était méprisable. Une expression de cette phobie était la suivante : elle avait commencé son analyse avec moi à Chicago. Je déménageai à New York. Il n'y avait aucune raison pour qu'elle ne me suive pas, du fait qu'elle pouvait y travailler tout aussi bien. Cependant, le fait de s'être installée à New York à cause de moi la perturba tellement qu'elle me harcela pendant trois mois, se plaignant que New York était une ville hideuse. Le motif était : ne cède jamais, ne fais rien pour autrui parce que cela signifie déjà dépendance et de ce fait est dangereux.

Ce sont les raisons les plus importantes qui rendent tout accomplissement extrêmement difficile pour le névrosé. Je voudrais néanmoins citer brièvement les chemins qui lui sont ouverts pour y parvenir. Je me réfère ici à des facteurs qui vous sont très familiers. Les principaux moyens par lesquels le névrosé tente de parvenir au succès sont : attirer l'attention sur son propre amour, l'appel à la pitié et la menace.

Le sens du premier peut être exprimé ainsi : « Je t'aime tant, par conséquent tu dois m'aimer aussi. » Les formes peuvent différer, mais la position fondamentale est la même. C'est une attitude très courante dans les relations amoureuses.

Vous êtes aussi familiarisés avec l'appel à la pitié. Ceci présuppose un refus total de croire à l'amour et la certitude de l'hostilité fondamentale chez les autres. Dans ces circonstances, le névrosé sent que c'est seulement en exagérant son impuissance, sa faiblesse et son malheur qu'il arrivera à quelque chose.

Le dernier moyen consiste en menaces. Un dicton berlinois l'illustre bien : « Aime moi ou je te tuerai ! » Nous voyons sou-

vent cette attitude en analyse et dans la vie courante. Il peut
y avoir menace franche de se nuire à soi-même ou de nuire
aux autres ; menace de suicide ou de détruire la réputation
de quelqu'un, etc. Ces menaces peuvent cependant être
déguisées — c'est-à-dire exister sous la forme de maladies —
quand un désir d'amour n'est pas satisfait. Il y a d'innombrables moyens d'exprimer des menaces tout à fait inconscientes.
Nous les voyons dans toutes sortes de relations : relations
amoureuses, mariages et aussi dans la relation médecin-
patient.

Comment comprendre ce besoin névrotique d'amour avec
son intensité, sa compulsivité et son insatiabilité monstrueuses ?
Il y a de nombreuses interprétations possibles. Il peut être
considéré comme étant seulement un trait infantile, mais je
ne le crois pas. Comparés aux adultes, les enfants ont un plus
grand besoin de soutien, d'aide, de protection et de chaleur
— Ferenczi a écrit de nombreux articles pertinents sur ce
sujet. Il en est ainsi parce que les enfants sont plus impuissants que les adultes. Un enfant sain grandissant dans une
atmosphère où il est bien traité et où il se sent le bienvenu, où
il y a une chaleur réelle — n'est pas insatiable dans son besoin
d'amour. Quand il tombe, il peut se faire consoler par sa mère.
Mais un enfant qui est toujours dans les jupes de sa mère est
déjà névrosé.

On peut aussi penser que le besoin névrotique d'amour est
une manifestation de la « fixation à la mère ». Cela paraît être
confirmé par des rêves qui expriment directement ou symbo-
liquement le désir de téter le sein de la mère ou de retourner
dans son ventre. L'histoire précoce de ces êtres montre en
effet qu'ils n'ont pas reçu de leur mère suffisamment d'amour
et de chaleur ou que déjà dans l'enfance ils étaient attachés
à la mère par une compulsivité similaire. Il semble que dans
le premier cas le besoin névrotique d'amour soit l'expression
d'une nostalgie durable de l'amour de la mère, qui n'était pas
librement accordé dans la première enfance. Cependant, cela
n'explique pas pourquoi ils se cramponnent avec une telle
tenacité à leurs revendications d'amour, au lieu de chercher
d'autres solutions possibles — c'est-à-dire un retrait complet
des autres. On pourrait penser que le deuxième cas représente
une répétition directe du cramponnement à la mère. Cette

interprétation, cependant, renvoie simplement le problème à une phase plus précoce, sans le clarifier. Il reste encore à expliquer pourquoi en premier lieu ces enfants avaient le besoin de se cramponner à la mère. Dans les deux cas, la question reste sans réponse. Quels sont les facteurs dynamiques qui maintiennent dans la vie ultérieure une attitude acquise dans l'enfance ou qui rendent impossible l'abandon de cette attitude infantile?

Dans de nombreux cas, l'interprétation évidente semble être que le besoin névrotique d'amour est l'expression de traits narcissiques coercitifs. Comme je l'ai déjà montré, ces êtres sont réellement incapables d'aimer autrui. Ils sont égocentriques. Je crois cependant qu'on devrait être très circonspect dans l'usage du mot « narcissique ». Il y a une grande différence entre l'amour de soi et l'égocentrisme basé sur l'angoisse. Les névrosés auxquels je pense ont tout, sauf de bons rapports avec eux-mêmes. En règle générale, ils se considèrent eux-mêmes comme étant leur pire ennemi et éprouvent habituellement un mépris absolu pour eux-mêmes. Comme je le montrerai plus loin, ils ont besoin d'être aimés pour se sentir à peu près en sécurité et pour ranimer leur amour-propre perturbé.

Une autre explication possible est la phobie de la perte d'amour, que Freud considérait comme étant spécifique de la psyché féminine. La phobie de la perte d'amour est en effet très grande dans ces cas. Je me demande cependant si ce phénomène en soi ne demande pas une explication. Je pense qu'il ne peut être compris que si l'on connaît la valeur qu'une personne donne au fait d'être aimée.

Nous devons finalement nous demander si le besoin accru d'amour est réellement un phénomène libidinal. Freud répondrait certainement par l'affirmative, parce que pour lui l'affection est en soi un désir sexuel à but inhibé. Il me semble que cette conception pour le moins n'est pas prouvée. Les recherches ethnologiques semblent indiquer que la relation entre la tendresse et la sexualité est une acquisition culturelle relativement tardive. Si l'on considère le besoin névrotique d'amour comme un phénomène sexuel fondamental, il serait difficile de comprendre pourquoi il apparaît aussi chez ces névrosés qui ont une vie sexuelle satisfaisante. En outre, ce concept nous conduirait nécessairement à considérer comme phénomènes sexuels non seulement le désir d'affection, mais aussi le désir de conseils, de protection et d'estime.

Si l'on met l'accent sur l'insatiabilité du désir névrotique d'amour, le phénomène tout entier pourrait représenter, selon les termes de la théorie de la libido, une expression de « la fixation érotique-orale » ou une « régression ». Ce concept présuppose un empressement à ramener des phénomènes psychologiques très complexes à des facteurs physiologiques. Je crois que cette présomption non seulement est insoutenable, mais qu'elle rend encore plus difficile la compréhension des phénomènes psychologiques.

En dehors de la validité de ces explications, elles souffrent toutes du fait qu'elles ne mettent l'accent que sur un aspect particulier de ce phénomène — c'est-à-dire soit sur le désir d'affection, soit sur l'insatiabilité, la dépendance ou l'égocentrisme. Il était donc difficile de considérer le phénomène dans son entier. Mes observations en situation analytique ont montré que ces facteurs multiples ne sont que des manifestations et des expressions différentes d'un même phénomène. Il me semble que nous pouvons comprendre le phénomène dans son entier si nous le considérons comme un des moyens de se protéger contre l'angoisse. Ces êtres souffrent d'une angoisse fondamentale accrue et toute leur vie montre que leur quête éternelle d'amour n'est qu'une tentative pour apaiser cette angoisee.

Des observations en situation analytique indiquent clairement qu'un besoin d'amour accru naît quand le patient est la proie d'une angoisse quelconque et qu'il disparaît lorsqu'il a compris la relation. Du fait qu'en analyse l'angoisse est nécessairement excitée, il est compréhensible que le patient tente encore et toujours de se cramponner à l'analyste. Nous pouvons observer, par exemple, qu'un patient, sous l'influence de sa haine refoulée contre l'analyste et par conséquent plein d'angoisse, commence à rechercher l'amitié ou l'amour de l'analyste dans cette situation particulière. Je crois qu'une grande partie de ce qu'on appelle un « transfert positif » et de ce qui est interprété comme la répétition d'un attachement originel au père ou à la mère, est en réalité un désir de chercher assurance et protection contre l'angoisse. La devise est :

« Si tu m'aimes, tu ne me feras aucun mal. » Le manque de discrimination dans le choix des êtres, la compulsivité et l'insatiabilité du désir sont compréhensibles si on les considère comme des expressions d'un tel besoin d'assurance. Je crois qu'une grande partie de l'état de dépendance dans lequel tombe si facilement le patient en analyse, peut être évitée si l'on admet ces rapports et si on les révèle dans tous les détails. Mon expérience m'a montré qu'on atteint plus vite le noyau des vrais problèmes de l'angoisse si l'on analyse le besoin d'amour du patient comme une tentative pour se protéger contre l'angoisse.

Très souvent, le besoin névrotique d'amour apparaît sous forme de séduction sexuelle à l'égard de l'analyste. Le patient exprime soit par son comportement, soit par ses rêves, qu'il est amoureux de l'analyste et qu'il désire un engagement sexuel quelconque. Dans certains cas, le besoin d'amour se manifeste principalement ou même exclusivement dans le domaine sexuel. Pour comprendre ce phénomène, il faut se souvenir que les désirs sexuels ne s'expriment pas nécessairement par des besoins sexuels réels, mais que la sexualité peut aussi représenter une forme de contact avec un autre être humain. Mon expérience prouve que plus le besoin névrotique d'amour prend facilement la forme sexuelle, plus les relations émotionnelles avec d'autres êtres ont été perturbées. Quand les fantasmes sexuels, les rêves, etc., apparaissent tôt en analyse, je considère ce fait comme le signal que cet être est plein d'angoisse et que ces relations avec d'autres êtres sont fondamentalement médiocres. Dans de tels cas, la sexualité est l'un des rares ou le seul pont vers d'autres êtres. Les désirs sexuels envers l'analyste disparaissent facilement quand ils sont interprétés comme un besoin de contact fondé sur l'angoisse ; cela ouvre la voie vers l'élaboration des angoisses qui devaient être apaisées.

Ce genre de relation nous aide à comprendre certaines apparitions de besoins sexuels accrus. Pour poser brièvement le problème : il est compréhensible que des êtres dont le besoin névrotique d'amour s'exprime en termes sexuels tendront a avoir une relation sexuelle après l'autre, comme sous l'effet d'une compulsion. Il doit en être ainsi parce que leurs rapports avec les autres êtres sont trop perturbés pour être menés sur un autre plan. Il est compréhensible également que ces individus n'acceptent pas facilement une continence sexuelle. Ce que j'ai dit jusqu'à présent à propos d'individus à penchants hétérosexuels est également vrai pour les êtres à penchants homosexuels ou bi-sexuels. Beaucoup de ce qui apparaît comme une tendance homosexuelle ou de ce qui est interprété comme tel, est en réalité une expression du besoin névrotique d'amour.

Finalement, la relation entre l'angoisse et le besoin accru d'amour nous aide à mieux comprendre le phénomène du complexe d'Œdipe. En fait, toutes les manifestations du besoin névrotique d'amour peuvent être trouvées dans ce que Freud a décrit comme étant le complexe d'Œdipe : le fait de se cramponner à un parent, l'insatiabilité du besoin d'amour, la jalousie, la sensibilité au refus et la haine intense qui suit le rejet. Comme vous le savez, Freud conçoit le complexe d'Œdipe comme un phénomène qui est fondamentalement déterminé phylogénétiquement. Notre expérience de patients adultes nous fait cependant nous demander combien de ces réactions de l'enfance — si bien observées par Freud — sont déjà provoquées par l'angoisse, de la même manière que nous les voyons dans la vie ultérieure. Les observations ethnologiques font apparaître comme contestable le fait que le complexe d'Œdipe soit un phénomène biologiquement déterminé — fait déjà indiqué par Böhm et d'autres. L'histoire de l'enfance de ces névrosés qui ont une attache contraignante avec le père ou la mère montre toujours un grand nombre de facteurs connus pour faire naître l'angoisse chez les enfants. Essentiellement, les facteurs suivants semblent être à l'œuvre ensemble dans ces cas — éveil de l'hostilité exprimée du fait d'intimidations coexistantes ou de l'abaissement coexistant de l'amour-propre. Je ne puis sur ce point entrer dans les raisons détaillées qui expliquent pourquoi l'hostilité refoulée conduit facilement à l'angoisse. On peut dire d'une façon générale que l'angoisse naît chez l'enfant parce qu'il sent qu'exprimer des pulsions hostiles menacerait complètement la sécurité de son existence.

Par ce dernier commentaire, je ne veux pas nier l'existence et l'importance du complexe d'Œdipe. Je veux seulement poser la question de savoir s'il est un phénomène général et jusqu'à quel point il est provoqué par l'influence de parents névrosés.

Enfin, je veux dire brièvement ce que j'entends par angoisse fondamentale. Dans le sens « d'angoisse de la créature » (*Angst der Kreatur*), c'est un phénomène humain général. Chez les névrosés, cette angoisse est augmentée. Elle peut être brièvement décrite comme un sentiment d'impuissance dans un monde hostile et accablant. Pour la plupart, l'individu n'est pas conscient de cette angoisse en tant que telle. Il est seulement conscient d'une série d'angoisses de contenus très différents : phobie des orages, agoraphobie, phobie de rougir, phobie de la contagion, phobie des examens, phobie des chemins de fer, etc. Bien entendu, on peut strictement déterminer dans chaque cas spécifique pourquoi telle personne a telle ou telle phobie. Si nous regardons plus profondément, nous voyons cependant que toutes ces phobies tirent leur intensité de l'accroissement de leur angoisse fondamentale sous-jacente.

Il y a différentes manières de se protéger contre une telle angoisse fondamentale. Dans notre culture, les moyens suivants sont les plus courants : d'abord le besoin névrotique d'amour avec la devise : « Si tu m'aimes, tu ne me feras aucun mal. » Deuxièmement, la soumission : « Si je cède, si je fais ce qu'on attend de moi, si je ne demande jamais rien, si je ne résiste jamais — alors personne ne me fera de mal. » Le troisième a été décrit par Adler et plus particulièrement par Künkel. C'est la pulsion compulsive de puissance, le succès, les possessions, avec la devise : « Si je suis le plus fort, celui qui a le plus de succès, alors tu ne peux pas me faire de mal. » Le quatrième consiste à s'éloigner émotionnellement des autres afin d'être en sécurité et indépendant. L'un des effets les plus importants de cette stratégie est la tentative de refouler complètement les sentiments en tant que tels, de façon à devenir invulnérable. Un autre moyen est l'accumulation compulsive des biens qui, dans ce cas, n'est pas subordonnée à la pulsion de puissance, mais plutôt au désir d'être indépendant des autres.

On voit fréquemment que le névrosé ne choisit pas exclusivement l'un de ces moyens, mais qu'il tente de calmer son angoisse par des moyens différents, souvent tout à fait opposés. C'est ce qui le conduit à des conflits insolubles. Dans notre culture, le conflit névrotique le plus important est celui qui existe entre le désir compulsif et inconsidéré d'être le premier dans toutes les circonstances, et le besoin simultané d'être aimé de tout le monde (¹).

(¹) Cette conférence repose sur le livre de l'auteur *The Neurotic Personality of our Time* (New York, W. W. Norton & Cᵒ, Inc., 1937).

INDEX

Dans la « **Petite Bibliothèque Payot** » — une nouvelle revue de poche paraissant deux fois l'an.

LIBRE

politique - anthropologie - philosophie

Maintenant

Chine : Plus jamais d'empereur
C. Cadart

Hongrie 56 : Quelle révolution ?
C. Castoriadis, C. Lefort, M. Luciani

Archéologie de la violence
P. Clastres

Deux époques de la folie
G. Swain

Sade et Fourier
S. Debout

pbp

77-1

LIBRE

politique - anthropologie - philosophie

Guerre, religion, pouvoir : des
sociétés primitives à l'État

A. Adler, P. Clastres, M. Gauchet, J. Lizot

Aspects de l'ordre léniniste :
police, culture

M. Heller, J.-P. Morel, J.-F. Peyret

D'une rupture dans l'abord
de la folie

G. Swain

pbp

77-2

Si vous appréciez les volumes de cette collection et si vous désirez être tenu au courant des publications des Éditions **PAYOT, PARIS**, découpez ce bulletin et adressez-le à :

ÉDITIONS PAYOT, PARIS
106, Bd Saint-Germain
75006 Paris

NOM ....

PRÉNOM ....

PROFESSION ....

ADRESSE ....

. . . .

Je m'intéresse aux disciplines suivantes :

ACTUALITÉ, MONDE MODERNE ☐
ARTS ET LITTÉRATURE ☐
ETHNOGRAPHIE, CIVILISATIONS ☐
HISTOIRE ET GÉOGRAPHIE ☐
PHILOSOPHIE, RELIGION ☐
PSYCHOLOGIE, PSYCHANALYSE ☐
SCIENCES (Naturelles, Physiques) ☐
SOCIOLOGIE, DROIT, ÉCONOMIE ☐

(Marquer d'une croix les carrés correspondant aux matières qui vous intéressent.)

Suggestions :

. . . .

. . . .

. . . .

332

Imprimerie BUSSIÈRE à Saint-Amand (Cher), France. — 5-1-1978
Dépôt légal : 1ᵉʳ trim. 1978.   Nº d'imp. : 1672

IMPRIMÉ EN FRANCE